Un océan d'amour

Les Braden de Weston

Amour sublime
Melissa Foster

UN OCÉAN D'AMOUR

Cet ouvrage a été publié sous le titre original *Sea of Love*

Print Édition
V1.0

Couverture : Elizabeth Mackey Designs
Traduit de l'anglais par Adeline Nevo et Valentin Translation

WORLD LITERARY PRESS

Note aux lecteurs

Un océan d'amour fait partie de la série *Les Braden* et de la saga *Amour sublime* qui narre les différentes histoires d'amour d'une grande famille. S'il peut être lu indépendamment des autres, vous en profiterez plus en lisant les autres livres de la série. Tous les tomes d'*Amour sublime* peuvent être lus dans n'importe quel ordre, alors lancez-vous dans cette aventure aussi drôle que sensuelle !

Pour rester informé de mes nouvelles parutions, des promotions et des contenus exclusifs, inscrivez-vous à ma newsletter et suivez-moi sur votre site de vente en ligne préféré.
www.MelissaFoster.com/Francaise-News

Pour des listes de lecture *Amour sublime* téléchargeables, tous les liens familiaux et plus encore (en anglais), rendez-vous sur ma page consacrée aux Goodies pour lecteurs :
www.MelissaFoster.com/RG

Bonne lecture !
~ Melissa

CHAPITRE UN

Lacy Snow s'assit entre Kaylie Crew et Danica Carter, ses demi-sœurs. Depuis qu'elle les avait rencontrées – dix-huit mois auparavant – elles étaient devenues ses amies les plus proches, ses complices et les femmes qu'elle admirait le plus au monde. Elle avait toujours été au courant de leurs existences, mais étant l'enfant de la maîtresse de leur père, elle ne pouvait pas frapper à leur porte comme ça.

Kaylie lui prit la main avec un sourire fraternel. Elles avaient les mêmes yeux turquoise et les mêmes cheveux blonds, même si ceux de Kaylie étaient bouclés, alors que ceux de Lacy n'étaient qu'une masse de frisottis comme ceux de Danica. Cette dernière, en revanche, avait hérité des cheveux noirs et de la peau mate de leur père.

— Mon Dieu, cet endroit est magnifique, s'extasia Kaylie.

— Ça a été construit à l'identique du Chequesset Inn original, détruit lors d'une tempête de neige dans les années 30, expliqua Lacy.

Max et Treat étaient tombés amoureux à Wellfleet, dans le Massachusetts, et il était normal qu'ils se marient au Wellfleet Inn. L'hôtel de deux étages surplombait la baie. Treat possédait des hôtels dans le monde entier, et il avait en toute logique ajouté cet endroit à sa collection.

— Oh mon Dieu, murmura Kaylie. Tu es un vrai Schtroumpf à lunettes.

Elle regarda l'autel et ajouta :

— Enthousiaste ?

— *Nerveuse*, avoua Lacy.

Elle avait rencontré Dane Braden, le frère cadet de Treat, lors du double mariage de ses sœurs. Depuis, elle ne l'avait plus revu... Des mois d'échange de textos, d'e-mails, d'appels téléphoniques intimes, de chats vidéo sensuels et trop de fantasmes pour les compter. Des mois à travailler douze heures par jour, sept jours sur sept, à se démener pour une promotion au travail, et de longues nuits passées à rêver de Dane. Elle saisit la main de Danica – en pleine conversation avec son mari, Blake – qui la serra en retour comme si c'était la chose la plus naturelle au monde. Elle avait rencontré Danica et Kaylie juste avant leurs mariages, dans un complexe de Nassau qui appartenait à Treat Braden, le bel homme séduisant et ténébreux d'un mètre quatre-vingt-dix qui se tenait en ce moment même devant l'autel et dévorait du regard leur amie Max Armstrong. Les cheveux noirs de Max retombaient en douces vagues sur ses bretelles fines et les lignes épurées de sa robe de mariée, conçue par Josh et Riley Banks, sa fiancée. Les mariages avaient le don de rendre les belles femmes encore plus glamours. Max et Treat formaient un couple frappant, et de voir Treat tenir la main de la mariée et la regarder avec amour en lui promettant une vie d'adoration, aurait dû retenir l'attention de Lacy. Pourtant, son regard restait tourné vers la droite, sur la ligne que formaient les quatre séduisants frères de Treat, témoins tous plus beaux les uns que les autres. Leurs yeux sombres étaient braqués sur leur frère aîné qui jurait d'aimer, d'honorer et de chérir sa future épouse... tous sauf Dane. Ses yeux noirs et brûlants fixaient avidement Lacy, provoquant une onde de chaleur en elle. *Bon sang, qu'il est beau.* Lacy n'arrivait pas à cligner des paupières ni à détourner le regard. Seigneur, elle ne pouvait même pas respirer.

— Attention, murmura Kaylie, tu vas baver sur ta jolie robe.

La jeune femme rougit, mais elle ne pouvait toujours pas détourner le regard. Les frères Braden avaient tous d'épais cheveux noirs. Alors que ceux de Treat et Josh étaient courts et ceux de Rex mi-longs, à la façon des cow-boys, ceux de Dane se situaient quelque part entre les deux, comme s'il avait oublié son rendez-vous chez le coiffeur. Un peu ébouriffés, ils effleuraient le haut de ses oreilles.

Non, se dit Lacy en plissant les yeux. *Ce n'est pas ça du tout.* Alors qu'elle regardait les lèvres de Dane esquisser un sourire, elle se mordit la lèvre inférieure et songea : *On dirait qu'il vient tout juste de sortir du lit – ou qu'il est prêt à y aller.*

Quand il lui fit un clin d'œil, elle en eut le souffle coupé.

— Tiens-toi bien, l'avertit Kaylie.

— Oh mon Dieu, murmura Lacy en baissant les yeux sur ses genoux. Il est tellement...

— Sexy ? Magnifique ? Torride ? proposa Kaylie en haussant un sourcil.

— Chut, dit Danica avec un regard sévère.

Lacy et Kaylie rapprochèrent leurs têtes blondes avec un petit rire silencieux. Danica secoua la tête, et même si Lacy ne pouvait pas voir son visage, elle savait que sa sœur aînée levait les yeux au ciel et pinçait les lèvres.

— Mesdames et messieurs, monsieur et madame Treat Braden.

L'annonce provoqua dans son corps un frisson d'excitation. Tout le monde se leva alors que Max et Treat s'éloignaient dans l'allée, main dans la main. Le sourire de Max illuminait son regard. Treat rayonnait de fierté, les yeux rivés sur sa femme. Les cheveux blonds de Kaylie formaient une cascade dans son dos alors qu'elle passait les bras autour du cou de son mari Chaz, pour l'embrasser. Lacy vit Danica sourire amoureusement à Blake, qui lui prit le menton et l'embrassa. Elle se détourna en songeant à Dane.

À l'approche de Treat et Max, Lacy et ses sœurs leur lancèrent des pétales de rose.

— Félicitations ! cria Lacy.

Mais ses yeux avaient déjà quitté Treat et Max pour se poser à nouveau sur Dane.

Elle avait oublié la largeur de son torse, et son regard ne lui avait jamais paru aussi brûlant sur Skype et FaceTime. Le pouls de la jeune femme monta d'un cran.

— Tu es si belle ! dit Danica à Max.

Les garçons d'honneur descendaient également l'allée. Kaylie serra si fort la main de Lacy que celle-ci grimaça.

— Le voilà, déclara-t-elle.

— Arrête, marmonna Lacy. Je suis déjà assez nerveuse.

Dane s'avança vers elle avec un grand sourire qui dévoilait ses dents blanches. Ses puissantes épaules se balançaient légèrement et ses yeux sombres ne la quittaient pas. Les jambes de Lacy se changèrent en gelée et elle agrippa le dossier de sa chaise pour se stabiliser. L'homme dans l'allée voisine à la sienne tendit la main vers Dane.

— Bonjour, mon grand. Ça fait longtemps que je ne t'avais pas vu. Quel plaisir, déclara l'homme d'âge mûr.

Dane étreignit l'inconnu grand et mince sans quitter Lacy du regard.

— Toi aussi, Smitty. On se rattrapera à la réception, déclara Dane avant de s'approcher de la rangée de Lacy et de faire la bise à son cousin. Blake, ravi de te voir.

Puis il étreignit doucement Danica et l'embrassa sur la joue.

— Toujours aussi belle, dit-il avant de passer à Kaylie.

Le cœur de Lacy cognait contre sa poitrine alors que Blake et Danica s'avançaient dans l'allée, suivant le reste des invités dans la salle de réception. Elle avait oublié combien il était grand, et alors qu'elle le regardait serrer Kaylie contre lui, elle réalisa qu'elle avait aussi oublié à quel point ses mains étaient larges. *Grandes mains, grande... Arrête ça !*

— Nous devons appeler notre baby-sitter avant la réception. J'ai été heureuse de te revoir, déclara Kaylie.

Elle le serra rapidement dans ses bras et entraîna Chaz derrière elle, laissant Lacy seule avec Dane.

Cela faisait bien trop longtemps que Dane n'avait pas revu Lacy. Il lui prit les mains et l'attira plus près avant de déposer un doux baiser sur chacune de ses joues, humant le délicieux parfum dont il se souvenait : un mélange d'agrumes et de fleurs avec une touche de musc. Pour n'importe qui d'autre, c'était du Coco Noir de Chanel. Pour Dane, c'était l'odeur de Lacy, dont il se souvenait depuis le jour où ils s'étaient rencontrés. C'était l'odeur dont il avait rêvé et qui l'avait transporté durant ces longs après-midi en mer, où ils marquaient des requins à des kilomètres du rivage.

— Lacy.

Ses doigts délicats tremblaient contre ses larges paumes. Un sourire timide recourba ses douces lèvres, affolant le pouls de Dane.

— Bonjour, dit-elle doucement.

Ses boucles blondes tombaient en épaisses torsades sur ses épaules minces et bronzées. Elle portait une robe dos nu bleu roi qui lui arrivait à mi-cuisses, révélant ses longues jambes toniques. Le vêtement couvrait à peine l'extrémité de la cicatrice qui, Dane le savait, lui rappelait la pire de ses peurs. Il déposa un tendre baiser sur l'une de ses mains fines. Tous ces mois d'e-mails, d'appels téléphoniques et de chats vidéo lui revinrent en mémoire. Ça n'avait jamais été suffisant, mais ses nombreux déplacements en tant que fondateur de la *Brave Foundation* lui rendaient presque impossible toute évasion, même le temps d'un week-end. Quant à Lacy, elle travaillait jour et nuit dans l'espoir d'obtenir une promotion. C'est pourquoi, même s'il avait pu trouver le temps, elle n'aurait probablement pas réussi à se libérer. La mission de *Brave* consistait à s'appuyer sur des programmes d'éducation et des discours originaux pour protéger les requins et, dans un sens plus large, les océans. La passion de Dane pour le sauvetage et l'éducation avait commencé juste après l'université et n'avait fait que grandir depuis. Il avait organisé sa vie autour de ce qu'il aimait et, à présent, il vivait sur un bateau au large de la Floride, où se trouvait le siège social de *Brave*. Il avait une petite équipe administrative et suffisamment de relations pour attirer des bénévoles. Lorsqu'il n'était pas sur l'eau, on pouvait le trouver à la tête de la fondation, ce qui se traduisait par de nombreux déplacements, un calendrier social surchargé et pas mal de mains à serrer. Malheureusement, durant ces mois-ci, son emploi du temps et celui de Lacy n'avaient pas pu coïncider.

— Tu vas me présenter, ou juste bloquer l'allée ? demanda Rex, le frère cadet de Dane.

Ce dernier secoua la tête pour s'éclaircir les idées. Rex avait un an et demi de moins que lui et travaillait au ranch familial, ce qui expliquait sa musculature de cow-boy. Dane se tourna vers lui avec un sourire moqueur.

— Est-ce que Jade n'est pas quelque part par ici ? demanda-t-il.

Un an plus tôt, Rex était tombé amoureux de Jade Johnson, et leur amour avait mis fin à une querelle familiale de longue date – ainsi qu'à une longue attente. Dane n'avait jamais vu son frère aussi heureux. Rex et Jade avaient acheté la propriété située entre les ranchs des deux familles, et y avaient récemment fait construire une maison.

Alors qu'il regardait les yeux sombres de Rex, il eut un petit moment de malaise. Lui aussi mesurait un mètre quatre-vingt-dix, comme Rex, mais les bras de son frère étaient aussi épais que des troncs d'arbres, et la façon dont son smoking épousait son torse massif aurait excité n'importe quelle femme. Il savait que la barbe d'un jour et les cheveux longs de son frère lui donnaient un air de bad-boy et faisaient même de l'effet aux femmes les plus sages. Mais Dane savait aussi qu'il n'avait pas besoin de lui adresser un avertissement silencieux, ni même de faire preuve d'un soupçon de possessivité en ce qui concernait Lacy : Rex n'avait d'yeux que pour Jade, et il n'était que trop conscient que Lacy n'était pas pour lui.

— Écarte-toi, ordonna Rex en pressant son avant-bras imposant contre le torse de Dane avant de tendre une main vers Lacy. Je suis Rex, le frère de Dane. Tu dois être Lacy.

Elle rougit.

— Oui, bonjour, dit-elle en regardant Dane avec étonnement. Il a parlé de moi ?

Rex éclata de rire.

— Oh, il t'a peut-être mentionnée une ou deux fois, dit-il

en adressant un sourire en coin à Dane. Ravi de te rencontrer, Lacy. Pas étonnant que Dane ait été si distrait pendant la cérémonie. Eh bien… ajouta-t-il en laissant échapper un soupir théâtral. Amusez-vous bien tous les deux. Si vous voulez bien m'excuser, je dois retrouver ma petite amie.

— Enfoiré, murmura Dane alors que Rex s'éloignait avec un sourire narquois, non sans lui décocher une bourrade au passage.

La salle se vida rapidement tandis que les invités se dirigeaient vers la réception. Dane reporta son attention sur Lacy.

— Je suis heureux que tu sois là.

— Moi aussi, répondit Lacy en souriant. Ton frère a l'air gentil.

— Oui, on peut le dire.

L'image de Lacy en minuscule bikini, à Nassau, lui revint à l'esprit. Il déglutit pour repousser le souvenir par peur de sentir son désir renaître, comme durant ces dernières nuits à la perspective de la revoir.

— Tu me réserves une danse ?

Bien qu'il n'ait fait que penser à la revoir, ces dernières semaines, il ne s'était pas attendu à être si crispé – ni à ce que le désir de l'embrasser soit si fort. Il se tenait si près d'elle qu'il lui aurait suffi de se pencher légèrement pour poser ses lèvres sur les siennes, passer les mains dans ses cheveux et l'attirer contre lui.

— Bien sûr, répondit-elle alors qu'il avait déjà oublié sa question.

— Dane.

La voix grave de son père le tira de ses pensées. Hal Braden fit quelques pas vers eux. Il mesurait quelques centimètres de plus que son fils. Sa peau était très mate, rivalisant avec le riche bronzage de Dane. De fines rides serpentaient aux coins de ses yeux et de sa bouche, et un V profond était creusé entre ses sourcils épais.

— Pardon. Je suis désolé de vous interrompre, dit-il en tendant la main à Lacy. Hal Braden, le père de Dane.

— Je suis Lacy, répondit la jeune femme en lui serrant la main.

— Papa, c'est Lacy Snow.

Dane vit le regard sérieux de son père devenir sensiblement plus chaleureux.

— Lacy Snow. Tu es de la famille de Danica, la femme de Blake ?

— Oui, je suis sa demi... sa plus jeune sœur, répondit-elle en rougissant à nouveau.

Dane mourait d'envie de passer son bras autour d'elle afin de calmer sa nervosité.

Hal hocha la tête.

— Toutes les sœurs de Danica sont nos amies. C'est un plaisir de te rencontrer. Ils prennent des photos, Dane. Ne sois pas trop long.

— J'arrive tout de suite, papa, répondit ce dernier.

Il regarda son père s'éloigner et sentit la fierté emplir son cœur. Il avait toujours eu une bonne relation avec son père, et à trente-six ans, il le voyait autrement. Sa mère était décédée alors qu'il n'avait que neuf ans, et son père les avait élevés, lui et ses quatre frères et sœur. Quand il parlait de leur mère, l'amour qui se dégageait de lui était toujours aussi fort. Dane n'avait pas souvent pensé au mariage, mais ces derniers temps, il se demandait... non, il *espérait* qu'un jour, il trouverait ce que ses parents avaient vécu ensemble. Il voulait faire l'expérience de cet amour.

— Tu devrais y aller, dit Lacy en battant ses longs cils, agitant la main.

Dieu, qu'elle est mignonne quand elle est nerveuse.

Dane se demanda si elle se rendait compte qu'il était aussi nerveux qu'elle. La dernière chose qu'il voulait, c'était la quitter, mais plus tôt il en aurait fini avec ces photos, plus tôt il pourrait être à nouveau avec elle.

— Oui, j'y vais. Rappelle-toi notre danse, d'accord ?

— J'ai hâte.

CHAPITRE DEUX

— Déballe tout, ma belle, dit Kaylie à Lacy.

Danica et elle l'entourèrent, tandis que Chaz et Blake allèrent chercher des boissons au bar. Le photographe venait juste de terminer de prendre les photos, et Dane et sa famille retournaient dans la salle.

— Oui, c'est quoi le problème ? demanda Danica. Tu as dit que vous ne vous étiez pas revus, mais ça n'en donne pas l'impression. On dirait que vous reprenez là où vous aviez laissé votre dernier rendez-vous bien torride.

— Ne sois pas stupide, dit Lacy. Nous ne nous sommes pas vus depuis votre mariage. Je ne mens jamais. Enfin, sauf si on compte Skype ou FaceTime.

Kaylie prit une gorgée de sa boisson.

— Hmm hmm. Le sexe virtuel compte, sœurette.

— Kaylie ! s'exclama Lacy dans un murmure.

— Des sœurs, tu te souviens ? On veut des détails, insista Kaylie.

— Pas une seule fois, mentit Lacy.

Certaines choses étaient trop privées, même pour des sœurs.

— Entre son emploi du temps et le mien, nous ne nous sommes pas revus.

Elle regarda Dane de l'autre côté de la piste de danse, qui se trouvait avec ses jeunes frères, Josh et Hugh.

— Comment peuvent-ils être tous aussi beaux ?

— Josh semble sorti d'un défilé de mode, déclara Kaylie.

— Il est styliste, pas mannequin, répondit Lacy.

— Oui, eh bien, regarde Hugh. C'est le pilote de course, non ? Regarde comme il mate toutes les femmes, dit Kaylie le désignant de la tête.

Elle regarda Max qui souriait à la table d'honneur, seul objet d'attention de Treat. Il lui murmura quelque chose à l'oreille et celle-ci rougit.

— Regardez Max. Mon Dieu, vous imaginez à quel point leurs enfants seront beaux ?

— Tu changes de sujet, la taquina Danica. Oui, ils sont tous mignons, mais pas plus mignons que Blake et Chaz, n'est-ce pas, Lace ?

Comme elle ne répondit pas, Danica lui donna un coup de coude.

— Pas vrai ?

— Oh oui, c'est vrai.

Dane avait de nouveau verrouillé les yeux sur elle, et elle jura que la température de la pièce avait augmenté de dix degrés.

— Voici ton chéri virtuel, plaisanta Kaylie.

Dane traversa la piste de danse. Chaque pas déterminé faisait voler des papillons dans l'estomac de Lacy. Arrivé à leur table, il tendit la main.

— Je crois que tu m'as promis une danse, dit-il d'un ton bas et séducteur.

Il l'aida à se lever et posa une main dans le creux de ses reins alors qu'il la conduisait vers la piste de danse. Elle fut parcourue d'un frisson. Elle se sentait si féminine à côté de lui. Lacy jeta un coup d'œil en direction de ses sœurs : une main sur son cœur et un regard rêveur, Danica souriait à Lacy.

Dane enroula ses bras autour de sa taille, tandis qu'elle nouait ses mains derrière son cou. La chaleur résonnait entre eux. Lacy ne se souvenait pas d'avoir jamais été aussi attirée par un homme. Les lignes délicates de ses joues étaient si différentes de la mâchoire ciselée de son frère Rex, ou des traits raffinés de Treat. Dane appuya son front contre celui de Lacy.

— Tu m'as manqué, dit-il.

Elle aurait pu se perdre dans ses yeux à la façon dont il la regardait, comme si elle était la seule femme dans la salle.

— Tu m'as manqué aussi.

Elle balança ses hanches au rythme lent de la musique, et ils dansèrent en parfaite harmonie.

— Pourquoi avons-nous attendu si longtemps pour nous revoir ? demanda-t-il.

Lacy s'était posé la même question.

— Nos emplois du temps, fut la seule réponse qu'elle put donner.

Elle briguait une promotion chez World Geographic, où elle travaillait en tant que gestionnaire de compte sur les stratégies marketing des organisations à but non lucratif. Après cinq ans à gravir les échelons de l'entreprise, elle avait enfin une chance d'accéder à un poste de direction, et étant en concurrence avec d'autres gestionnaires de compte, elle n'avait pas pu se permettre de s'absenter.

Il se pencha plus près, et Lacy retint son souffle, pensant qu'il pourrait l'embrasser en plein milieu de la piste de danse.

— Stupide emploi du temps, murmura-t-il près de son oreille, le souffle chaud contre sa peau. Tu sens si bon, dit-il en se frottant contre son cou.

Les nerfs à vif, y compris ceux du bas de son corps – ceux

qu'elle avait tant essayé d'ignorer ces derniers mois, et qui réclamaient Dane et seulement lui. Lacy avait eu quelques rencards quand Dane et elle avaient commencé leur relation à distance… si on pouvait appeler cela ainsi. Elle ne savait pas trop comment définir la relation qui s'était développée entre eux, mais elle savait qu'elle ne pouvait pas s'endormir sans entendre sa voix, et même maintenant, après tous ces mois, quand elle voyait son nom sur son téléphone, son cœur tambourinait. Elle avait eu l'occasion de coucher avec les hommes avec qui elle était sortie, mais chaque fois qu'un rendez-vous devenait intime, elle s'éloignait. C'était de Dane qu'elle voulait. C'était de lui qu'elle avait envie. *Comment est-ce possible après un unique après-midi ensemble ?* La réponse fut instantanée : plus d'un an à partager des secrets sans la pression du sexe, leur avait permis de développer une intimité comprenant le partage de leurs espoirs, de leurs rêves et de leurs peurs.

Dane dit quelque chose, mais Lacy était trop perdue dans ses pensées pour le comprendre.

— Je suis désolée, quoi ?

Ressaisis-toi.

— La chanson est finie, dit-il.

Lacy regarda autour d'elle et recula. Elle et Dane étaient le seul couple restant sur la piste à danser dans un rythme sensuel… sans musique.

— Oh mon Dieu. Je suis désolée, dit-elle en reculant.

Dane lui prit la main.

— Viens avec moi, dit-il.

Il l'entraîna vers les portes-fenêtres qui menaient à la terrasse. L'air frais de la nuit lui donna la chair de poule alors qu'elle dirigeait avec lui jusqu'à la balustrade en fer forgé qui surplombait un tapis d'herbe en contrebas. On entendait le bruit des vagues au loin. Les étoiles tachetaient le ciel bleu-noir comme des centaines d'yeux qui les observaient. La lune projetait une brume romantique dans la nuit. La musique s'échappait de la salle de réception et s'évaporait dans la brise. Lacy agrippa le bord de la balustrade, espérant que Dane ne remarquerait pas à quel point elle était nerveuse.

— Je sais qu'on a discuté quand tu étais en chemin, mais comment vas-tu ? demanda-t-il.

Nerveuse. Excitée. Embarrassée.

— Ça va.

Ça va ? J'aurais aussi bien pu dire que je suis paumée.

— Le mariage était magnifique, n'est-ce pas ? ajouta-t-elle, essayant de trouver quelque chose à dire qui lui ferait oublier à quel point elle le désirait.

— Treat sait organiser un mariage.

Il se rapprocha, frôlant son épaule de la sienne.

— Lacy, parle-moi.

Elle se tourna vers lui, et toutes ces nuits lui traversèrent l'esprit comme dans un film muet : la façon dont Dane avait été submergé par la tristesse lorsqu'il avait parlé de la mort de sa mère et quand il était resté éveillé toute la nuit avec elle sur Skype lorsqu'elle avait eu une grippe intestinale, juste pour qu'elle ne soit pas seule. Elle se serait menti si elle n'admettait pas qu'au cours de toutes ces nuits d'allusions sexuelles et – oh, mon Dieu, de sexe virtuel – au cours des mois écoulés, elle ne s'était pas demandé pourquoi ils n'avaient pas trouvé le moyen de se revoir.

Il passa son doigt sur sa joue, puis souleva son menton pour que ses yeux rencontrent les siens.

— Pourquoi ne nous sommes-nous pas revus ? demanda-t-elle, avant de le regretter aussitôt.

Dane avait probablement un million de femmes qui n'attendaient que lui. Pourquoi aurait-il pris du temps sur son emploi du temps juste pour la voir ?

Il posa ses mains puissantes sur ses bras et la regarda dans les yeux avant de secouer la tête.

— Stupidité ?

Lacy rit, mais son cœur se fissura secrètement. Elle avait été absorbée par l'obtention de sa promotion et avait travaillé d'arrache-pied, mais s'il avait mentionné la possibilité d'une visite, elle aurait trouvé le moyen de le retrouver et passer du temps avec lui.

— Vraiment, Lace. J'aurais dû m'arranger, et comme je n'ai pas pu, j'ai essayé qu'on parle presque tous les soirs. J'ai l'impression de t'avoir connue toute ma vie, et j'étais sûr qu'on se reverrait après Nassau. Mais ensuite, j'ai dû aller à Maui, puis au Belize, puis en Californie.

— Tu étais aussi en Floride, lui rappela-t-elle.

Le quartier général de Brave était en Floride, et quand Dane ne voyageait pas, il vivait sur son bateau au large de la côte.

— C'est vrai. Mais je ne suis jamais allé dans le Massachusetts, et c'était de la mauvaise organisation.

Il s'approcha, ses yeux s'assombrissant jusqu'à ce qu'ils soient presque noirs ; la faim qu'elle y lut la fit frissonner.

— Je suis vraiment désolé. J'ai pensé à toi chaque seconde.

Elle déglutit avec peine. En étant si près de Dane et en sentant la chaleur entre eux, Lacy se demanda si faire de cette promotion une priorité n'avait pas été la décision la plus stupide. *J'aurais pu être avec toi.* Elle savait que c'était une chimère. Dane avait un emploi du temps encore plus chargé que le sien.

— Lacy, murmura-t-il. Je suis désolé.

Elle ouvrit la bouche pour parler, mais aucun mot ne vint. Elle était troublée par la faim dans ses yeux sombres et la façon dont cela calmait son cœur et ravivait son désir. Il l'attira plus près et elle posa ses mains contre son torse, sentant son cœur battre sous ses paumes.

— Lacy, je dois t'embrasser, dit-il en la perçant d'un regard intense.

Elle agrippa les revers de sa veste pour stabiliser ses jambes en coton alors qu'il abaissait sa bouche vers la sienne, d'abord doux, puis lui administrant un baiser gourmand et passionné. Chaque coup de langue lui envoyait des frissons dans l'estomac. Il fit glisser ses larges mains le long de sa taille fine et serra ses hanches, l'attirant contre chaque centimètre de sa dure longueur.

Quand ils se séparèrent enfin, Lacy se sentait ivre. Le goût sucré de l'alcool et de la luxure s'attarda sur sa langue tandis que Dane agrippait la balustrade de chaque côté d'elle et l'emprisonnait. Il se pencha en avant. Son souffle était chaud sur son cou, son corps, une fournaise vivante contre elle.

— Qu'est-ce qu'on va faire de mes mois de fantasmes à ton sujet ? Ils m'ont privé de toute idée claire, murmura-t-il.

Lacy espérait pouvoir parler malgré son cœur tambourinant.

— Qui a besoin d'avoir les idées claires ?

Embrasse-moi encore. S'il te plaît, embrasse-moi encore.

Les yeux de Dane lancèrent des éclats. Lacy soutint son regard. Il ne dit pas dit un mot. Ce n'était pas nécessaire. Elle irait où il voudrait, dès qu'il serait prêt.

La porte de la salle de réception s'ouvrit, et Max et Treat se dressèrent derrière eux.

— On vous cherchait, déclara Treat.

Dane prit la main de Lacy et se retourna. Elle sentit son

pouls s'accélérer et son esprit tourner en rond. Comment pourrait-elle attendre la fin de la réception pour l'embrasser à nouveau ? Il lui serra la main et Lacy se mordit l'intérieur de la joue pour ne pas dire quelque chose de stupide par nervosité.

Le regard de Treat passa de l'un à l'autre.

— Lacy, quel plaisir de te revoir !

Il se pencha pour l'embrasser sur la joue sans lâcher la main de Max.

— C'était un beau mariage, dit-elle, soulagée que sa voix ne tremble pas contrairement à ce qu'elle craignait. Max, tu es magnifique. Je suis tellement heureuse pour vous deux.

Max travaillait pour Chaz et Lacy, et elle étaient devenues rapidement amies après s'être rencontrées au mariage de ses sœurs.

— Ça te dérange si je discute avec Lacy quelques minutes ? demanda Max à Treat.

— Bien sûr que non, madame Braden. Je t'ai pour le reste de nos vies.

D'un bras puissant, il la serra contre lui et l'embrassa. Quand ils se séparèrent, les joues de Max étaient d'un rouge cramoisi. Max prit la main de Lacy et l'éloigna de Dane, mais il s'accrocha fermement jusqu'à ce que leurs bras se tendent entre eux.

— Franchement, Dane, dit Max en soupirant.

— D'accord, mais ramène-la, plaisanta-t-il.

Lacy lui jeta un coup d'œil par-dessus son épaule tandis que Max la ramenait dans la salle de réception, puis vers la table de Kaylie et Danica. Une part d'elle souhaitait qu'elle n'ait pas été emportée.

— Tu as l'air de quelqu'un qui vient de s'envoyer en l'air, déclara la jeune femme.

— Max !

En voyant son regard sérieux et son large sourire, Lacy comprit qu'elle ne plaisantait qu'à moitié. Elle vit Dane et Treat entrer dans la salle.

— Tes joues sont rouges et tes yeux sont rêveurs. Sérieusement, si tu ne veux pas que tes sœurs le sachent, tu ferais mieux de te ressaisir.

Lacy jeta un coup d'œil à Danica et Kaylie. Cette dernière avait une main autour de sa bouche alors qu'elle parlait à l'oreille de Danica. Leurs yeux étaient fixés sur Lacy. Elle prit une profonde inspiration et se laissa tomber sur une chaise.

— Alors ? demandèrent Kaylie et Danica à l'unisson.

— Nous nous sommes embrassés. Oh, mon Dieu, et quel baiser ! dit-elle à bout de souffle.

Kaylie tendit la main vers Danica.

— Je crois que tu me dois cinq dollars.

Celle-ci s'empara de son sac à main.

— Franchement, Lacy ? Tu n'aurais pas pu juste attendre deux heures après le mariage ? Ce n'est pas demander beaucoup. Quelques satanées heures, dit-elle en tendant un billet de cinq à Kaylie tout en souriant.

— Vous avez parié sur le moment où je l'embrasserais ? dit sèchement Lacy en essayant de paraître bouleversée et se retenant de sourire.

Elle aimait secrètement les plaisanteries fraternelles dont elle avait été privée pendant tant d'années.

— Et franchement, Danica ? Aurais-tu pu attendre deux heures alors qu'une chose pareille t'attendait ? ajouta-t-elle en désignant d'un geste du menton, Dane, qui la regardait de l'autre côté de la salle.

Il y avait écrit dans ses yeux *Je te veux*.

Max se pencha par-dessus la table.

— Je te paierai plus tard, murmura-t-elle.

— Max ! Toi aussi ? dit Lacy en claquant la langue.

Cette dernière fit semblant d'inspecter ses ongles nouvellement manucurés.

— Je n'en reviens pas, les filles, s'exclama Lacy en lui giflant la main. C'est pour ça que tu m'as éloignée de Dane ?

Quand pourrais-je encore embrasser ses lèvres pulpeuses ? Elle frissonna rien qu'en y pensant.

— Oh s'il te plaît. Bien sûr que oui, dit Kaylie en levant les yeux au ciel et repoussant ses cheveux derrière son épaule. Tu ne t'attendais quand même pas à ce qu'on ne parle pas de Dane et toi, non ? Tu ne penses qu'à lui depuis Nassau.

— C'est faux.

Lacy avait pensé et parlé de Dane sans arrêt pendant des mois. Elle ignorait pourquoi elle le niait.

— Bon d'accord, finit-elle par leur concéder. Qu'est-ce que je vais faire ? Je ne peux pas le regarder sans que tous ces mois à le désirer remontent à la surface, mais ça fait un peu mal qu'il ne soit jamais venu me voir.

— Nous en parlons depuis plus d'un an. Tu as dit que c'était une question d'emploi du temps. Tu penses que c'était autre chose ? Tu crois que c'est un homme à femmes ? demanda Danica.

Est-ce que j'ai peur de ça ?

— Non, mais il faut bien admettre que ça a été très long.

— C'est vrai. Tu as dit que tu lui en avais parlé, et maintenant tu veux savoir pourquoi tu as du mal à le digérer, n'est-ce pas ? demanda Danica.

Elle continua sans laisser à Lacy le temps de répondre.

— C'est parce que tu es prête à faire évoluer ces dix-huit

derniers mois à un niveau supérieur. L'intimité peut être un pas énorme.

— Tu es une thérapeute incroyable, déclara Kaylie.

Danica avait abandonné ses consultations thérapeutiques lorsqu'elle était tombée amoureuse de son client, Blake.

Lacy soupira.

— J'ai l'impression qu'il y a bien plus que du désir entre nous.

— Il est au courant de ta peur des requins ? demanda Kaylie.

Lacy se hérissa.

— En quelque sorte.

Elle avait essayé d'ignorer cette inquiétude pendant des semaines alors que le mariage approchait.

— Tu as peur des requins ? demanda Max. Mais tu es allée dans l'eau à Nassau.

— C'est étrange. Je *pense que* j'ai peur des requins. J'ai eu un accident quand j'étais enfant. Je n'ai pas vraiment envie d'en parler, ni de tester la théorie selon laquelle j'ai peur d'eux. J'ai juste le sentiment que lorsque je sors de mon environnement contrôlé, la peur pourrait prendre le dessus.

— Tu sais qu'il marque les requins, n'est-ce pas ? demanda Max.

— Bien sûr. On peut changer de sujet ? demanda Lacy. J'ai juste besoin d'être sûre que je ne commets pas une erreur. Vous ne voyez pas de drapeaux rouges bien en vue, n'est-ce pas ?

S'il vous plaît, dites non et laissez-moi retourner l'embrasser.

— Non, Lace, répondit Danica.

— Que pourrait-il se passer de si terrible ? Imaginons que tu couches avec lui et que tu décides ensuite que tu as commis une erreur, déclara Kaylie. On ne vit qu'une fois. Tu t'en remettras.

Max tapota l'épaule de Lacy.

— Dane est un type formidable, Lacy. Treat et lui sont très proches, et Treat ne dit que du bien de lui. Enfin, à part ce truc, mais... tu sais.

— Quel truc ? demanda Danica.

Max secoua la tête.

— C'est bon, Max. Continue.

On s'est tout dit.

— D'accord, mais... hésita Max en regardant Lacy qui agita la main en signe d'approbation. Dane a couché avec une des petites amies de Treat à l'université.

— Vraiment ? dirent Kaylie et Danica à l'unisson.

— Je sais tout. Dane me l'a raconté. Je vous l'ai dit les filles, on a parlé de tout.

Elle se souvenait bien de leur discussion. Ils étaient sur Skype, et durant toute cette conversation gênante, il n'avait pas une seule fois détourné le regard ou essayé d'éluder ses questions. Elle avait alors compris qu'elle pouvait avoir confiance en lui.

— C'était il y a longtemps, mais ce n'était pas *que* par bêtise. Il a dit à Treat l'année dernière qu'il n'avait jamais cessé de se sentir coupable. Il a toujours eu l'impression de vivre dans l'ombre de Treat et, pour une fois, il voulait être le cheval de tête.

— Compte tenu de ce qu'on a vu à Nassau, je dirais qu'il a bien les attributs d'un cheval, déclara Kaylie en souriant.

— Kaylie, la réprimanda Lacy.

Lacy savait que l'une d'elles finirait par faire une blague sur le fait que Dane était bien doté. Ça aurait été difficile de ne pas le remarquer lorsqu'il était en maillot de bain aux Bahamas, et entendre Treat lancer le chiffre de vingt-cinq centimètres l'avait laissée rêveuse.

— Quoi ? Tu l'as vue ! se défendit Kaylie.

Lacy secoua la tête.

— Souvenez-vous, ce sont des hommes qui ont perdu leur mère quand ils étaient enfants, dit Danica pensivement. Et même s'il leur restait leur père, d'après ce que j'ai entendu dire ils dépendaient vraiment beaucoup les uns des autres. Et vous savez qu'ils ont gardé beaucoup de colère et de chagrin en eux durant toutes ces années. Lacy, s'il a partagé une chose pareille avec toi, je ne pense pas que tu aies à t'inquiéter.

Les yeux de Lacy furent à nouveau attirés par Dane. Le bras de Treat était confortablement passé autour de son épaule, et ils arboraient tous les deux de larges sourires. On n'aurait pas dit des frères qui avaient vécu une période aussi douloureuse. *Mais est-ce qu'on porte la douleur de son passé en bandoulière ?* Elle jeta un coup d'œil à Danica et Kaylie, les sœurs qu'elle avait l'impression d'avoir connues toute sa vie, et pourtant Kaylie ne voulait même pas lui parler lors de leur première rencontre.

Les barrières peuvent se réparer, même celles brisées, usées ou fracturées.

CHAPITRE TROIS

Dane se trouvait près du bar en compagnie de Treat, et observait Lacy ainsi que ses sœurs et Max, qui étaient en grande conversation. Même depuis l'autre bout de la salle, il remarqua le sourire nerveux de la jeune femme et se demanda de quoi elles parlaient – et si elle pensait à leur baiser autant que lui.

— Écoute Dane, Lacy est la sœur de Danica, ce qui fait d'elle la belle-sœur de Blake. Si tu ne fais que t'amuser, sois franc avec elle, déclara Treat d'une voix basse.

Ses yeux sombres étaient emplis de compassion et sa bouche suffisamment proche de l'oreille de Dane pour que personne n'entende.

Même si Dane ne voulait pas ou n'avait pas besoin des conseils de son frère aîné, il s'était fait la même réflexion. La dernière chose qu'il souhaitait, c'était mettre Lacy dans une position inconfortable. Avant le mariage, il avait décidé d'avancer doucement avec elle, mais quand il l'avait vue assise à quelques rangées plus loin le dévorant du regard de ses grands yeux bleus, il n'avait pas pu se détourner. Il avait passé la majeure partie des dix-huit derniers mois à marcher sur une fine corde raide ; d'un côté se trouvait Lacy, et de l'autre l'homme carriériste et phobique à l'engagement qu'il avait toujours été – cette part de lui qu'il essayait de changer. S'il devait regarder en contrebas de la corde raide, il verrait l'homme qu'il avait toujours été ; l'homme qui ne sortait jamais plusieurs fois de suite avec la même femme. L'homme qui avait une femme – ou deux – incroyablement belle dans chaque port : des femmes qui ne réclamaient jamais plus que ce qu'il était disposé à donner, et qu'il oubliait à la minute où son bateau prenait le large, jusqu'à son prochain retour.

En rencontrant Lacy, il n'avait pas seulement été attiré par son corps séduisant, mais il mourrait d'envie d'aller au-delà de cette façade douce et innocente. Il avait partagé plus avec elle au cours des derniers mois qu'avec ses frères, ou même son meilleur ami et employé, Rob Mann.

Dane n'avait encore jamais rencontré une femme capable d'accepter tous ses déplacements, ou le métier dangereux qu'il exerçait, ce qui ne l'avait jamais vraiment dérangé… jusqu'à Lacy. Il avait essayé d'avancer prudemment, de tâter le terrain, mais il ne lui avait pas fallu longtemps avant de réaliser qu'il ne demandait qu'à plonger la tête la première. Mais la peur le tenait à distance. Une fois qu'il s'autoriserait à tomber amoureux, il n'y aurait plus de retour arrière – et si leur baiser sensuel était une indication de ce qui restait à venir, il savait déjà qu'il aurait du mal à contrôler ses émotions. Et s'il s'autorisait à tomber amoureux d'elle et qu'elle ne voulait pas des voyages et des requins, des galas de collecte de fonds et de la vie trépidante ? Il se savait incapable de faire ce que Treat avait fait pour Max, et changer de vie pour elle. Mais d'un autre côté, si on lui avait demandé il y a deux ans s'il serait un jour intéressé par une relation monogame, il aurait répondu : « bon sang, jamais ». Mais c'était avant Lacy.

Savannah, sa sœur cadette, les rejoignit avant que Dane puisse répondre à Treat.

— Trois frères au tapis ; il n'en reste plus que deux, plaisanta Savannah.

Ses cheveux auburn coulaient en vagues naturelles sur ses épaules. Une épaisse mèche tomba en avant, couvrant l'un de ses yeux verts espiègles.

Josh s'approcha d'elle.

— Tu plaisantes, n'est-ce pas ? Hugh et Dane ? Ils pensent que nous sommes des anomalies, plaisanta-t-il en adressant un clin d'œil à Treat.

Bien que Josh soit aussi grand que Dane et Rex, et tout aussi masculin, en tant que styliste haute couture, il conservait un corps svelte tandis que ses frères étaient bardés de muscles en raison de leurs modes de vie plus physiques. Les vêtements de Josh tombaient joliment sur son large torse et ses fines hanches, et avec ses cheveux coupés court, il avait l'air de sortir du magazine *Esquire*.

— Et toi, Savannah ? demanda Josh.

Sa fiancée, Riley Banks, se plaça à ses côtés.

— Tu ferais une belle mariée, dit-elle à Savannah.

Personne n'avait autant surpris la fratrie Braden que Josh en tombant amoureux de Riley. Il n'avait jamais ramené une femme à la maison ni même parlé d'une relation sérieuse, et soudain son amitié avec Riley s'était transformée en une histoire d'amour, et du jour au lendemain, Josh était passé du statut de célibataire le plus éligible d'Amérique à celui de fiancé avec une nouvelle associée.

— Où en es-tu avec Connor Dean ? demanda Treat.

La dernière fois qu'ils s'étaient tous réunis, Savannah venait de rompre avec son petit-ami-client, l'acteur Connor Dean. Son travail d'avocate spécialisée dans le divertissement s'était transformé en quelque chose de plus intime. Mais elle ne s'était jamais confiée à ses frères.

Dane n'écoutait leurs plaisanteries qu'à moitié. Il pesait toujours le commentaire de Treat. « Si tu ne fais que t'amuser » … Lacy était tellement plus qu'un divertissement.

Savannah leva les yeux au ciel.

— Je te l'ai dit, c'est compliqué. Et puis Josh et Riley vont devoir concevoir sa robe de mariée maintenant. Ça devrait les occuper pendant un certain temps.

Josh n'était pas du genre à se laisser décourager.

— Le bruit court que ton nouveau client est en quelque sorte un homme à femmes.

Josh et Savannah vivaient et travaillaient tous les deux à New York, et bien que Josh se soit généralement tenu à l'écart de la vie professionnelle de Savannah, il gardait toujours une oreille attentive en ce qui la concernait.

— Dylan Ross ? Oui, c'est une sorte d'homme à femmes, mais ne le seriez-vous pas si vous étiez le chanteur country le plus en vogue du moment ? répliqua Savannah en brossant une peluche de sa robe bustier rose de demoiselle d'honneur. De toute façon, je ne veux pas parler de travail. C'est la nuit de Treat. J'ai enfin une nouvelle belle-sœur et j'en suis ravie. Il y a assez de testostérone dans notre famille pour douze équipes de football. Il est temps qu'il y ait une petite touche féminine.

— J'aime la direction que prend cette conversation, déclara Jade, la petite amie de Rex, en se joignant à eux.

Ses cheveux d'un noir de jais lui retombaient presque jusqu'à sa taille, et la robe couleur crème qu'elle portait contrastait fortement avec sa peau mate. Elle tendit la main à Rex et battit ses longs cils en mode flirt.

— Qu'en penses-tu, Rexy ?

Rex gémit avant de l'embrasser.

— J'en pense que tu sais que je ferais tout ce que tu veux quand tu me regardes comme ça, dit-il avant de désigner Dane d'un geste du menton. Mais peut-être que tu devrais interroger Dane sur le verrouillage des lèvres qu'il pratiquait sur la terrasse. Je pense qu'il a des vues sur une femme.

Jade posa sa main sur le torse de Rex et plissa les yeux.

— Ne l'embarrasse pas.

— Ça ne m'embarrasse pas, déclara Dane en se redressant. J'étais avec Lacy, la sœur de Danica.

Lacy. Douce et délicieuse Lacy.

— Et ? insista Savannah.

— Et ce ne sont pas tes affaires, rétorqua Dane en embrassant sa sœur sur la joue avant de s'éloigner, laissant là ses frères et sœur avec autant de questions sans réponse que lui.

Deux pas plus loin, la main de Treat se posa sur son épaule.

— Dis-moi juste que je n'aurais pas à réparer les dégâts demain pour la réunion de famille. C'est tout ce que je veux savoir.

Dane tourna un regard dur vers Treat, puis s'adoucit en voyant la compréhension dans ses yeux.

— Tu veux la vérité ?

— Toujours, déclara Treat.

— Je ne sais pas ce que c'est.

Dane se tourna alors vers Lacy à l'autre bout de la salle, et son cœur manqua un battement.

— Tout ce que je peux te dire, c'est que je n'ai pas cessé de penser à elle depuis Nassau, et que je prévois de mieux la connaître durant ce week-end.

Treat suivit le regard de Dane vers la table où se trouvaient Max et Lacy en compagnie de Danica et Kaylie. Un sourire se dessina sur ses lèvres. Dane vit dans son regard une expression d'amour qui ne s'y trouvait pas deux ans auparavant. Cet amour était apparu pour Max et n'était destiné qu'à elle. Il contemplait ce regard quand Treat interrompit ses pensées.

— Et Lacy ?

Dane secoua la tête.

— Elle est réceptive. Intéressée. Nous avons été si proches, mais pas physiquement.

En regardant son frère, il fut replongé à l'époque de l'adolescence, quand il pensait que son frère aîné détenait toutes les réponses et qu'il pourrait l'aider à trouver son chemin dans la vie.

— Apprends à la connaître, lui conseilla Treat alors que Max s'approchait. Tu sauras alors ce qu'elle veut et si c'est ce que tu veux aussi. Tout deviendra plus clair.

— Merci frangin, dit Dane en souriant à Max. Vous ne devriez pas partir tous les deux pour qu'on puisse rentrer ?

— Oui, et il serait temps, retentit la voix profonde de leur père derrière eux.

— Vous nous expulsez de notre propre mariage ? demanda Treat.

— Clairement. Je suis un vieil homme et j'ai besoin de dormir. Prends ta jolie petite femme par la main et allez dans votre suite pour que je puisse aller me coucher.

Il regarda alors Dane et lui tapota la joue.

— Et laisse mon autre fils suivre ses plans pour la soirée.

Dane acquiesça d'un signe de tête.

Hugh tapota sa cuillère contre son verre et bientôt, toute la salle fit de même. Treat sourit à Max en la serrant dans ses bras. Il la dépassait de trente bons centimètres. Dane n'avait jamais vu Max aussi belle ou aussi amoureuse qu'en ce moment. Elle fixait Treat avec adoration, les lèvres légèrement entrouvertes, les joues rouges. Treat se pencha vers elle et ses lèvres remuèrent en silence : « Je t'aime ». Puis il la renversa dans ses bras et l'embrassa jusqu'à ce que toute la salle applaudisse.

Un instant plus tard, la longue robe de Max traînant derrière eux, ils courraient vers la sortie en riant et en se tenant par la main.

À la seconde où ils franchirent la porte, Dane se dirigea vers Lacy.

CHAPITRE QUATRE

Lacy agrippa sa chaise. Son cœur cogna contre sa poitrine alors qu'elle regardait Dane marcher vers elle. *On y est.* C'était la nuit sur laquelle elle avait fantasmé. Ses yeux étaient braqués sur elle, et chacun de ses pas déterminés faisait monter une nouvelle inquiétude en elle : *et si mes attentes étaient trop élevées ? Et si nous n'étions pas compatibles sexuellement ?*

— Lace, regarde-moi, ma chérie, l'exhorta Danica en lui prenant la main. *Maintenant*, Lacy, avant qu'il arrive.

Lacy tourna les yeux vers le visage sérieux de Danica.

— Tu es une belle femme remplie de confiance. Ne sois pas si nerveuse ou trop impatiente. Tu n'as pas à faire ce que tu ne veux pas.

Durant les dix-huit derniers mois, elle en était venue à apprécier les conseils de Danica, même s'ils frôlent parfois ceux d'une mère.

— Et si je veux faire toutes sortes de choses que je n'ai jamais voulu faire auparavant ?

La voix de Lacy n'était qu'un fil tenu et tremblant. Elle serra la main de Danica et ajouta :

— Dan, est-ce que je dois m'inquiéter de... tu sais... ce commentaire de vingt-cinq centimètres que Treat a fait à Nassau ?

Dieu, est-ce que j'ai vraiment demandé ça ?

Danica se pencha vers elle.

— Tous les hommes exagèrent. C'est probablement plus vingt que vingt-cinq. Et puis, nous sortons des bébés ; nous sommes faites pour de grands volumes, dit-elle en la serrant avec force dans ses bras et murmurant : c'est ta nuit. Il se passera ce que tu voudras. Si tu ne veux rien faire, ne fais rien. Tu as le contrôle, alors profites-en. Promets-moi ?

Danica se pencha en arrière pour chercher les yeux de Lacy. Celle-ci se sentit un peu mieux. *Comment est-ce que je faisais sans toi ?*

— Je te le promets.

Kaylie se pencha par-dessus l'épaule de Lacy et chuchota :

— N'oublie pas, nous voulons tous les détails juteux demain. Petit-déjeuner ?

— D'accord.

Lacy réalisa alors qu'elle pourrait encore être avec Dane dans la matinée. Elle n'avait rien prévu. *Ai-je besoin de prévoir ?*

— Euh, on verra ça demain. Envoie-moi un SMS demain matin.

— Je sens que je vais gagner mon pari, plaisanta Kaylie en embrassant la joue de Lacy. Bonsoir, Dane, on partait justement.

— Vous pouvez rester, dit Dane en tirant une chaise.

— Je suis crevée, et Chaz traîne près des portes depuis vingt minutes. Je pense qu'il est prêt à partir aussi.

Elle posa une main sur l'épaule de Lacy.

— 'nuit, sœurette.

— C'était un si beau mariage, déclara Danica en se levant pour partir.

— Je suis heureux que ça vous ait plu. Est-ce qu'on se verra demain après-midi ? demanda Dane en souriant.

— Oh oui, on sera là, et peut-être qu'on se verra pour le petit-déjeuner, Lacy, répondit Danica avant de les laisser.

Dane se pencha plus près et chuchota :

— Est-ce que ce temps où on a été séparés t'a semblé comme une vie entière aussi ?

Son souffle était chaud contre sa joue, et quand il recula, il n'y avait aucun doute sur son regard affamé.

— Plus que ça, dit-elle.

— On va faire un tour ? demanda-t-il en lui prenant la main.

— Avec plaisir.

Les nerfs de Lacy étaient à vif quand ils se dirigèrent vers la terrasse et descendirent les marches vers la pelouse.

Le vent balayait les carillons suspendus dans les arbres et les faisait doucement tinter face à la mélodie naturelle des feuilles dans la brise.

L'air doux de la nuit transportait une odeur d'iode et de l'eau de Cologne de Dane : une odeur douce et virile que Lacy savait qu'elle n'oublierait jamais. Comme pour leur première rencontre, quand l'air s'était électriquement chargé au moment où leurs regards s'étaient croisés.

L'herbe céda la place au sable sous leurs pieds, et Lacy s'arrêta pour retirer ses chaussures.

— Ça te dérange si je les laisse ici ? demanda-t-elle en se penchant pour se déchausser.

Quand elle s'attaqua à la deuxième chaussure, elle perdit l'équilibre et Dane la rattrapa avant qu'elle atterrisse dans le sable.

— Waouh, fit-il.

Elle se mordit la lèvre inférieure et sourit.

— Merci. Je ne suis pas très gracieuse.

Il s'approcha davantage et passa l'index sur sa joue.

— Gracieux rime avec ennuyeux.

Il la fixa si longtemps et avec un tel désir que Lacy faillit s'arrêter de respirer.

— Je devrais aussi laisser mes chaussures.

Il aurait tout aussi bien pu dire : « Je veux te déshabiller et te kidnapper ». Il s'assit sur l'herbe et retira ses chaussures et ses chaussettes.

— Tu n'es pas inquiet pour ton smoking ? demanda Lacy pour empêcher son esprit de penser à Dane qui la kidnapperait.

— Non, c'est à ça que servent les pressings, dit-il en retroussant les jambes de son pantalon.

Quand il tendit une main vers elle, il fallut une seconde à Lacy pour comprendre qu'il lui demandait de l'aider à se relever, comme s'ils avaient toujours été l'un pour l'autre. Elle lui prit la main et, avec son aide, le remit sur pieds. Son pouls s'accéléra en sentant la respiration de Dane contre elle. *Embrasse-moi. Je dois t'embrasser. Je suis si nerveuse.*

Dane s'humecta les lèvres et Lacy déglutit avec peine, prête à être embrassée.

— Allons… près de l'eau, dit Dane.

L'eau ? Oh mon Dieu. J'ai mal interprété sa réaction.

Leurs pieds s'enfonçaient dans le sable alors qu'ils avançaient vers la mer. La main de Dane était comme un gant chaud autour de la sienne, mais elle n'en était pas moins gênée d'avoir mal interprété ses intentions. Après le baiser sur la terrasse, elle était sûre qu'il l'embrasserait à la première occasion – et elle s'inquiétait déjà de savoir pourquoi il ne l'avait pas encore fait.

Le son des vagues s'écrasant sur le rivage devint plus fort, et Lacy fut surprise de constater qu'elle se détendait à mesure qu'ils marchaient. Lorsque le sable sous leurs pieds devint ferme et humide, ils marchèrent le long du bord de l'eau.

— Est-ce que tu es aussi nerveuse que moi ? demanda Dane.

Lacy laissa échapper le souffle qu'elle retenait sans en avoir conscience.

— Oh mon Dieu, oui. Je pensais que c'était uniquement moi.

— Je n'arrive pas à croire que tu sois enfin ici à mes côtés. À certains moments, cette dernière année s'est écoulée à une telle vitesse, et à d'autres, elle m'a semblé terriblement lente, mais la distance entre nous m'a toujours paru trop grande.

Dane se pencha pour ramasser un coquillage.

— Tu n'imagines pas le nombre de fois où j'ai voulu oublier le travail et prendre l'avion pour venir te voir. J'étais tellement nerveux au sujet de cette journée et cette soirée. On est devenus si proches qu'une part de moi s'inquiétait de nos retrouvailles.

Moi aussi. Moi aussi. Moi aussi.

Dane adorait la sensation de tenir la main féminine de Lacy, et la façon dont ses doigts fins s'accrochaient à lui. Chaque fois qu'il la regardait, son ventre se serrait. Même lorsqu'ils s'écrivaient ou discutaient par vidéo, il lui fallait toujours toute sa concentration pour ne pas être trop nerveux.

— J'ai trente-six ans, Lacy, et je ne me souviens pas de la dernière fois où j'ai été nerveux avec une femme.

Dane vit la tension dans les épaules de Lacy se relâcher.

— Je ne sais pas comment je peux me sentir à l'aise et nerveux en même temps avec toi, ajouta-t-il. C'est très bizarre.

— Je sais. Je ressens la même chose.

— Vraiment ? Bien. Alors, on pourra être nerveux ensemble, dit-il en lui serrant la main tout en repensant à l'avertissement de Treat. Mon frère m'a averti de faire attention avec toi.

— Ton frère ? Pourquoi ? demanda-t-elle d'un ton surpris.

— C'est Treat. Il est très protecteur envers sa famille, et tu es la sœur de Danica, dit-il en haussant les épaules. Il veut être sûr que je ne te ferai pas de mal.

Il chercha une réponse dans son regard, et se demanda ce qu'elle pensait de son honnêteté. Dane était l'honnêteté incarnée, et cela dans tous les aspects de sa vie. Il avait appris à ses dépens ce qu'il en coûtait de rompre la confiance des personnes qu'on aimait, en couchant avec la petite amie de Treat. Son frère ne lui avait plus fait confiance pendant des années. Plus jamais il ne commettrait une erreur pareille.

— Et c'est ce que tu vas faire ? Me faire du mal, je veux dire, s'enquit-elle, les yeux aussi ronds que deux lunes bleues.

Elle fronça alors les sourcils et se mordilla à nouveau la lèvre inférieure.

Dieu, elle est mignonne quand elle fait ça.

Dan secoua la tête.

— Ce n'est pas mon intention de te faire du mal.

Ses épaules nues brillaient au clair de lune. Il passa un doigt sur l'arc de son épaule jusqu'à son coude.

— Lacy… murmura-t-il. Je ne sais pas ce qu'il y a entre nous, ni comment cela évoluera. Tout ce que je peux dire, c'est que je ne pense qu'à toi depuis plus d'un an.

Les paroles de Treat lui revinrent en mémoire. *Apprends à la connaître.*

— C'est peut-être que je pensais que nous aurions plus de

temps à Nassau avant que je ne sois appelé en urgence, ou peut-être parce que je suis tellement attiré par toi que j'en ai l'estomac noué. Je l'ignore, mais je sais que lorsque nous nous sommes embrassés tout à l'heure, ça ne ressemblait à aucun baiser que j'avais connu jusque-là.

Lacy baissa les yeux, et même dans le faible clair de lune, il put voir ses joues rougir. Il écarta une mèche de son visage.

— Tu l'as ressenti toi aussi ?

Il faut que je le sache.

Elle hocha la tête en le regardant à travers ses jolies boucles blondes, et il réprima l'envie de la serrer contre lui. Treat avait raison. Il devait être prudent avec Lacy, mais pas parce qu'elle était la sœur de Danica. C'était toute la tendresse qu'il voyait dans son regard qui lui donnait envie de la protéger. Il ne la considérait pas comme une distraction passagère, et il voulait qu'elle le sache.

— Je suis une grande fille, Dane. Je prends mes propres décisions et fais mes propres erreurs, alors dis à Treat qu'il n'a pas à s'inquiéter pour moi.

Elle parut si sexy à cet instant que Dane oublia de se retenir ; puis la chaleur de sa petite main dans la sienne le lui rappela.

— Je ne sais pas non plus ce qu'il y a entre nous, mais je veux le découvrir, affirma-t-elle alors en soutenant son regard de manière à lui faire comprendre clairement son désir. Quand repars-tu ?

— Je reste une semaine ou deux, selon le succès de notre marquage. Un certain nombre de grands requins blancs ont été observés cet été au Cap, et ils ont demandé à Brave de les marquer et de les suivre.

Dane adorait voyager et chaque mission de marquage renouvelait sa concentration et son dynamisme. Il marquait des requins depuis treize ans, et il ne restait jamais très longtemps au même endroit. Normalement, il attendait avec impatience la prochaine mission, le prochain état ou pays. Ce soir, il souhaitait disposer d'un mois ou d'un an avant de repartir. Il voulait passer plus de temps avec Lacy.

— Est-ce que Rob est ici aussi ? demanda Lacy.

Dane avait souvent fait l'éloge de Rob et elle savait qu'ils étaient très proches.

— Il arrive dimanche. Quand repars-tu ?

Lacy vivait pas loin de Boston, à deux heures du Cap.

— Dimanche. Je dois être au travail lundi. J'ai entendu parler des requins autour de Chatham. C'est là que tu travailles ?

— Je ne veux pas parler de travail, Lace. Nous avons quarante-huit heures, et je ne veux pas en perdre une seconde.

— Qu'avais-tu en tête ?

— Je l'ignore, mais je sais que je veux encore t'embrasser.

Il se pencha plus près, puis hésita, jusqu'à ce qu'il soit sûr de lire l'acceptation dans le regard assombri de Lacy. Elle resserra ses doigts autour des siens et ferma les yeux. Au moment où ses lèvres se posèrent sur les siennes, il sentit ses muscles se contracter. Elle enroula ses bras autour de sa taille et l'embrassa plus profondément. Il ressentait l'adrénaline circuler à travers ses veines, ainsi que la sensation familière dans son entrejambe. Tout en lui caressant la bouche de sa langue, il remonta une main jusqu'à sa nuque et approfondit son baiser, avant de lutter contre toutes les forces de la nature et se forcer à s'éloigner.

— Bon sang, Lacy. Je pourrais te faire l'amour ici même.

— Ici, murmura-t-elle.

Dane ignorait s'il s'agissait d'une question ou d'une affirmation. Qu'était-il en train de faire ? Il n'était peut-être pas certain de ce qu'il y avait entre eux, mais il savait que Lacy n'était pas une fille qu'il voudrait – ou pourrait – oublier. Il lui fallait une distraction pour contrôler son désir.

— Marchons encore, dit-il d'une voix tremblante.

Il saisit sa main et se remit à marcher.

— Je suis désolé. Je sais que je souffle le chaud et le froid, et je ne suis pas comme ça d'habitude.

— C'est moi ?

Il entendit l'inquiétude dans sa voix et s'arrêta brusquement pour la regarder dans les yeux.

— Oui. C'est toi, Lacy, mais pas dans le mauvais sens du terme. Crois-moi. J'aimerais te faire l'amour ici et maintenant, mais je me suis dit qu'on devait y aller doucement. C'est juste que…

Il se massa le front en se demandant comment il pouvait expliquer ce qu'il ne comprenait même pas.

— Lacy, j'ai des mois de fantasmes qui me traversent l'esprit. Des images de ce que je voudrais faire avec toi, des pensées de caresses. Seigneur, j'arrive même à te sentir sous moi, dit-il avant de l'attirer contre lui. Toutes ces pensées et images intimes sont chassées par mon désir de ralentir pour mieux te connaître.

Il chercha à nouveau son regard, à la recherche d'une indication claire de ce qu'elle ressentait. Mais ce qu'il vit le prit au dépourvu : de la surprise.

Lacy poussa un long soupir.

— Dane, c'est exactement ce que je ressens, comme s'il y avait toute cette pression autour de ces pensées, mais il y a aussi le désir d'apprendre à te connaître, donc ça ne me semble pas si… je ne sais pas… dévergondé.

— Tu es tout sauf dévergondée, affirma-t-il en lui embrassant le bout de son nez et la faisant sourire. Mais si tu veux que l'on soit un peu cochons, ajouta-t-il en haussant plusieurs fois les sourcils.

La mâchoire de Lacy se détendit et ses yeux s'écarquillèrent de façon exagérée.

— Je plaisante, dit-il rapidement.

— Je sais. Moi aussi. Tu n'as pas vu que je forçais sur le regard choqué ? le taquina-t-elle.

Il l'attira contre lui et l'embrassa à nouveau.

— Comme tu me surprends, dit-il en caressant sa peau douce de sa mâchoire et l'embrassant à nouveau avant de se redresser. Alors, on y va plus doucement ? On apprend à mieux se connaître ?

— Je pense qu'on devrait simplement laisser faire les choses. Elle se dressa alors et l'embrassa.

Ce simple baiser suffit à lui faire perdre le contrôle. *Au diable tout ça.* Il lui prit la main et, tout en s'embrassant, ils remontèrent jusqu'aux dunes, où l'herbe poussait en hautes touffes. Il se redressa alors le temps de trouver un chemin vers la colline sablonneuse.

Une fois là, il jeta sa veste sur le sable, et l'instant d'après, Lacy était dans ses bras, l'embrassant à nouveau et cherchant sa langue de la sienne avec urgence tout en tirant sur sa chemise et glissant ses mains chaudes en dessous. Il grimaça en s'entendant gémir, car il ne voulait pas paraître trop impatient, mais elle répondit à son gémissement par un autre, envoyant valser toutes ses résolutions d'y aller lentement. Il dénoua le licou de sa robe, les mains tremblantes, – il avait attendu si longtemps d'être avec elle qu'il avait du mal à respirer – et embrassa le point sensible à la base de son cou avant de lécher et savourer le doux parfum salé de sa peau. Dane n'arrivait pas à se rassasier d'elle. Il traça un doux chemin de baisers sur son buste tandis que sa robe tombait sur le sable et faisait converger son regard sur ses courbes délicieuses. Chaque mot prononcé au cours des derniers mois, chaque secret partagé, chaque désir intime chuchoté dans l'obscurité... tout lui revint en mémoire.

— Mon Dieu, Lace, tu es belle.

Même en rêve il n'aurait jamais imaginé toutes ces sensations intenses : son cœur qui semblait gonfler dans sa poitrine, ou son corps douloureux alors qu'il goûtait sa douceur.

Le choc de l'air vif contre la peau nue de Lacy lui donna la chair de poule. Dane l'enveloppa dans ses bras et la serra contre lui sans cesser de l'embrasser. Elle pouvait à peine réfléchir. Après des mois de désir, elle avait besoin de sentir sa peau contre la sienne. Elle recula, défaisant prestement les boutons de sa chemise avant de caresser les poils rugueux de son torse. Elle avait attendu si longtemps pour le toucher que malgré son désir d'y aller lentement, la sensation de sa peau chaude sous ses paumes l'en empêcha. Elle fit glisser ses mains le long de son corps et sentit ses abdos durs comme la pierre qui envoyèrent des vagues de chaleur entre ses cuisses.

Dane caressa son dos nu jusqu'à la fine ligne de son string. Il pressa ses hanches contre les siennes et leurs poitrines nues se touchèrent. Leurs respirations étaient précipitées et emplies de désir. Leurs bouches se trouvèrent, et les mains de Lacy s'emparèrent du bouton de son pantalon, puis de la fermeture Éclair. Une fois le pantalon tombé sur le sable, Dane gémit contre sa bouche. Elle caressa son sexe dur à travers son boxer soyeux.

Dane prit son sein dans sa bouche, et elle haleta à la chaleur sur sa peau glacée. Ses doigts s'emmêlèrent dans ses cheveux pour l'encourager. Il lui mordilla le mamelon et elle perdit le contrôle. Elle s'empara de son boxer et tira dessus alors qu'il se remettait à l'embrasser, la sondant avec une telle force qu'elle faillit s'enflammer. Ils se laissèrent tomber sur le sable, sur sa veste.

— Lacy… dit-il d'une voix hachée en la fixant d'un regard ténébreux.

Lacy trembla contre lui. Il passa la main sur le haut de sa cuisse, et elle se figea quand ses doigts effleurèrent sa cicatrice.

— Qu'est-ce qui ne va pas ?

Sans rien dire, elle déplaça sa main entre ses jambes où il commença à la caresser. Bientôt, toute pensée sur la cicatrice disparut. Elle écarta ses jambes, et alors qu'il glissait deux doigts en elle, son sexe brûlant lui effleura la jambe. Le sable lui griffait le dos et les épaules alors qu'elle se cambrait contre sa main, lui rappela l'endroit où ils se trouvaient. Elle eut un instant d'inquiétude à l'idée d'être surprise nue sur la plage, et regarda autour d'elle.

— Qu'est-ce qu'il y a ? Je t'ai fait mal ?

— Non…

Pourquoi est-ce que ma voix tremble ?

— J'ai juste peur d'être surprise… tu comprends ?

Malgré l'obscurité, elle distingua le sourire adorablement sexy de Dane et elle réalisa qu'elle ne se souciait pas vraiment d'être surprise : cela ne l'empêcherait pas de continuer ce qu'ils avaient commencé.

— Nous sommes loin dans les dunes, dit-il en l'embrassant doucement. Et nous sommes loin des habitations. Je ne pense pas qu'on puisse nous voir, mais je ne veux rien faire qui puisse te mettre mal à l'aise. Tu veux retourner à l'hôtel ?

Certainement pas ! Lacy repoussa son désir le temps d'affermir sa voix.

— Non. Ça va.

Dane posa une main sur sa nuque et l'embrassa passionnément, avant de donner un petit coup de langue sur sa lèvre inférieure.

— Toujours aussi nerveuse ? demanda-t-il d'une voix chaude et réconfortante.

— Un peu, admit-elle.

— Allonge-toi, dit-il en la repoussant doucement sur son dos.

Il s'allongea près d'elle et ils fixèrent les étoiles en se tenant la main.

Lacy ferma les yeux et prit une profonde inspiration avant d'expirer lentement. Qu'est-ce qui n'allait pas chez elle ? Pourquoi était-elle si nerveuse ? Elle était en compagnie de l'homme dont elle rêvait depuis des mois. Elle le désirait tellement qu'elle n'arrivait même plus à réfléchir correctement, et voilà qu'elle tremblait comme une enfant effrayée. Elle essaya de repousser ses pensées angoissantes le temps de reprendre ses esprits et maîtriser sa nervosité.

— Tu te souviens de l'après-midi où nous nous sommes rencontrés pour la première fois ? demanda-t-il.

— Oui.

Il s'appuya sur un coude et fit passer son doigt sur les côtes de Lacy.

— Toute ma vie, j'ai passé mon temps à regarder en bas ; dans l'eau quand je cherchais des requins, sur l'ordinateur quand je cherchais des investisseurs, et même dans ma vie quotidienne. Penses-y. Est-ce qu'il t'arrive souvent de lever les yeux ?

Lacy ne se souvenait pas de la dernière fois où elle avait levé les yeux vers les étoiles.

— La nuit où nous nous sommes rencontrés, j'ai regardé le ciel et j'ai pensé à toi, et quand on a commencé à se téléphoner et s'envoyer des SMS, je me suis retrouvé à chercher les étoiles. Même pendant les nuits pluvieuses, je cherchais les étoiles, et à un moment en cours de route, j'ai réalisé que je ne regardais pas vraiment les étoiles, Lace. Je te cherchais, toi. En fin de compte, je me demande si tu n'étais pas là tout ce temps, à simplement m'attendre. *L'Étoile Lacy*, ajouta-t-il avec un sourire.

Lacy se blottit contre lui, la tête dans le creux de son bras, et sa main sur son ventre. L'herbe des dunes bruissait près d'eux. Dane passa ses bras autour d'elle et la serra contre lui avant de lui relever le menton et la regarder dans les yeux.

— Lacy, je t'attends depuis toujours.

Elle vit la sincérité de ses paroles dans son regard sérieux.

— Nous n'avons pas besoin de faire quoi que ce soit ce soir. On n'a qu'à se rhabiller et marcher un peu, ou rentrer à l'hôtel. Comme tu veux. La nuit est à toi. Je veux juste être avec toi.

Peux-tu être plus parfait ? Lacy désirait simplement calmer ses nerfs et être plus proche de Dane. Ses mots tendres faisaient fondre son cœur, et son corps magnifique éveillait toutes ses parties intimes qu'elle avait essayé d'ignorer. Elle rassembla son courage et se souvint des paroles de Danica. *Il se passera ce que tu voudras.*

Elle l'embrassa, et quand ils se séparèrent et qu'il ouvrit la bouche pour parler, elle l'embrassa à nouveau, plus profondément en ne lui laissant aucun doute sur ses intentions. Elle fit courir sa main sur son ventre musclé jusqu'à ce que ses doigts touchent le bout de son érection, et après une seconde d'hésitation, elle enroula ses doigts fins autour de lui. Mais en réalisant sa circonférence, à présent que son sexe était libéré des vêtements, elle ne put contenir sa surprise. Ses yeux s'ouvrirent et elle le sentit sourire contre ses lèvres. Comme elle ne savait pas quoi faire ni comment réagir, elle continua à le caresser.

Il lui prit la main et l'arrêta.

— Lacy, dit-elle avec un ton sérieux.

Sans trop savoir si c'était par nervosité ou si elle trouvait vraiment cela drôle, elle éclata de rire. Quand il fronça les sourcils de surprise, cela ne fit qu'accentuer son rire. Elle le relâcha, et l'instant suivant, il la renversa sur le dos et la fixa avec un sourire curieux.

— Tu n'es pas très bon pour mon ego, la taquina-t-il.

— Je ne fais pas exprès.

Il l'avait coincée sous son corps, nue. Elle baissa les yeux vers son érection, qui projetait une ombre sur son ventre, et rit si fort qu'elle dut tourner le visage. *Vingt-cinq centimètres, ce n'était pas exagéré.*

— Je vais te donner une bonne raison de rire, dit-il en la chatouillant si fort qu'elle replia les jambes et essaya de se tourner sur le côté.

Mais il était trop lourd, et son membre tapa contre côtes, ce qui redoubla encore ses rires.

— Écarte cette arme de moi, dit-elle entre deux rires.

— On l'a appelé de beaucoup de choses, mais jamais une arme, dit-il sévèrement.

En le voyant qui tentait de contenir son rire, elle fut incapable de s'arrêter. Des larmes coulaient sur ses joues, et elle prit de profondes inspirations pour se maîtriser.

Dane s'était toujours demandé ce que les femmes pensaient en découvrant à quel point la nature avait été généreuse avec lui. Généralement, la réaction était de grands yeux gourmands. Le rire de Lacy, réalisa-t-il, était probablement la réaction la plus honnête qu'il ait jamais eue. Plus jeune, il tentait de cacher cette caractéristique physique ; il avait suffisamment de frères pour savoir qu'il était plus que bien membré et qu'il avait un python dans le pantalon. Une fois à l'université, il avait fini par accepter ce don de la nature, et cela lui avait donné du courage et même un air arrogant qui avait séduit de nombreuses femmes. Mais après avoir rencontré Lacy, il en était venu à détester ces relations éphémères, et depuis qu'il était témoin de la relation de ses frères et leurs fiancées, il désirait vivre autre chose que des parties de jambes en l'air.

Il commença à se dégager, mais elle lui attrapa le bras.

— Ne pars pas, dit-elle en attirant ses hanches contre les siennes. Je suis désolée d'avoir ri.

Elle caressa son visage et l'embrassa. Dane déplaça sa bouche vers son cou, puis plus bas, au milieu de ses seins. Il caressa ses mamelons entre l'index et le pouce, jusqu'à ce qu'ils se dressent. Il ne pouvait pas se lasser d'elle. Il prit un mamelon en bouche et fit descendre sa main en prenant soin d'éviter la cicatrice, jusqu'à la chaleur entre ses jambes où il la caressa doucement. Lacy écarta les jambes et il glissa deux doigts en elle tout en la taquinant avec son pouce, jusqu'à ce qu'elle soit pantelante.

— Dane. Je te veux en moi, dit-elle à bout de souffle.

Dane ne désirait rien de plus que d'être en elle, mais il aimait la regarder se tortiller de désir. Il voulait lui donner du plaisir, mais il craignait qu'une fois en elle, il soit submergé par tous ces mois de désir et qu'il n'arrive pas à tenir longtemps.

Il embrassa son ventre jusqu'à la peau sensible de l'intérieur de sa cuisse. Lacy serra les poings alors qu'il entamait en elle un lent va-et-vient avec ses doigts, qu'il remplaça bientôt par sa bouche.

Elle haleta au premier coup de langue et s'accrocha à ses épaules, enfonçant ses ongles en lui alors qu'il glissait un doigt en elle. Il sentit alors ses muscles se tendre, et juste quand le plaisir déferla en elle, il se positionna sur elle, ses bourses contre son sexe et son érection contre son ventre. Il l'embrassa durement, avec possessivité alors qu'elle frissonnait sous son corps tout en criant dans sa bouche.

Lorsque son corps cessa de trembler, il prit son pantalon et sortit rapidement un préservatif de son portefeuille qu'il déchira avec ses dents.

— Dépêche-toi, l'exhorta Lacy.

Il déroula le préservatif sur lui et plongea dans ses beaux yeux bleus.

— Tu es sûre, Lace ?

Dane la désirait tellement qu'il pouvait à peine respirer, mais il s'inquiétait qu'ils passent si vite à l'acte. Il ne voulait pas qu'elle ait l'impression qu'il ne voulait que du sexe.

— Plus que sûre.

Elle ouvrit plus largement ses jambes et il abaissa sa bouche vers la sienne, la pénétrant lentement et faisant très attention à ne pas la blesser. Elle saisit ses hanches et le poussa plus profondément, plus fort, jusqu'à ce que toute sa longueur soit enfouie en elle.

Lacy haleta, pressant ses hanches contre les siennes, le regard empli de désir.

Il n'avait jamais éprouvé un plaisir aussi intense, et peu de femmes étaient capables de le prendre en entier. Il gémit en s'enfonçant entièrement en elle, et l'embrassa avec passion – mémorisant les courbes de sa bouche et la douceur de ses lèvres. Lacy enroula ses bras sous les siens et saisit ses épaules par-derrière, puis pressa son corps contre lui alors qu'ils se bougeaient dans un rythme parfait. Elle lécha son cou, incendiant ses veines, et lorsqu'elle bloqua ses jambes autour de ses hanches, il comprit qu'il ne tiendrait pas longtemps. Il intensifia ses coups de reins, plus fort, plus vite, inspirant à chaque va-et-vient, essayant de tenir.

Leurs corps étaient couverts de sueur malgré l'air frais. Des grains de sable grossiers s'enfonçaient dans ses genoux et ses orteils, mais cela lui était égal. Le goût de la peau salée de Lacy et son odeur douce et sensuelle imprégnaient ses sens. Tout espoir d'être doux et d'y aller lentement fut balayé quand elle se déhancha, ses muscles internes se resserrant autour de lui. Il accéléra ses coups de reins et la rejoignit dans le plaisir avec un orgasme bouleversant. Il continua à la pilonner, la pénétrant en elle encore et encore, jusqu'à ce que ses muscles se contractent, vidés d'énergie, et que Lacy et lui soient tous les deux épuisés et haletant de plaisir. Puis il l'embrassa de nouveau, longuement, lentement et tendrement.

Alors qu'il se détachait de son corps doux et souple, il repensa à la raison pour laquelle il n'était pas allé la voir pendant tous ces mois. Il savait à présent qu'il avait eu raison de penser qu'une fois avec Lacy, il ne pourrait jamais la quitter. Comme Treat pour Max, il ferait son possible pour être avec Lacy.

CHAPITRE CINQ

Une brise souffla sur les seins nus de Lacy. Ses nerfs la pico-
taient, et ses muscles épuisés étaient incapables de réagir au froid
sur sa peau. De l'endroit où elle était, allongée près de Dane,
dans leur nid caché sur la dune, elle vit un halo autour de la
lune. Dans son esprit, les mots dansaient à toute vitesse :
Waouh. Incroyable. Torride. En sentant Dane se rapprocher
d'elle – leurs bras se touchant et sa cuisse contre la sienne –, elle
fut parcourue d'un frisson.

— Lace, murmura Dane.

— Oui ?

Dieu, que j'aime ta voix !

— Je n'avais pas prévu une chose pareille.

Son ton sincère fit fondre son cœur. Elle tourna la tête, et
ses traits se précisèrent lentement dans l'obscurité.

— Je sais.

Quand la main de Dane toucha sa cuisse, elle se figea.

— Tu n'as pas besoin de sursauter quand je te touche, dit-il
en pressant sa paume chaude contre sa cicatrice.

Lacy ne pensait presque jamais à sa cicatrice ou à l'incident
qui l'avait provoquée. L'*incident*, c'était ainsi qu'elle et ses sœurs
appelaient ça. Elle n'avait que sept ans quand le requin avait
donné un coup de dent à sa jambe. Elle ferma les yeux et chassa

ses pensées comme tant de fois auparavant. Habituellement, les hommes qui remarquaient sa cicatrice et posaient des questions à ce sujet étaient impatients d'avoir une réponse rapide et de changer de sujet. Dane en voulait plus. Il voulait connaître la vérité, mais elle n'était pas prête à se confier. Elle prit sa main dans la sienne et la retira de la peau inégale et rugueuse qui recouvrait la partie supérieure de sa cuisse droite. Elle lui avait dit qu'elle pensait craindre éventuellement les requins, mais elle n'avait pas expliqué pourquoi, et alors qu'il touchait sa cuisse, l'aveu resta sur le bout de sa langue, mais la peur la fit reculer. Elle voulait avoir une relation avec Dane, et si elle pouvait refouler sa peur, elle aurait peut-être une chance.

Il se redressa sur un coude et l'embrassa doucement. Lacy ferma les yeux alors qu'il touchait sa joue d'une main et dégageait son autre main pour la reposer sur sa cicatrice.

— Dane, dit-elle le cœur battant.

Elle saisit son poignet, mais il tint bon.

— Shh. Tu es magnifique, murmura-t-il.

Il traça un chemin de baiser jusqu'à sa cuisse et fit courir son doigt le long des longs sillons fins qui marquaient sa cuisse. Lentement, il suivit chaque relief, parfois profond à certains endroits et superficiel à d'autres.

Alors qu'il caressait un sillon plus profond, Lacy ferma les yeux, se bloquant contre la sensation alors que les doigts de Dane touchaient ces marques qu'elle s'était toujours efforcée d'ignorer. Lorsque ses lèvres chaudes se posèrent sur sa cuisse, elle retint son souffle et ferma les yeux, disparaissant dans l'endroit calme et sombre où elle avait appris à se réfugier lorsque les souvenirs lui revenaient. Elle se concentra sur le son des vagues, l'air salin... tout, sauf la sensation de Dane touchant, explorant et caressant sa cicatrice.

— Tu veux m'en parler ? demanda-t-il en retirant sa main et posant sa tête sur son ventre.

— Je commence à avoir un peu froid, mentit-elle, réchauffée par la chaleur de son corps contre elle.

Il leva la tête et l'observa. Lacy retint à nouveau son souffle, s'attendant à ce qu'il la pousse à répondre – des réponses auxquelles elle ne voulait pas penser. Elle était trop heureuse : tous ces mois d'attente pour être avec Dane, et alors qu'elle plongeait dans son regard, espérant silencieusement qu'il laisserait tomber, elle se demanda comment elle pourrait passer une journée, une semaine ou une année sans le revoir.

Il l'attira contre lui et passa pensivement sa main sur son dos.

— Rentrons.

Elle laissa échapper un soupir de soulagement et récupéra sa robe. Dane l'empêcha de la passer par-dessus sa tête et brossa d'abord doucement le sable de ses jambes, de ses fesses et de son dos. Il passa les doigts dans ses cheveux, libérant les cristaux de sable, et réchauffant sa nuque de ses tendres baisers. Puis il prit la robe et la passa par-dessus sa tête.

— Tiens, dit-il en posant sa veste autour de ses épaules.

Puis il enfila son pantalon et sa chemise en laissant les boutons du haut ouverts et les poils noirs de son torse visibles.

Il est si séduisant. Si gentil. Il devait avoir un défaut qu'elle ne voyait pas.

— On y va ? demanda-t-il en tendant la main.

Ils marchèrent sur le sable frais en direction des lumières de l'auberge. L'inquiétude s'empara de Lacy : et maintenant ? Allait-il faire comme s'il ne s'était rien passé quand il reverrait sa famille ? Et elle ?

Comme s'il avait lu dans ses pensées, il demanda :

— Tu seras toujours ma cavalière demain ?

Devant son sourire, le pouls de Lacy accéléra encore d'un cran.

— Tu es sûr ?

Dane s'arrêta de marcher et posa une main sur sa joue.

— Je n'ai jamais été aussi sûr de quoi que ce soit de toute ma vie.

Il s'approcha, et le souvenir de son baiser fit sourire Lacy.

— Lace, je n'avais pas été aussi heureux depuis très longtemps, déclara Dane.

Oh monDieumonDieumonDieu !

— Moi aussi.

Moi aussi ? C'est tout ce que tu trouves à dire ?

Ils s'arrêtèrent pour récupérer leurs chaussures. Dane glissa ses doigts dans les lanières de ses escarpins avant de récupérer ses propres chaussures, et porta le tout d'une main sans lâcher celle de Lacy de l'autre.

Une fois à l'intérieur, les lumières de l'auberge paraissaient trop vives, et le parquet bien lisse sous les pieds nus de Lacy. Elle tenait fermement la main de Dane, désirant que la nuit ne se termine jamais. La femme d'âge mûr à l'accueil leur sourit, et Lacy se demanda si elle avait deviné ce qu'ils venaient de faire. Elle se toucha les cheveux, surprise de sentir ses belles boucles transformées en une masse de frisottis. *Qu'est-ce qui m'a pris ?* se demanda-t-elle gênée. Ils prirent les escaliers jusqu'au deuxième étage et passèrent devant un miroir accroché au mur. Elle se détourna, embarrassée, et nota mentalement de porter une attention particulière à son aspect le lendemain.

Debout devant la porte de sa chambre, elle sentit ses nerfs se tendre à nouveau. Devait-elle l'inviter ? Voudrait-il entrer ? Elle fouilla dans son sac à main pour trouver la clé de sa chambre.

— J'ai passé un très bon moment ce soir, déclara Dane.

Lacy se mordit l'intérieur de la joue, effrayée de lever les yeux et de croiser les siens. Elle voulait tellement l'embrasser qu'elle ne se faisait pas confiance.

— Hmm hmm.

— Tu dois retrouver tes sœurs demain matin, n'est-ce pas ?

Elle avait complètement oublié. Trouvant enfin sa carte-clé, elle tenta de l'insérer dans la fente.

— Oui.

Dane acquiesça, et Lacy vit une question muette dans sa façon de plisser les yeux et de hocher la tête. Il lui prit la carte-clé des mains et déverrouilla la porte.

— Après ton rendez-vous avec Danica et Kaylie, et puisque nous n'aurons rien à faire avant 16 h, on pourrait aller se promener ?

— Sur le bateau où tu séjournes ?

Dane avait emprunté l'un des voiliers de Treat durant le temps de son séjour au Cape. Il avait vécu si longtemps sur des bateaux qu'il avait confié à Lacy que la sensation du roulement de l'eau lui manquait quand il était sur la terre ferme.

— Non. Il est déjà à Chatham. Il a deux autres beautés. Je dors à l'auberge ce soir.

Ici ? S'il te plaît, ne pars pas.

Dane poussa la porte et s'approcha de Lacy.

— J'adorerais entrer et te tenir dans mes bras jusqu'à ce qu'on s'endorme, mais j'ai peur que tu me trouves étouffant, déclara-t-il.

Elle saisit sa taille.

— Étouffe-moi, s'il te plaît.

CHAPITRE SIX

— J'ignore à quoi tu t'attendais.

Kaylie portait un débardeur pêche et un short blanc. Ses cheveux blonds retombaient en cascade sur ses épaules et étaient coincés derrière ses oreilles. Elle baissa ses grosses lunettes de soleil marron et poursuivit en regardant Lacy.

— Je veux dire, vous vous tournez autour depuis plus d'un an. C'est tout naturel que tu finisses par faire des choses coquines sur la plage.

Lacy et ses sœurs étaient assises autour d'une petite table en bois sur la terrasse du restaurant *Bookstore*, sirotant un café et grignotant des croissants.

— J'ai l'impression de ne pas savoir où ça nous mène, admit Lacy.

Danica posa sa tasse de café et ajusta ses lunettes de soleil contre la lumière éclatante du matin.

— Lacy, tu as déjà eu des aventures d'un soir. Est-ce que ça ressemblait à ça ?

Lacy soupira.

— Non, absolument pas. Pour être honnête, tout était si naturel entre nous après, comme si nous sortions ensemble depuis longtemps, mais vous savez comment ça se passe. Je suis toujours dans cette phase de bien-être. La période brumeuse où on se dit : *Mon Dieu, il est trop beau pour être un vrai.*

Elle regarda la plage en pensant à leur incroyable nuit et au fait qu'ils avaient fait l'amour jusqu'au petit matin. Chacune de ses caresses avait été un parfait mélange de tendresse et de sexualité brute. Elle sentit une rougeur lui réchauffer les joues et écarta le souvenir.

— La vraie question est : qu'est-ce que tu en attends ? Les femmes laissent toujours les hommes décider, alors que ça dépend aussi de nous.

Danica fit un signe de tête en direction de la plage, de l'autre côté de la rue.

— Vous n'aviez pas peur d'être vus ?

Ses boucles sombres étaient attachées à la base de son cou, et alors qu'elle se tournait vers Lacy, quelques mèches retombèrent sur son visage.

— Nous étions dans les dunes. Je ne me suis inquiétée qu'une seconde.

Lacy repensa à la rapidité avec laquelle elle était tombée dans les bras de Dane et à quel point elle l'avait désiré. Il fallait qu'elle réprime ce désir si elle voulait un jour pouvoir analyser ce que pourrait être leur relation. Elle avait l'habitude d'évaluer les clients, de déterminer ce qu'ils voulaient, ce qu'il leur fallait, et de les amener là où ils le souhaitaient. Les relations de couple n'étaient pas si différentes finalement. Le problème, c'était qu'avec les clients, elle avait une fiche technique, un point de départ. Elle connaissait leurs objectifs avant même qu'ils se rencontrent. Avec Dane, la fiche technique n'était que partiellement remplie et les objectifs étaient embrouillés à souhait.

— Il est si gentil, et c'est un gentleman, et il est doué pour… vous savez… mais où est-ce que ça peut nous mener quand il voyage tout le temps ?

Lacy avait pensé à Dane toute la nuit. Il ne lui avait pas promis le monde ni même fait allusion à quoi que ce soit de plus que ce qu'ils partageaient – deux personnes attirées l'une par l'autre –, mais comment savoir où cela pourrait les mener.

— Il a touché ma cicatrice, ajouta-t-elle doucement.

— Oh mince. J'avais complètement oublié, dit Danica en se penchant par-dessus la table et lui touchant la main. Je n'avais pas du tout pensé à ça.

— Attends. Tu as fait de la plongée en apnée à Nassau, alors as-tu vraiment peur des requins, et que vient faire ta cicatrice là-dedans ? demanda Kaylie avant de terminer son café et s'adosser au dossier de sa chaise.

— Mais la plongée en apnée était en eau peu profonde et vous étiez tous autour de moi. Pour être honnête, j'y ai pensé toute la nuit, et j'ai réalisé que je suis toujours plus ou moins restée dans ma zone de confort avec la mer.

Elle toucha sa cuisse avant de continuer :

— Je pense que je comprends pourquoi ma mère m'occupait autant avec des excursions durant l'été. On visitait les musées et on allait à la piscine. On habitait deux heures d'ici : on aurait pu venir à la plage, mais on ne l'a jamais fait. Même quand elle m'amenait ici pour le week-end, on n'allait jamais se baigner.

Danica lui serra la main.

— Lacy, quoi que ta mère ait fait, c'était par amour et si elle sentait que tu avais besoin de t'éloigner de l'océan, alors peut-être que tu craignais vraiment les requins après l'incident. C'est logique. Mais tu n'as jamais testé ta peur à l'âge adulte. Peut-être que tu n'en as pas vraiment peur, mais que tu as été conditionnée à en avoir peur.

Lacy plissa les yeux en direction de la plage. *Ai-je peur des requins ?*

— J'ai ces souvenirs d'avoir été pétrifiée après l'incident, mais je ne me souviens pas d'y avoir beaucoup réfléchi pendant les années qui ont suivi. C'était il y a si longtemps.

Kaylie retira ses lunettes de soleil avant de dire doucement :

— Lacy, s'il y a une chose que j'ai apprise de Danica, c'est que parfois nous cachons nos peurs même à nous-mêmes.

— Je ne sais même pas ce que ça veut dire, répondit Lacy en se massant les tempes. Vraiment, c'est un peu bête. On se voit aujourd'hui, mais on n'a pas vraiment parlé.

Et je n'arrête pas d'y penser.

— Et… ensuite ? Vous retournez aux SMS et visio érotiques ? dit Kaylie en passa sa main dans ses cheveux et secouant la tête. Je ne sais pas comment tu as supporté ce genre de relation. À ta place, je réfléchirais à ce que je veux durant ce week-end, et si c'est Dane, je lui ferais savoir en termes clairs.

— Kay, laisse-la respirer. Elle le voit pour la première fois depuis plus d'un an, s'immisça Danica en tournant un regard sérieux vers Lacy. Lace, ignore ce conseil en forme d'ultimatum ; ça marche rarement. Éclate-toi et laisse les choses se faire naturellement. Mais si tu réalises entre temps que les requins sont un vrai problème – ce qui, compte tenu de ton histoire, pourrait être le cas – alors il mérite de le savoir le plus tôt possible.

— En parlant du loup, déclara Kaylie avec un sourire.

Lacy se retourna et repéra Dane et Hugh à la porte du patio. Son rythme cardiaque s'accéléra lorsque le regard de Dane se tourna vers elle, chargé de passion et du souvenir de leur nuit ensemble.

— Salut les filles, fit Hugh avec un signe de la main tandis qu'il tirait la chaise d'une table voisine et l'enfourchait à califourchon. Le café est bon ?

Dane pressa l'épaule de Lacy, et elle crut que son cœur allait jaillir de sa poitrine. Il se pencha et l'embrassa sur la joue.

— Bonjour beauté, murmura-t-il. Tu m'as manqué pendant la dernière heure.

Lacy sentit ses joues rougir. Maintenant qu'elle savait ce qu'il y avait sous le short blanc et le tee-shirt beige de sa Fondation Brave, ses doigts la démangeaient de le toucher. Elle serra sa tasse pour empêcher ses mains de prendre des initiatives.

— Vous avez bien dormi ? Moi, j'ai dormi comme une bûche, dit Hugh.

Son polo jaune clair moulait son torse musclé. Ses cheveux semblaient avoir séché au vent avec ses boucles tirées en arrière, contrairement aux cheveux coiffés à la va-vite de Dane qui pendaient devant ses yeux.

— Savannah, Josh et moi avons bu quelques verres dans la chambre de Savannah, et au moment où je me suis couché, j'étais assommé. Vous auriez dû vous joindre à nous, dit-il à Danica et Kaylie. J'avais prévenu Blake et Chaz.

Danica baissa les yeux et ses joues écarlates révélèrent à Lacy ce que sa sœur faisait la veille.

— Chaz était tellement fatigué, expliqua Kaylie. Mais peut-être qu'on pourrait se voir ce soir ?

— Peut-être, émit Hugh. Je dois être en Californie mardi pour une course caritative. Je ne peux pas boire beaucoup, mais on peut passer du bon temps.

Il fit signe à une serveuse et commanda un café.

— Quelqu'un en veut un autre ?

— Non, merci, dit Dane. Lace, Treat nous laisse sortir son Talaria. Ce n'est pas un voilier, mais c'est une vraie beauté. Je pensais qu'on pourrait faire un tour dans la baie, suggéra-t-il en haussant un sourcil interrogateur.

Lacy eut du mal à dompter son excitation à l'idée de passer l'après-midi avec Dane, mais l'instant d'après, elle s'inquiéta qu'il veuille nager en mer. *C'était* clairement hors de sa zone de confort. Elle toucha sa cicatrice.

— Super. On nagera ?

— Pas si je peux m'en empêcher, déclara Dane avec un clin d'œil. D'autres volontaires ?

Lacy savait à quel point Dane était proche de sa famille, et elle ne fut pas surprise qu'il invite les autres. Mais elle était un peu déçue à l'idée de ne pas l'avoir pour elle toute seule.

— Savannah et moi allions faire un tour à la plage ce matin, si cela ne te dérange pas, dit Hugh.

— On va à Chatham aujourd'hui avec Kaylie et Chaz, mais merci quand même, déclara Danica.

— Super, dit Dane à Hugh avant de presser l'épaule de Lacy et regarder sa montre. Parfait. Je vais tout préparer et on se retrouve sur le quai dans une demi-heure.

— Je viens t'aider, proposa Hugh en avalant son café en deux gorgées rapides et se levant de sa chaise. Content de vous avoir vus. À tout à l'heure.

Dane embrassa Lacy sur la joue, et alors qu'elle le regardait s'éloigner, elle sentit les regards brûlants de ses sœurs.

— On dirait que tu vas à une boat-party, dit Kaylie.

Danica se pencha vers Lacy :

— Est-ce que Dane a bien dit que tu lui avais manqué pendant la *dernière heure* ? Je suppose que tu as eu de la compagnie toute la nuit ?

Lacy sentit à nouveau la chaleur lui monter aux joues.

— D'accord, oui, il est resté dans ma chambre, dit-elle en soupirant. J'allais vous le dire les filles, mais...

— Tant mieux pour toi, Lace, déclara Kaylie.

— Je suis contente pour toi, dit Danica. Mais tu devrais être honnête avec lui au sujet de ta cicatrice, avant que vous ne soyez plus proches. Cacher des choses ne fait que créer des problèmes plus tard.

Plus proche ? J'y suis déjà jusqu'à la taille.

CHAPITRE SEPT

Dane pensait qu'il lui avait fallu toute sa retenue pour quitter la chambre de Lacy ce matin alors qu'il aurait voulu la garder au lit pendant deux bonnes heures encore. Il s'était trompé. Il lui avait fallu encore plus de contrôle pour ne pas la prendre dans ses bras au Bookstore, quand elle était avec ses sœurs. À présent, alors qu'il la regardait s'avancer sur le quai en direction du bateau, il sut qu'il devait la jouer décontracté, prétendre que son cœur ne battait pas la chamade et que tous ses nerfs ne la réclamaient pas. S'il se laissait aller, il pourrait ne plus jamais la laisser partir.

Alors qu'elle s'approchait en arborant un sourire confiant en le regardant de ses yeux bleus lumineux qui mettaient son cœur à genoux, son corps décida de n'en faire qu'à sa tête. Il sauta du bateau et se précipita vers elle. *On s'en fout de faire bonne impression.* Il embrassa Lacy avec passion et fougue, la soulevant du quai, sa poitrine pressée contre la sienne, et leurs cœurs martelant en parfaite synchronisation. Quand il recula, il fut soulagé de voir un large sourire sur ses lèvres. *Dieu, que tu es belle !*

Il la reposa sur le quai juste au moment où Hugh et Savannah se joignaient à eux.

— À quoi joue-t-on là ? La croisière de l'amour ? Salut,

Lacy, les taquina Savannah avec un signe de la main.

Le bikini marron de Savannah était visible à travers sa tunique blanche. Elle se tenait à côté de Hugh, qui portait un maillot de bain et un débardeur. Tous les deux regardèrent Dane et Lacy avec des sourires approbateurs. Savannah haussa un sourcil.

— Ça va être une sortie flirt ? Est-ce que Hugh et moi devons ramener des amoureux ?

Lacy rougit et Dane l'attira contre lui.

— Nous avons beaucoup de temps à rattraper, mais on se tiendra bien, promis, déclara-t-il avec un clin d'œil à Lacy.

Lacy portait le même bikini bleu qu'à Nassau – celui dans lequel Dane l'avait imaginée jusqu'à la nuit dernière. Depuis, il l'imaginait plus sans vêtements.

Dane et Hugh montèrent à bord du *Talaria*, un yacht Hinckley de quatorze mètres de long. Dane aida Lacy à monter, et pendant un moment, ils restèrent à se regarder dans les yeux.

— Allez, les tourtereaux, dit Savannah en prenant la main de Lacy et la traînant vers la proue.

Lacy regarda par-dessus son épaule en souriant, et Dane sentit un pincement au cœur. Qu'y avait-il chez elle de si différent de toutes les femmes qu'il avait côtoyées ?

— On sort ce bateau ou on reste à se regarder, mec ? le taquina Hugh.

Hugh avait six ans et demi de moins que Dane, et en tant que cadet de la fratrie Braden, il avait repris au fil des ans toutes les taquineries de ses aînés, et appris à les distribuer autant qu'à en faire les frais.

Dane le poussa pour plaisanter, et ils s'attelèrent à dénouer les cordes qui attachaient le bateau à la cale. Après cela, Dane pilota le bateau tout en observant Lacy qui se tenait à la proue ;

ses cheveux blonds et bouclés fouettaient son visage, et la tunique qu'elle portait claquait au vent. Il avait hâte d'être plus loin en mer afin de pouvoir passer du temps à ses côtés. C'était sur l'eau qu'il se sentait le plus à l'aise et il avait souvent imaginé ce que ce serait de faire du bateau avec Lacy. À présent, il savait qu'où qu'ils soient, être avec Lacy rendrait l'expérience plus agréable.

Cette dernière retira sa tunique, et Savannah et elle se retournèrent et leur firent signe.

— Bon sang, frangin. Elle est canon, émit Hugh.

Le ton de Hugh était un peu trop gourmand au goût de Dane. Il avait l'habitude que son frère fasse des commentaires sur les femmes – sans se soucier qu'elles soient prises ou célibataires. Bon sang, avec sa carrière de haut niveau, Hugh avait plus de mannequins à ses trousses que Josh n'en avait jamais eues, et ce dernier concevait des vêtements pour lesquels la gent féminine aurait fait n'importe quoi.

Il savait que Hugh ne représentait aucun danger concernant Lacy, mais cela ne l'empêcha pas de vouloir la revendiquer.

— Fais gaffe, l'avertit-il.

— Tu plaisantes ? Elle te regarde comme si tu étais le plat principal. Je n'essaierais même pas.

Le plat principal ? Ah bon ? Dane sourit et jeta un autre coup d'œil à Lacy, qui passait maintenant à bâbord, vers les sièges à l'arrière du bateau. Elle lui fit un signe de la main et Dane souffla un baiser dans sa direction. Savannah, qui était juste derrière elle, fit semblant d'attraper le baiser et lui tira la langue. Dane secoua la tête ; Savannah pouvait faire sourire n'importe qui.

Le soleil brillait de mille feux et une belle brise soufflait sur l'eau. Il coupa le moteur.

— Prêts à attraper quelques rayons de soleil ? demanda Dane.

Hugh émit un sourire complice.

— Ce n'est pas ce que tu vas attraper.

— Il t'arrive de penser à autre chose que le sexe ? demanda Dane en retirant son tee-shirt et prenant une serviette.

— Pas si je peux l'empêcher, rétorqua Hugh avec nonchalance.

Il suivit Dane hors du cockpit, puis à la cabine, et ils remontèrent sur le pont avec quatre verres à vin et une bouteille de Silex, du domaine Didier Dagueneau. Hugh remplit les verres et en tendit un à chacun avant de lever son verre.

— À un après-midi parfait.

— Pas mal, dit Savannah en prenant la bouteille et plissant les yeux. N'est-ce pas le vin de ce montagnard ?

— Oui, dit Dane. Didier Dagueneau était un vigneron dans le Val de Loire. Il avait un culte pour ses sauvignons blancs. Il ressemblait à un montagnard avec ses cheveux touffus et sa grosse barbe. Le pauvre diable s'est écrasé en avion. Je crois que son fils a repris l'entreprise.

— C'est horrible, commenta Lacy.

— C'est pour ça que je ne piloterai jamais d'avion, dit Dane avec un clin d'œil à Lacy.

— Non, tu te contentes de nager avec les animaux les plus meurtriers du coin, rétorqua Savannah en levant les yeux au ciel.

— Je pensais que c'était plutôt ton travail, plaisanta Dane.

— Comme si je n'avais pas entendu ça une centaine de fois, déclara Savannah. J'aimerais que pour une fois quelqu'un fasse une blague disant que les avocats sont des gens gentils, généreux et beaux.

— Vanny, tu es toutes ces choses, dit Dane en levant son

verre. À un après-midi parfait en agréable compagnie, conclut-il en trinquant avec Lacy.

— Lacy me disait qu'elle habite près de Boston, déclara Savannah.

Dane se demandait justement à quel moment Savannah allait se mêler de leurs vies privées. Il s'installa à côté de Lacy et passa un bras autour de son épaule chauffée par le soleil. Il la sentit d'abord se raidir avant de se détendre contre lui.

— Combien de temps restes-tu au Cap ? demanda Savannah à Lacy.

— Jusqu'à demain. Je reprends lundi, donc... expliqua-t-elle en prenant une gorgée de vin.

— Mais Dane va rester une semaine ou deux, n'est-ce pas, Dane ? insista Savannah.

— Je pense que ce que Savannah veut dire, c'est que toi et moi devrions essayer de nous voir puisque nous ne serons qu'à deux heures de distance, expliqua Dane en passant son autre bras par-dessus la poitrine de Lacy et lui embrassant la tête. Ne t'inquiète pas, Savannah. Lacy et moi comptons bien profiter l'un de l'autre.

Il chuchota alors à l'oreille de la jeune femme :

— Savannah est un peu insistante.

— Je ne demande qu'à passer du temps avec toi, répondit Lacy en souriant.

— Ça me va parfaitement.

Il avait réfléchi à la façon de lui demander de rester un jour de plus, mais il ne voulait pas paraître présomptueux, et il ne voulait certainement pas la mettre dans l'embarras devant ses frères et sœur.

— On s'arrangera, ajouta-t-il.

— Tu n'as qu'à l'accompagner dans sa mission de marquage. Tu vas adorer. Dane est si lisse et sexy dans sa combinaison de plongée, et macho et autoritaire, dit Hugh en souriant.

— Arrête de les embarrasser autant, dit Savannah en poussant Hugh.

— Quoi ? protesta celui-ci.

— J'ai une réunion lundi matin. Je ne pourrais vraiment pas rester, même si je le voulais, déclara Lacy. J'attends une promotion d'ici quelques semaines, et j'ai travaillé très dur pour l'obtenir. Je ne veux pas compromettre mes chances.

Zut.

— On trouvera une solution, lui assura Dane.

Voilà pour ce qui était de le lui demander.

— D'où vient cette cicatrice ? demanda Savannah en désignant la cuisse de Lacy.

Dane la sentit tressaillir et sut instinctivement qu'elle avait besoin d'être sauvée de l'avalanche de questions à laquelle Savannah allait la soumettre. Il se leva et se dirigea vers la cabine.

— Lacy, tu veux bien m'aider à apporter le déjeuner ? Je vais te faire visiter le reste du bateau.

— Bien sûr, dit-elle en le suivant dans les escaliers.

Une fois hors de portée de voix de ses frères et sœur, il lui prit les mains.

— Je suis désolé pour ça. Ils sont un peu agressifs, mais ils veulent bien faire.

— C'est bon. Je les aime beaucoup. Ils sont vraiment gentils.

Dane lui toucha la joue, et tout le désir qu'il avait contenu se libéra. Il l'embrassa, et la douceur du vin se mêla à la chaleur de leurs corps. Lacy se laissa aller contre lui, l'embrassant plus profondément, poussant sa langue contre la sienne et envoyant une impulsion de désir à travers son entrejambe.

Il recula, le corps déjà impatient.

— Lace, murmura-t-il.

Elle prit ses joues et l'embrassa à nouveau, puis recula rapidement.

— Je suis désolée. Je ne sais pas ce qui m'arrive, dit-elle avant de l'embrasser encore. Je ne peux pas m'en empêcher.

Il lui prit la main et la conduisit dans la chambre où il ferma doucement la porte.

— Dane, nous ne pouvons pas, dit-elle. Ils sont en haut.

— Pour quel genre d'homme est-ce que tu me prends ? répondit-il en la guidant vers le lit et s'asseyant près d'elle. Tout ce que je veux, c'est t'embrasser, rien de plus.

Il la serra contre lui et l'embrassa à nouveau, insatiable. Elle lui prit la main et la porta à sa poitrine, sur ses mamelons déjà tendus sous son haut de bikini.

— C'est de la triche, dit-il entre deux baisers.

— Tais-toi et touche-moi.

Il prit son sein rond et le pétrit, mais il en voulut rapidement plus ; il devait la goûter, juste un petit peu pour passer l'après-midi. Il posa sa bouche sur son sein, taquinant son mamelon avec sa langue. Elle gémit de plaisir et caressa son sexe épais à travers son maillot de bain.

— Lace, je ne suis qu'un humain, murmura-t-il.

Mais elle avait déjà verrouillé la porte, et laissé tomber son bikini au sol. Elle se dirigea vers lui en balançant ses hanches avec séduction et le couvant d'un regard affamé.

— Moi aussi. Je ne sais pas ce qui m'arrive quand je suis près de toi, mais je t'assure que je ne peux pas me contrôler. C'est comme si j'étais accro à tes caresses, dit Lacy en faisant courir son doigt sur son torse.

— Je n'ai pas de protection, dit-il.

Merde.

Elle se laissa tomber à genoux près du lit et prit son érection dans ses mains, puis dans sa bouche. Dane gémit, incapable du moindre raisonnement sur le fait que ses frères et sœur étaient pratiquement devant cette porte. Elle le caressa vite et fort, le léchant, le suçant, l'aspirant de la pointe à la base, jusqu'à ce qu'il soit si fou de désir qu'il ne puisse plus se retenir.

— Lace, arrête. S'il te plaît, supplia-t-il en lui caressant la joue.

Elle leva les yeux, son sexe toujours en bouche, et secoua la tête.

Merde, elle veut que je jouisse.

— Non, pas comme ça.

Elle n'était pas n'importe quelle fille. Il respectait Lacy, et jouir dans sa bouche ne lui semblait pas correct.

Elle le laissa lentement se retirer de sa bouche, et le repoussa sur le lit. D'où venait cette diablesse gourmande ? L'instant suivant, elle était à califourchon sur lui.

— Je prends la pilule, dit-elle en le chevauchant.

Dane avait toujours eu des rapports sexuels protégés, plus par peur d'une grossesse non désirée qu'autre chose, mais à cet instant, toute crainte à l'idée de ne pas utiliser de préservatif s'évanouit. Il désirait Lacy encore plus que la veille. Il se redressa et la fit basculer sur le dos pour la marteler avec force, suçant son cou, son épaule… toute parcelle de peau qu'il pouvait saisir, et s'enfonçant si profondément qu'il ne leur fallut que quelques minutes avant qu'ils se griffent de désir et jouissent à l'unisson.

Il avala ses gémissements en l'embrassant, et étouffa ses cris de plaisir par les siens. Après cela, Dane se morigéna de ce qui venait de se passer. Il ne voulait pas traiter Lacy ainsi. Il voulait lui donner du plaisir, la goûter et la taquiner jusqu'à ce qu'elle crie grâce. Il voulait la chérir, l'explorer entièrement, et voilà qu'il l'avait prise non pas une, mais deux fois dans des lieux pas vraiment appropriés.

— Je suis désolé, Lace, dit-il.

— Pourquoi ?

Elle fit de grands yeux ronds si innocents, que Dane réalisa qu'elle ignorait complètement pourquoi il s'excusait. Il la prit dans ses bras.

— Parce que je t'aime trop pour ces coups à la va-vite.

— C'est bon à savoir, mais après plus d'un an d'attente, je ne suis pas désolée.

Dix minutes plus tard, après s'être douchés en prenant soin de ne pas se mouiller les cheveux, ils montèrent le déjeuner sur le pont. Dane savait que ses frères et sœur avaient entendu la douche, mais il savait qu'ils n'embarrasseraient jamais Lacy en faisant la remarque.

— Tu as dû faire cuire le pain ? demanda Savannah avec un clin d'œil.

— En fait, oui. On vous a manqué ? demanda Dan.

— Uniquement parce que je meurs de faim, déclara Hugh.

Dane posa le plateau de sandwichs sur la table. Lacy sourit à Hugh alors qu'elle s'asseyait près de lui.

— Ça doit vraiment être excitant les courses de voiture. Comment es-tu arrivé à ce genre de carrière ? demanda-t-elle.

Dane s'installa à côté d'elle. Il avait entendu Hugh expliquer son cheminement de carrière un nombre incalculable de fois. Il vit une lueur d'excitation dans les yeux de son frère alors qu'il se penchait en avant, les coudes sur les genoux.

— C'était mon père, en fait, répondit Hugh.

Quoi ? Dane plissa les yeux en se demandant ce que Hugh allait sortir. Hugh était un accro des sensations fortes, et cela n'avait rien à voir avec leur père.

Hugh poursuivit.

— Je voyais mes frères faire ces grandes carrières en partant d'une simple idée ou d'une passion. Un jour où j'étais en deuxième année de fac, je parlais à mon père de ce que je voulais faire une fois mes études terminées. J'avais opté pour la spécialisation commerciale alors, je me suis dit que je finirais derrière un bureau.

— Sous un bureau, peut-être. Sur un bureau, certainement, mais derrière un bureau ? dit Savannah en secouant la tête. Certainement pas.

— Quoi qu'il en soit, poursuivit Hugh en secouant la tête à ce commentaire. J'étais à la maison pour les vacances de printemps, et mon père m'a demandé dans quelle entreprise je voulais me lancer. Je n'en avais aucune idée. Aucune. Alors je le lui ai dit, et il m'a posé une question : y a-t-il quelque chose dans la vie qui m'apportait toujours du bonheur.

Il haussa les épaules avant de poursuivre :

— Ça a commencé comme ça. Je lui ai dit, conduire vite alors, il a répondu, *fais-le.*

— Papa m'a dit la même chose, dit Savannah.

— Moi aussi, ajouta Dane. Hugh, pourquoi est-ce que je n'ai pas entendu cette version avant ?

Lacy tourna la tête.

— La chose dans ta vie qui te rendait le plus heureux, c'était de nager avec les requins ?

Hugh éclata de rire.

— Non, c'était convaincre les gens d'oublier leurs peurs et de sauver des animaux qu'ils détestaient, dit-il avec un grand sourire en s'allongeant, les mains jointes derrière la tête et ses épaisses boucles sombres remuant dans le vent.

— Tu as un peu raison, concéda Dane.

Il se souvenait comme si c'était hier du jour où son père lui avait demandé ce qu'il voulait faire. Ils étaient dans le salon, son père installé dans son fauteuil en cuir préféré et Dane assis sur le canapé.

— C'était juste après mes études avec ma double spécialité en biologie et en sciences sociales. Plus j'étudiais, plus je voulais en apprendre davantage. L'été précédent, j'avais fait un stage en recherche, et quelque chose d'étrange s'est produit. Mon enthousiasme pour les études s'est transformé en passion pour le sauvetage et l'éducation. Je pense que je lui ai dit quelque chose du genre : « Je veux tout savoir sur les requins ». J'ai vu à sa façon de me regarder qu'il a pensé que j'étais fou, et honnêtement, je suis sûr que ça donnait cette impression.

Il sourit au souvenir.

— Mais papa étant ce qu'il est a dit : *alors, bon Dieu, fais en sorte que cela se réalise.*

Lacy posa une main sur sa jambe.

— Votre père semble vraiment vous soutenir.

— Apparemment, plus avec les hommes de la famille que moi, dit Savannah. Je lui ai dit que je voulais être comptable.

— N'importe quoi, commenta Hugh en s'esclaffant.

— Tu as toujours été forte en maths, rétorqua Dane.

— Oui, et j'aime comprendre les choses, mais il m'a dit que j'étais trop intelligente pour pisser du chiffre et que je devais encore réfléchir. Le lendemain, je lui ai dit que je me fichais de ce que je faisais tant que j'étais la patronne, et il a dit…

— Voilà la Vanny que je connais, dirent Dane et Hugh à l'unisson.

— Je suppose que votre père dit souvent ça ? demanda Lacy.

Elle les regarda tous les trois, amusée par la façon dont ils se taquinaient. Elle avait remarqué le regard que Dane et Hugh avaient échangé en appelant Savannah « Vanny », comme s'ils connaissaient tous ses secrets.

— Papa sait simplement comment nous guider, et il arrive que Savannah se trompe de chemin. Il la redirige alors douce-ment dessus, expliqua Dane en levant son regard vers Savannah. Tu es une avocate incroyable, et regarde tous les avantages.

— Connor Dean, dit Hugh en toussotant.

Savannah sirota son vin et leva les yeux au ciel.

— Tu connais Connor Dean ? Le Connor Dean ? demanda Lacy.

— Disons qu'on sort ensemble de temps en temps, répondit Savannah.

Elle rassembla ses longs cheveux dans sa main et les tordit, puis les posa sur une épaule – ils se dégagèrent aussitôt et recouvrirent un côté de sa poitrine. La réaction de Lacy par rapport à Connor éveilla un violent sentiment de jalousie chez Dane. Il passa un bras possessif autour d'elle et l'attira contre lui. Lacy posa une main sur son bras et le serra, puis porta sa main à sa bouche et l'embrassa avant de la replacer autour de son ventre.

— Alors, comment es-tu passée de vouloir être patronne à avocate ? demanda Lacy.

— Mon père a dit que c'était la seule profession où je pou-vais utiliser mes compétences de manipulation à bon escient, expliqua Savannah en éclatant de rire. Il est tellement drôle. La plupart des gens n'aiment pas les avocats, mais il a dit que si j'entrais dans le secteur du divertissement, je pourrais aider à y faire le ménage. Et maintenant, je ne peux pas imaginer faire autre chose.

— Et toi, Lacy ? Que fais-tu ? demanda Hugh.

— Rien d'aussi excitant que vous. Je suis publicitaire chez World Geographic. Je travaille principalement à la création d'une stratégie pour des organisations à but non lucratif, afin d'attirer l'attention du public sur l'entreprise en engageant des médias pour des reportages. Je suppose qu'on peut résumer cela en disant que j'ouvre la voie pour que les entreprises puissent créer leur marque.

— Et ça te plaît ? demanda Hugh.

Dane remarqua qu'Hugh sortait de sa bulle égocentrique habituelle, et il se demanda pourquoi. Son frère ne quittait pas Lacy des yeux, mais sans pour la dévisager ou flirter avec elle. Dane jeta un coup d'œil à Savannah, qui semblait observer Hugh avec la même curiosité.

— Oui. J'adore mon travail, mon patron et mes collègues. J'ai vraiment de la chance, en fait, et la promotion pour laquelle je travaille si durement m'intéresse beaucoup. J'y suis depuis quelques années maintenant, et je ne m'imagine pas travailler ailleurs.

Ils mangèrent les sandwichs et les fruits que Dane avait apportés de l'auberge.

— Un autre verre ? demanda Hugh en remplissant les verres de Lacy et Savannah sans attendre de réponse.

— Pas pour moi, merci. Je dois ramener cette beauté à la maison en toute sécurité, déclara Dane avec un clin d'œil à Lacy.

Savannah se dirigea vers la rambarde. Ses cheveux auburn

volaient autour de son visage. Elle rassembla son épaisse crinière dans une main et la passa sur une épaule.

— Dane, nous sommes en pleine mer. Peux-tu faire apparaître des requins ?

— Les faire apparaître ? répéta Dane. Ce n'est pas vraiment un bateau adapté à la chasse aux requins. Nous n'avons pas d'appâts, pas d'équipement.

— On pourrait jeter Savannah. Elle ferait un parfait appât, la taquina Hugh.

Dane vit Lacy se rembrunir et regarder tour à tour Hugh et Dane.

— Ce n'est qu'une croisière de plaisance, dit-il avec nonchalance.

— Oh, allez. Les requins sont tout autour de l'île Monomoy à cause des phoques. On ne pourrait pas y aller et voir si on ne tomberait pas sur quelque chose ?

Le visage de Lacy devint livide.

Les mains de Lacy tremblaient. Elle sentit sa respiration s'accélérer et son corps se glacer d'un coup. *Qu'est-ce qui se passe ?*

— Lace ?

Dane ? Elle sentit sa vue se brouiller, comme si elle était aspirée par le vide, sans aucun moyen de remonter à la surface. Elle crut ouvrir la bouche, mais n'en était pas sûre.

— Peut-être qu'on aura de la chance et qu'on verra un requin blanc, continua Savannah.

Un requin blanc ? La gorge de Lacy se noua. Elle s'agrippa au coussin du siège avec une telle force que ses articulations en devinrent blanches.

— Lace ?

Dane. Concentre-toi. C'est Dane. Elle entendait sa voix, mais son esprit était en prise avec l'idée d'un requin blanc autour du bateau.

— Lace ?

Dane s'agenouilla devant elle et posa fermement ses mains sur ses genoux tremblants. Lacy essaya de se concentrer sur ses yeux inquiets, mais son esprit revint à l'après-midi traîtreusement chaud, vingt ans plus tôt – l'après-midi qu'elle avait réussi à refouler durant toutes ces années. Elle savait que le souvenir était tapi dans les recoins de son esprit, mais elle ne s'était pas attendue à ce qu'il remonte à la surface et la consume. Le souvenir tournait en boucle dans son cerveau et absorbait toute sa concentration. Le soleil avait tapé tout l'après-midi alors qu'elle et sa famille traversaient le village isolé de Bora Bora. Ils avaient enfin fait une pause dans un restaurant sur pilotis au bout d'une longue jetée. Les pilotis semblaient sortir naturellement de l'eau, et toute la jetée se balançait doucement avec le mouvement des vagues. Elle avait alors sept ans et ils étaient partis à l'aventure. C'est ainsi que son père avait appelé cela : *une aventure.* Il avait expliqué que sa mère avait toujours rêvé de ce voyage. Elle se souvenait s'être plainte auprès de lui de la chaleur et s'être sentie coupable parce qu'elle savait qu'elle gâchait le plaisir de sa mère. Elle avait tellement rouspété qu'il avait fini par lui dire : « Voilà l'eau. Tu sais nager ». Le corps de Lacy était collant de sueur. Elle se souvenait que ses boucles faisaient des frisottis, comme le tampon à récurer qu'utilisait sa mère pour faire la vaisselle. L'eau semblait si rafraîchissante ; elle pouvait presque sentir le soulagement que cela lui procurerait.

Sa mère lui avait dit en riant qu'il ferait plus frais dès que le soleil se coucherait, mais Lacy ne pensait déjà plus qu'à se baigner. Elle était même prête à faire semblant de tomber à l'eau pour ne pas avoir d'ennuis.

— Lace. Regarde-moi. Lace.

La voix de Dane s'immisça dans son esprit brumeux. Elle sentit le bois brut de la jetée contre ses orteils alors qu'elle faisait semblant de tomber à l'eau. Elle sentit l'eau froide contre sa peau alors que ses pieds perçaient la surface et qu'elle plongeait, les yeux fermés comme si elle avait à nouveau sept ans. Elle était rapidement remontée à la surface en battant férocement des pieds, excitée et inquiète d'avoir trompé ses parents. Quelque chose de puissant et de froid – *une voiture, ça devait être une voiture* – lui percuta la cuisse – dur et douloureux. L'angoisse la transperça. *Une voiture. J'ai été renversée par une voiture !* L'eau devint rouge autour d'elle, et il ne lui fallut qu'une seconde pour réaliser que c'était du sang. Son sang. *Attends. Ça ne peut pas être ça. Les voitures ne vont pas dans l'eau. Papa ! Papa !*

Le visage de Dane se brouilla devant elle, et les battements de son cœur furent étouffés par le son de la voix insistante.

— Lace !

Une main lui toucha la joue. Ils la tiraient vers eux. Elle était portée, allongée sur le dos. Elle s'agita, essayant de s'éloigner de l'eau, mais ses bras rencontrèrent quelque chose de ferme. *Un matelas. Je suis sur un lit.*

— Lace, tout va bien.

Dane. Je suis avec Dane, sur un bateau. La réalité la frappa alors que la voix de Savannah traversait son esprit brumeux :

— Je vais chercher de l'eau.

— Une crise d'angoisse. J'ai vu ça un million de fois, disait Hugh.

Le côté droit du lit s'abaissa sous le poids de quelqu'un. Puis les bras de Dane l'entourèrent, la serrant avec force et la réconfortant. Elle le sentait. *Dane. Dane.* Son souffle était chaud sur sa joue.

— C'est bon, Lacy. Je suis ici. Tu es en sécurité.

Sécurité. Je suis en sécurité. Lacy cligna des yeux, essayant de repousser le souvenir. Elle avait froid, tellement froid. Même dans les bras de Dane, elle tremblait toujours. Elle s'accrocha à lui en revenant enfin à elle. *Que s'est-il passé ?*

— Je suis... je suis désolée, murmura-t-elle.

— Ça va, lui assura Dane en l'embrassant sur le front.

Savannah se précipita dans la chambre – Cette chambre dans laquelle Lacy les avait enfermés une heure plus tôt afin que Dane et elle puissent batifoler.

— Est-ce qu'elle va bien ? demanda Savannah en tendant une tasse d'eau à Dane.

— Ça va aller.

Dane s'assit, mais Lacy verrouilla ses bras autour de sa taille et s'accrocha fermement à lui.

— Lace, bois de l'eau.

Il l'aida à prendre une gorgée en stabilisant ses mains tremblantes. La jeune femme hocha la tête.

— Je vais bien, dit-elle en évitant le regard inquiet de Savannah.

— Que s'est-il passé ? Une minute, on discutait, et la suivante, Lacy avait l'air d'avoir vu un fantôme, déclara Savannah.

Lacy couvrit sa cicatrice d'une main et un frisson la parcourut à nouveau. Elle se colla à Dane comme si elle voulait s'infiltrer sous la sécurité de sa peau.

— Je peux nous ramener, proposa Hugh. Pourquoi ne resterais-tu pas avec elle ? Savannah, laissons-leur un peu d'intimité.

Non seulement Hugh conduisait des voitures, mais il avait également passé quelques étés à piloter des bateaux.

— Ça va aller ? C'est un grand bateau, fit remarquer Dane.

Ses yeux ne quittaient pas Lacy et il la tenait de manière ferme et rassurante. Il ne faisait aucun doute dans l'esprit de Lacy qu'il ne la quitterait pas – même si cela signifiait rester sur le bateau toute la nuit.

— Pfff. Du gâteau, déclara Hugh.

Hugh et Savannah les laissèrent seuls, et la pièce tomba dans un silence total, mettant au premier plan l'embarras de Lacy.

— Lace, parle-moi, l'exhorta-t-il.

— Je suis tellement gênée.

Qu'est-ce qui ne va pas avec moi ? Lacy n'avait pas repensé à sa confrontation avec le requin, depuis des années. Pourquoi cela devait-il la mettre dans un tel état après tout ce temps ? Pourquoi n'avait-elle pas vu d'indice durant toutes ces années sur un tel degré de peur ? Elle chercha des réponses, et souhaita que Danica soit là avec elle. Elle aurait su lui répondre et l'aider à comprendre ce qui se passait dans sa tête folle.

— Ne sois pas stupide. La première fois que je suis descendu dans une cage à requins, j'ai paniqué. Vraiment paniqué, dit-il en souriant et replaçant une boucle capricieuse derrière son oreille. Tu veux m'en parler ?

Je préférerais être enfermé avec Jeffrey Dahmer.

Lacy secoua la tête.

— D'accord. Je suis là si tu veux.

Lentement, le corps de Lacy se détendit et les tremblements se calmèrent. Elle se rendit alors compte que Danica lui avait déjà donné les conseils dont elle avait besoin. La voix de sa sœur s'infiltra dans son esprit : « Il mérite de savoir ». Elle devait lui expliquer ce qu'elle avait traversé, même si elle ne comprenait pas la profondeur de ses peurs.

— Tu as dit que tu pensais avoir peur des requins, mais je ne savais pas que c'était si profond, déclara Dane.

Moi non plus.

Il ne voudrait plus jamais la revoir après cet incident absurde. Bon sang, même elle ne voudrait pas être en sa propre compagnie. Mais si elle avait appris une chose de la liaison illicite de ses parents, c'était que vivre honnêtement n'était pas seulement le bon comportement : c'était la seule façon de vivre. Remplie de doutes sur ce qui pourrait suivre, elle puisa son courage dans la force de Dane.

— Je veux en parler.

Non, je ne veux pas, mais je le dois.

Dane ne la bouscula pas et ne la poussa pas à déverser ses tripes. Il lui prit simplement la main et lui caressa le dos en la câlinant. Lacy ne se souvenait pas d'un moment où elle s'était sentie autant aimée, ce qui était complètement ridicule : il était gentil et réconfortant, rien de plus. Elle devait s'en souvenir. Il faisait ce que n'importe qui d'autre ferait dans cette situation. *Vraiment ?* Est-ce qu'un seul des hommes avec qui elle était sortie aurait fait la même chose ? Elle en doutait. Il lui semblait que la plupart n'auraient pas su quoi faire. *Comment fait-il ?*

Savannah apparut dans l'embrasure de la porte.

— Ça va ? demanda-t-elle en entrant dans la pièce et touchant l'épaule de Dane. Je peux faire quelque chose ?

Dane regarda sa sœur. Tant d'amour et de reconnaissance passèrent entre eux en cet instant que Lacy eut sa réponse sans même avoir posé la question. Bien sûr qu'il savait comment gérer les peurs silencieuses et les émotions non exprimées. En tant que deuxième aîné, il avait dû s'occuper de ses frères et sœur après la mort de leur mère.

— Nous allons bien, déclara Dane. Merci, Vanny.

Vanny. Elle aimait cette façon qu'ils avaient d'être présents les uns pour les autres, et la façon dont Savannah la regardait, les yeux verts emplis d'une tendresse similaire à l'inquiétude de Dane : dépourvue de jugement et remplie d'empathie.

— D'accord. Hugh contrôle la situation alors, prenez votre temps.

Elle s'approcha du lit et toucha l'épaule de Lacy.

— La première fois que j'ai rencontré une célébrité, j'ai eu une crise de panique. J'étais paralysée et il m'a fallu vingt minutes pour me souvenir de mon nom, dit-elle en souriant. Je trouve que cela démontre une certaine force de caractère, ajouta-t-elle avec nonchalance quand Lacy plissa le nez en signe d'interrogation. Penses-y. Le vrai courage, c'est de revenir après s'être rétamé devant les autres.

Puis, comme si elle avait deviné ses pensées, elle se pencha et lui murmura à l'oreille :

— Accroche-toi. Il en vaut la peine.

Lacy leva alors les yeux et fut surprise de sentir Savannah lui serrer l'épaule. Elle sourit à nouveau, sentant la chaleur et la générosité d'un autre membre de la famille Braden. Quand Savannah quitta la pièce, elle prit une profonde inspiration.

— Elle est si gentille avec moi, dit-elle.

— Elle t'aime beaucoup, dit Dane avant de placer sa main sous son menton et lever son visage vers lui. Je t'aime beaucoup.

Elle sourit et baissa les yeux. *Je t'aime aussi… beaucoup trop.* Ils restèrent assis en silence durant les quelques minutes qui suivirent, le bateau s'avançant rapidement et le doux roulement apaisant l'inquiétude de Lacy.

— C'était un requin, dit-elle en touchant sa cicatrice. J'avais sept ans.

— Je me disais aussi, dit-il en couvrant sa main de la sienne.

— Pourquoi ?

— Au début, je n'étais pas sûr. Ça aurait pu être un accident d'escalade, ou peut-être un combat acharné avec du papier de verre – que tu aurais perdu. Je travaille avec des requins, Lacy. J'ai à peu près tout vu.

— C'est vrai.

Bien sûr que tu as deviné.

— Ça aurait pu être une centaine de choses, mais j'ai vu ta réaction aux propos de Savannah et ta façon de toucher ta cicatrice. Tu battais des pieds et te débattais comme si tu nageais, ce qui est un mouvement très différent de la course, expliqua-t-il en portant sa main à ses lèvres et l'embrassant.

— Nous étions à Bora Bora, dans un restaurant qui ressemblait plus à une cabane sur pilotis. J'ai sauté dans l'eau à côté de la cuisine, dit-elle, le regard rivé sur sa cicatrice.

— Et c'est là qu'ils jetaient les restes de poisson et de viande avariés, ce qui attirait les requins, n'est-ce pas ?

— Comment le sais-tu ?

Pourquoi mes parents ne le savaient-ils pas ?

— Tu parles d'il y a environ vingt ans, sur une île isolée. Ce n'est pas comme aux États-Unis, où tout est géré au millimètre près. J'ai fait beaucoup de recherches, Lacy. J'ai à peu près tout vu et tout entendu sur les requins.

Il posa sa main sur sa cicatrice, et lorsqu'elle essaya de l'éloigner, il tint bon.

— Les requins n'en ont pas après les humains, Lace. Tu étais dans leur garde-manger. J'aurais aimé que tu m'en parles.

Pour que tu puisses me quitter avant même qu'on ait commencé ? Tu ne peux pas t'engager avec quelqu'un qui a peur des requins.

— Je ne savais pas que j'avais si peur, dit-elle honnêtement.

— Tu t'es baignée sans problème à Nassau.

Comme il la fixait, Lacy comprit qu'il attendait une explication. Elle chercha en elle quelque chose, n'importe quoi qui puisse expliquer la raison de cette peur soudaine à ce moment-là – mais rien ne vint et elle finit par détourner les yeux.

— Je n'y comprends rien.

Mais je sais maintenant que c'est un problème – un gros problème.

— Nous avons tous peur de quelque chose, dit-il.

Lacy s'éloigna de la sécurité de ses bras. Ce n'était pas juste de le laisser devenir aussi proche d'elle. Après ce qu'elle venait de vivre, elle réalisait que sa peur était bien trop grande pour pouvoir être maîtrisée. Ou peut-être même vaincue. Dane méritait d'être avec quelqu'un avec qui il pourrait partager sa vie, et sa vie signifiait son travail, ses voyages et sa carrière.

Je ne peux pas m'autoriser à tomber plus que cela amoureuse de toi. Nous ne pouvons pas être ensemble. Je ne peux pas gâcher ta vie. Que Dieu me vienne en aide.

CHAPITRE HUIT

Dans la sécurité de sa chambre à l'auberge, Lacy se laissa tomber sur son lit et enfouit sa tête sous un oreiller. Moins de cinq minutes plus tard, elle fut surprise par plusieurs coups frénétiques à la porte. Elle gémit dans le matelas.

— Je sais que tu es là, Lacy. Ouvre.

Kaylie.

— Va-t'en, cria Lacy dans le matelas.

Elle ne souhaitait pas vraiment que Kaylie s'en aille, mais elle ne voulait pas quitter la sécurité de sa cachette. Si seulement elle pouvait y rester cachée pour toujours.

— Ouvre ou je dirai à la femme de ménage que j'ai peur que tu te suicides et ils ouvriront la porte.

Lacy se leva du lit à contrecœur et ouvrit la porte.

— Quelle drama queen tu fais, maugréa-t-elle.

Kaylie entra aussitôt et lui prit la main pour l'entraîner vers le lit, où elles s'assirent côte à côte.

— Comment savais-tu que j'étais ici ? demanda Lacy, qui aurait voulu ramper sous ses couvertures et se cacher à nouveau.

Kaylie était déjà devenue toute dorée après un unique après-midi au soleil. Elle portait une queue de cheval haute, qui se balançait d'un côté à l'autre avec chacun de ses mouvements.

— Savannah a envoyé un SMS à Josh pour lui dire que

Hugh ramenait le bateau, et elle lui a demandé de nous joindre, Danica et moi. Elle s'inquiétait pour toi.

Lacy gémit et se laissa tomber en arrière sur le lit en se couvrant le visage de ses mains.

— Je suis mortifiée.

Un autre coup fut frappé à la porte et Kaylie se leva pour ouvrir.

— Où est-elle ? demanda Danica en poussant Kaylie et se jetant sur Lacy. Est-ce que ça va ? Comment te sens-tu ? Que s'est-il passé ?

— Laisse-lui le temps de respirer, dit Kaylie en soupirant.

— Je veux juste rentrer à la maison, déclara Lacy en s'asseyant et affrontant les regards consternés de ses sœurs.

— Ma pauvre chérie, dit Danica.

Elle s'assit à côté de Lacy et passa un bras autour de son épaule.

— Elle a fait une crise de panique. Elle ne s'est pas cassé une jambe, rétorqua Kaylie en se laissant tomber de l'autre côté de Lacy. Elle est embarrassée, pas blessée. Elle a pété les plombs devant Dane. Tu ne serais pas gênée à sa place ?

— Puis-je te rappeler que je me suis évanouie le jour de mon mariage ? répondit Danica en lançant un regard dur à Kaylie.

— Oui oui. Et j'ai accouché à ma baby shower.

Les jumeaux de Kaylie, Lexi et Trevor, avaient maintenant trois ans.

— Peut-on se concentrer une minute sur moi ? les coupa Lacy d'une voix plus forte qu'elle ne le voulait. Danica, qu'est-ce qui m'est arrivé ? Savannah parlait de voir des requins, et soudain j'avais à nouveau sept ans. Je ne comprends pas. Après vingt ans ? Pourquoi tout est-il revenu comme ça ?

Lacy secoua la tête en se levant. Elle croisa les bras sur sa poitrine et fit les cent pas dans sa tunique et son maillot de bain.

— Qu'est-ce que je vais faire maintenant ?

— Comment cela ? Il est presque 16 h. Douche-toi, habille-toi et rendons-nous à la réception familiale pour dîner et passer à autre chose, dit Kaylie en se plaçant devant le placard de Lacy. Tu veux que je t'aide à te préparer ?

— Bon sang, Kay. Donne-lui un petit moment pour reprendre ses esprits, dit Danica en se levant et s'appuyant contre la commode. Lacy, c'était une crise de panique. Ce n'est pas si rare, et il n'y a pas de quoi être embarrassée.

— Ben voyons. Un homme comme Dane n'a pas besoin de s'occuper d'une femme qui a peur de la seule chose à laquelle il a affaire tous les jours. Un homme comme Dane n'a pas besoin de quelqu'un qui panique sans crier gare. Un homme comme Dane...

Lacy déglutit malgré la boule qui grossissait dans sa gorge. Quand avait-elle commencé à s'en soucier autant ?

Danica se tint devant elle et l'arrêta dans sa marche effrénée.

— Un homme comme Dane s'inquiète assez pour me demander de passer te voir.

— Un homme comme Dane a de la chance de sortir avec toi, sœurette, ajouta Kaylie. Je me fiche qu'il soit beau et riche. Tu es magnifique, intelligente, drôle et incroyablement séduisante.

Elle termina sa phrase par un clin d'œil qui fit sourire.

— Vous êtes mes sœurs. Vous êtes censées m'aider à aller mieux, dit-elle en se couvrant le visage de ses mains en gémissant.

— Ne t'en fais pas. Je suis là, et je resterai avec toi toute la nuit s'il le faut, lui assura Danica.

— Et si ce n'était pas une crise d'angoisse ? Et si c'était autre chose ? Quelque chose de pire ? dit-elle en haletant. Et si...

Danica agrippa ses épaules.

— Respire, chérie, ou tu vas nous refaire une crise. Tout cela est logique.

— Est-ce qu'il vous a vraiment demandé de passer me voir ?

Évidemment. Elle repensa à l'intonation inquiète de sa voix et à l'empathie qu'elle avait vue dans ses yeux lorsqu'elle était revenue à elle-même sur le bateau.

— Il l'a vraiment fait, répondit Danica.

— Probablement pour être sûr de ne pas avoir de problème avec son assurance civile, aboya Lacy.

Elle n'y croyait même pas, mais elle ne pouvait plus se permettre de continuer à penser à Dane en tant que futur petit ami et amant. Ce serait une erreur de s'attacher davantage à lui. Il fallait qu'elle oublie à quel point leur relation coulait de source et à quel point il était prévenant envers elle. Lacy devait le laisser partir. Elle ne pouvait pas être un nœud coulant autour de son cou, et la dernière chose qu'elle voulait était de se retrouver face à des requins alors qu'elle en avait si peur. Il fallait qu'elle se concentre sur son retour à la maison, où elle pourrait se perdre dans le travail et se concentrer sur autre chose que la sensation de ses lèvres sur sa peau ou la force de ses bras quand il la tenait. *Arrête ça !*

— Oh, je t'en prie. Cet homme s'inquiète autant de son assurance civile que toi d'avoir les cheveux trop raides, la taquina Kaylie.

Danica acquiesça au commentaire enjoué de Kaylie.

— Lacy, les crises d'angoisse peuvent être gérées. Je sais que ça t'a probablement fait peur, mais tu peux apprendre à contrôler tes angoisses.

Lacy secoua la tête. Elle était trop perdue pour affronter tout cela en ce moment. Quand elle ferma les yeux, elle vit Dane et sentit son eau de Cologne, et lorsqu'elle les rouvrit, la panique écrasante qui l'avait saisie sur le bateau réapparut. Elle souhaita pouvoir marcher sur la fine frontière du milieu sans basculer d'un côté ou de l'autre, mais c'était impossible. Comment allait-elle pouvoir assister à la réception familiale d'ici une heure ?

— Je ne sais pas, Danica. Je ne m'en rendais absolument pas compte. J'ai réalisé aujourd'hui que tous ces voyages où ma mère m'emmenait l'été, les sorties à la bibliothèque, les musées… partout sauf à la plage… étaient probablement dans le but de m'empêcher de paniquer. Je ne peux pas accompagner Dane ce soir.

Lacy serra les dents et saisit son téléphone, mais Kaylie l'arrêta dans son élan.

— Tu ne penses pas que tu devrais en parler à Dane avant de t'emballer ? Je veux dire, il connaît probablement un million de personnes qui ont peur des requins. Ça pourrait même ne pas le déranger du tout.

Lacy plongea dans les yeux de sa sœur aînée, qui ressemblaient tellement aux siens. Mais en cet instant, les yeux de Kaylie étaient emplis d'espoir, tandis que Lacy savait que les siens reflétaient un mur de briques qu'elle ne voulait pas faire tomber.

Elle dégagea son bras.

— Kaylie, je ne l'ai vu qu'*une fois* en plus d'un an. Je ne suis rien de plus qu'un écho sur son radar – et un petit écho qui plus est.

Lacy se détourna avant que ses sœurs puissent voir les larmes dans ses yeux.

Quand ses sœurs partirent, elles avaient finalement réussi à la convaincre de se rendre en compagnie de Dane à la réception familiale pour dire au revoir à Treat, Max et le reste de leurs amis en personne. Elle avait à peine eu le temps de se doucher et de s'habiller. Elle se tenait devant le miroir dans sa robe de cocktail dorée en repensant au jour où elle l'avait achetée. Elle avait pensé que ce serait l'alliance parfaite de couleurs sexy et élégantes pour retenir l'attention de Dane. À présent, alors qu'elle s'examinait dans le miroir, la tristesse s'empara de son cœur et emplit ses yeux.

Elle sursauta en entendant son téléphone portable, puis se souvint qu'il avait sonné deux fois lorsqu'elle était sous la douche. Elle se précipita vers le lit et le prit juste au moment où il s'arrêtait de sonner. *Dane.* Comment allait-elle pouvoir être près de lui et rester inébranlable dans sa décision de le quitter ?

Déjà en retard, elle mit du rouge à lèvres et finit d'appliquer son eye-liner, puis s'assit sur le lit et rappela Dane.

— Salut, Lace.

La joie dans sa voix éveilla une vague de nostalgie en elle.

— Salut.

— Tu as reçu mes messages ? demanda Dane. J'ai vu Danica sur le chemin de ta chambre cet après-midi et j'ai pensé que tu aurais besoin de passer du temps avec tes sœurs.

Elle retira le téléphone de son oreille et remarqua qu'elle avait deux messages.

— Je ne les ai pas encore écoutés, mais Danica m'a dit que tu avais demandé de mes nouvelles. Merci. C'était un peu la folie ici.

Et je suis atteinte de folie.

— Pas de soucis. Tu es prête à partir ?

— Tu veux toujours y aller avec moi ? Même après tout ce qui s'est passé aujourd'hui ?

— Est-ce que la question se pose ?

Lacy ferma les yeux et laissa échapper un soupir de soulagement. La seconde suivante, elle se souvint qu'elle voulait le quitter. Il n'allait pas lui faciliter la tâche. Elle sentait déjà son cœur se déchirer.

— Lace ?

— Oui ?

— Je suis juste là, dit-il. Ouvre la porte.

Lacy traversa la petite pièce et ouvrit la porte. Dane entra en tenant un exquis bouquet de lys blancs. Ses yeux s'illuminèrent en la voyant.

— Bonsoir, dit-il.

Il portait une chemise blanche et un pantalon en lin kaki. Lacy étouffa l'envie de tendre la main et de toucher la peau qui dépassait de son col ouvert.

— Elles sont magnifiques.

Pendant une seconde, elle s'autorisa à ne pas penser à ce qui s'était passé plus tôt. Cela ne faisait que quelques heures, mais elle avait l'impression que cela faisait des jours qu'elle ne l'avait pas vu. Elle voulait se blottir dans ses bras, contre sa chaleur. Le désespoir lui serrait le cœur – désespoir d'être consolée par lui, désespoir pour Dane.

Peut-être juste une nuit de plus.

— J'ai pensé que ça pourrait t'aider à aller un peu mieux, dit-il en lui tendant les fleurs.

— Comment savais-tu que j'aime les lys blancs ?

Elle porta le bouquet à son nez et respira leur lourd parfum floral et miellé. Il la suivit dans la chambre pendant qu'elle les posait sur la table basse.

— Tu m'as dit, il y a longtemps, que tu aimais les lys, mais je ne savais pas que tu aimais les blancs en particulier. J'ai l'impression qu'il y a beaucoup de choses sur toi que je ne sais pas encore.

C'est probablement mieux ainsi.

Il lui prit la main et ajouta :

— Mais j'ai l'intention d'apprendre tout ce qu'il y a à savoir sur toi.

Une nuit. Juste une nuit de plus ; alors je le laisserai partir, pour qu'il puisse trouver une femme qui ne craint pas les requins.

Lacy sentait sa résolution faiblir à chaque battement de son cœur tambourinant.

— Je suis désolée pour tout à l'heure.

Qu'est-ce que je fais ? Arrêtez de l'aimer !

— Pas besoin d'être désolée. Ça arrive. Je veux juste que tu saches que je suis là pour toi, Lace. Que ce soit pour parler de ce qui s'est passé aujourd'hui, ou d'autre chose. Je suis une très bonne oreille.

La voix de Lacy était bloquée dans sa gorge.

S'il te plaît, ne sois pas si gentil. Je ne peux pas être ton nœud coulant.

Dane l'attira contre lui et posa une main au creux de ses reins, sa joue contre la sienne.

— Tu es incroyable, chuchota-t-il.

Lacy ferma les yeux, mémorisant la sensation de son cœur battant contre le sien. Comment pouvait-elle laisser quelqu'un d'aussi bien sortir avec elle ? Comment pouvait-elle le quitter ?

— Merci, réussit-elle à dire.

Elle était si confuse, et à présent, enveloppée dans la chaleur de ses bras, elle n'avait aucune idée de ce qu'il fallait faire. Ce qui s'est passé sur ce bateau était trop compliqué à gérer, et Lacy avait le sentiment que même si Dane prétendait pouvoir y faire face, sa peur pourrait bien être un obstacle insurmontable.

CHAPITRE NEUF

La pelouse luxuriante de l'auberge était entourée de jardins chargés, dans le style de la Nouvelle-Angleterre, et regorgeait de fleurs colorées et de plantes de différentes tailles qui recouvraient même le sol. Des tables aux nappes blanches décorées de centres de table floraux avaient été installées sous des auvents blancs et vaporeux. La chaleur de l'après-midi s'adoucit lorsque le soleil commença sa descente et qu'une brise fraîche souffla depuis la mer. Dane avait voulu retourner voir Lacy après l'avoir déposée à l'auberge, mais il s'était dit que cela l'aiderait davantage de passer du temps avec ses sœurs qu'avec lui. À présent, il se demandait s'il n'avait pas fait le mauvais choix. Lacy semblait un peu distante, comme si elle s'éclipsait.

Peut-être qu'elle est juste embarrassée.

Il vit Savannah se diriger vers eux quelques secondes après leur arrivée. Connaissant le caractère effronté de sa sœur, il tint fermement la main de Lacy.

— Je suis tellement contente que vous soyez venus. J'avais peur que Lacy ne soit pas en état, dit Savannah en étreignant Dane avant de faire de même avec Lacy. Ça va mieux ?

— Oui beaucoup. Merci.

Dane la sentit lui serrer la main avec force.

— Je suis vraiment désolé d'avoir gâché la sortie, déclara

Lacy.

— Pfff, fit Savannah d'un geste dédaigneux de la main. Tu plaisantes ? Il n'y a pas de quoi t'excuser. Je ne saurais même pas quoi faire si les choses se déroulaient toujours comme prévu.

Elle désigna alors Max et Treat.

— Regarde comme ils sont heureux. Je me demande si toute cette histoire d'amour est contagieuse, ajouta-t-elle en haussant les sourcils avec espièglerie.

Lacy rougit.

— Je ne sais pas, dit Dane. Mais j'en ai assez de te voir sans quelqu'un à ton bras.

— Oh, je t'en prie. Quand j'amène un homme, vous l'entourez comme des vautours, répondit Savannah en levant les yeux au ciel.

— C'est un truc de frère et tu adores ça, ne le nie pas, dit Dane avant de se tourner vers Lacy. Tu veux boire quelque chose ?

— Bien sûr. La même chose que toi, dit-elle.

— Mon Dieu, ça commence déjà, plaisanta Savannah.

— Pardon ? dit Lacy.

— Tout ce cirque de couple. Tu sais : vous buvez les mêmes choses, puis vous vous mettez à finir les phrases de l'autre.

Dane embrassa la main de Lacy avant de la lâcher.

— Ignore-la. Je reviens tout de suite, dit-il avant de plisser les yeux vers Savannah. Tu vas pouvoir te comporter correctement pendant cinq minutes ?

— Seulement si tu m'apportes un Sea Breeze, répondit Savannah.

Dane se dirigea vers le bar, inquiet pour Lacy. Il commanda leurs boissons, puis sentit le poids familier du bras de son père autour de son épaule.

— J'ai entendu dire que Lacy s'était sentie mal aujourd'hui, déclara son père.

— Tu as des oreilles partout.

Leur fratrie était si proche que lorsqu'il arrivait quoi que ce soit à l'un, les autres n'étaient pas loin, les bras ouverts et une oreille attentive.

— Elle va bien ?

Dane hocha la tête, bien qu'à vrai dire, il n'en soit pas sûr. Elle avait eu une crise de panique assez conséquente, et d'après la brève conversation qu'il avait eue avec Danica, elle-même ignorait que sa peur était si grande. S'il y avait bien une chose que Dane savait, c'était que le cheminement pour comprendre et vaincre une phobie des requins n'était pas facile – mais c'était faisable si la personne se prêtait à des exercices difficiles et effrayants.

Son père observa Lacy à l'autre bout de la salle qui discutait avec Savannah.

— Savannah a dit que c'était une sale crise de panique.

— Oui. Mais est-ce qu'il y a de bonnes crises de panique ? demanda Dane en sirotant son verre.

Lacy était si jolie avec sa peau bronzée qui contrastait avec la couleur claire de sa robe. Cela lui faisait mal au cœur de voir l'inquiétude dans ses yeux.

— Je suppose que non, concéda son père en croisant les bras et étudiant manifestement Lacy. Ton frère m'a dit que tu n'étais pas allé rendre visite à Lacy depuis votre rencontre. C'est vrai ?

Dane détourna les yeux, prit une gorgée de son verre avant de passer la main dans les cheveux. Son père le connaissait bien et c'était la raison pour laquelle il avait espéré pouvoir éviter cette conversation. Il espérait encore pouvoir l'éviter en gardant le silence.

— De quoi as-tu peur ? demanda son père en tournant un regard inébranlable vers lui.

— Je n'ai peur de rien, papa, répondit-il en regardant Lacy. Je voyageais.

Il sentit son père réfléchir à sa réponse.

— Hmm hmm.

Dane secoua la tête.

— Je sais pertinemment que tu ne voyageais pas à Noël, le contredit son père.

— Papa.

— Je ne te juge pas. Fais attention, fils. Ça a l'air d'être une gentille fille, et d'après ce que Treat a dit, elle a traversé pas mal de choses, le coupa son père avant de prendre une gorgée de son verre et ajouter : Elle t'a parlé de son père ?

Dane hocha la tête. Lacy lui avait dit que sa mère avait été la maîtresse de son père et qu'elle était tombée enceinte alors qu'il était marié à la mère de Danica et Kaylie. Lacy était l'enfant de l'amour par excellence. Elle avait partagé avec lui son excitation d'enfin rencontrer Kaylie et Danica, et la colère qu'elle n'avait jamais ressentie auparavant envers lui, s'était manifestée le week-end du mariage de ses sœurs. Il aurait souhaité pouvoir la tenir dans ses bras quand elle lui avait ouvert son cœur sur Skype.

— Elle l'a fait, confirma Dane.

— Tu ne m'as pas revue depuis plus d'un an. Pour certaines personnes, ça peut sembler toute une vie, rétorqua son père avec une inquiétude sincère. La vie est courte, fils. Détermine ce que veut ton cœur et suis-le.

— C'est facile à dire pour toi, papa. Tu as eu une vie stable et tu as vécu dans le même état toute ta vie. Je voyage tout le temps. J'ai un bateau qui ressemble plus à une maison que n'importe quelle maison – à part la tienne – ne le sera jamais.

Ma vie n'est déjà pas facile seul, alors je ne suis pas certain qu'elle le sera davantage avec quelqu'un à mes côtés qui attendrait de la stabilité de ma part.

Dane n'avait fait part à personne de ses inquiétudes concernant sa carrière, et maintenant que les mots étaient sortis, cela lui faisait peur.

— Tu as choisi cette carrière : tu trouveras une solution. Mais tu vois cette femme là-bas ? demanda-t-il en indiquant Lacy d'un signe de la tête juste au moment où la jeune femme leva le regard vers lui et sourit.

Dane leva un verre et lui souffla un baiser.

— La faire marcher ne serait pas correct, et tu le sais. Tu es un homme bon, Dane. Tu trouveras une solution.

Rien de tel qu'un peu de pression.

— Je l'espère.

Lacy se tenait près de Dane et essayait de se concentrer sur la conversation joviale entre Hugh et Savannah, mais elle avait l'impression de se noyer. Chaque pensée réclamait de l'oxygène, chaque respiration retournait ses pensées vers le bateau. Essayer de comprendre lui paraissait comme s'accrocher à des fétus de paille, et chaque fois qu'elle regardait Dane, elle l'imaginait avec une corde autour du cou. Comment avait-elle pu vivre une vie normale toutes ces années, faire de la plongée avec tuba, du bateau, et ne jamais se rendre compte qu'elle avait une peur aussi énorme des requins ? *Je suis vraiment folle.*

Dane lui serra la main. Lacy le regarda en espérant qu'il ne lui avait pas posé de question. Si c'était le cas, elle n'avait pas entendu. Son estomac se serra. Une brise fraîche lui caressa les épaules et elle frissonna contre lui en souhaitant pouvoir s'envoler ailleurs.

— Est-ce que ça va ? demanda Savannah en la regardant.

— Euh, oui, merci. J'ai juste froid, mentit Lacy.

Je veux rentrer à la maison.

Dane passa son bras autour d'elle.

— En fait, Lace et moi allons marcher un peu.

— Où cela ? demanda Savannah.

— Je veux faire visiter Lacy, déclara Dane.

— Je suis déjà venue ici, rétorqua la jeune femme. Quand j'étais enfant, on a séjourné plusieurs fois dans un cottage ici.

Elle repensa à ces voyages en compagnie de ses parents, un week-end ici et là pendant les étés, et même si cela ne lui avait pas semblé étrange à l'époque, elle réalisait maintenant qu'ils ne l'emmenaient jamais nager ailleurs que dans les étangs de la région. *Bon sang.* Peut-être que s'ils l'avaient fait, elle aurait pu gérer ce problème au lieu de le refouler.

— Ah oui ? demanda Dane.

— C'était il y a longtemps.

— Eh bien, je parie que je connais quelques endroits que tu n'as pas vus, dit Dane en soutenant son regard.

— Oh, fit Savannah en haussant les sourcils. Passez une soirée romantique.

Ils se garèrent à la marina de Wellfleet. Dane ouvrit la portière de Lacy et lui prit la main. Elle respira un peu mieux, loin des yeux inquiets de la famille de Dane et de ses propres sœurs.

Dane esquissa un sourire.

— Allons manger une glace, dit-il en l'entraînant vers Mac's Seafood & Ice Cream.

— Je ne dis jamais non à une glace, déclara-t-elle.

Une nuit. Juste une nuit.

— Alors on a un point commun, plaisanta Dane.

Ils achetèrent des cornets au chocolat et les mangèrent tout en marchant le long de la jetée. Lacy ne cessait de penser à sa crise de panique, et alors qu'ils approchaient de la jetée, elle ralentit.

— Ça va ? demanda Dane.

Elle regarda le bord de la jetée et sentit son pouls s'accélérer. *Bon sang. C'est ridicule.*

— Oui, réussit-elle à articuler.

Elle regarda ce chemin qu'ils avaient parcouru, et repéra un magasin.

— Tu veux aller voir ? demanda Dane en l'éloignant de la jetée. Viens, cet endroit est vraiment sympa.

La Frying Pan était un atelier d'artiste qui faisait également office de boutique. Le sol était en parquet, et les mêmes larges planches étaient posées à l'horizontale et à la verticale aux murs. Lacy n'avait jamais vu de sculptures en métal aussi intéressantes. Certaines étaient plus hautes que Dane et elle, et d'autres incroyablement petites et complexes. Il y avait également des peintures de poissons, coquillages et autres formes de vie marine.

— Chaque mois, l'artiste présente sa nouvelle œuvre sur ce mur.

Dane désigna une sculpture qui semblait vivante. Deux gros poissons métalliques pourchassaient un petit banc de poissons qui se déployaient devant eux.

Lacy regarda l'œuvre, hypnotisée. Elle leva la main et toucha les détails brillants des nageoires, des écailles, et les trous des yeux.

— Ça semble trop réel pour être faux, déclara-t-elle.

— C'est drôle comme quelque chose d'aussi froid peut avoir l'air de vivre et de respirer, émit Dane.

— C'est vrai. Je peux sentir les battements de cœur de chacun de ces petits poissons et leur peur.

Son pouls s'accéléra à nouveau. *Oh non. Arrête ça. Ne pense pas aux poissons ou aux requins.*

— Dane, on peut marcher un peu ?

— Oui bien sûr.

Il la guida vers la sortie, et ils marchèrent jusqu'à une tente sous laquelle jouait un petit orchestre.

— Par ici, dit Dane.

Ils dépassèrent la tente jusqu'à une aire de jeux, où Dane monta sur l'équipement de jeu coloré jusqu'à une grande plateforme carrée à quelques mètres du sol, avant de tapoter la place à côté de lui.

Lacy sourit à son offre, et le rejoignit.

— Cela fait des années que je n'étais pas allée dans un parc.

— Moi aussi. Je passe la plupart de mon temps sur l'eau et le moins possible sur la terre ferme, rétorqua-t-il.

L'estomac de Lacy se tordit à nouveau. *Qu'est-ce que je suis en train de faire ? Je ne peux pas me contenter d'une simple nuit de plus.* Une nuit de plus ne fera que fortifier sa place dans mon cœur.

Il était trop gentil pour qu'elle se résigne à rompre avec lui. Elle n'en était pas capable. *Je dois le faire.*

Ils écoutèrent le groupe et Lacy essaya d'imaginer un avenir avec Dane. Chaque fois qu'elle s'imaginait sur son bateau, sa gorge se serrait. Elle agrippa le métal froid du jeu. Elle devait mettre fin à cette histoire et elle devait le faire maintenant. Elle n'en serait jamais capable si elle passait une nuit de plus dans ses bras. Elle observa son profil, le sourire qui l'avait d'abord séduite et ses yeux honnêtes qui avaient volé son cœur sur Skype et FaceTime. Elle se détestait pour ce qu'elle était sur le point de lui faire – de leur faire –, mais elle savait qu'il ne la laisserait pas partir si elle lui disait la vérité, et alors elle se sentirait coupable et la vie de Dane serait ruinée. Elle s'arma de courage pour poser la question dont la réponse ne lui importait pas vraiment.

— Dane, quelle était ta vraie raison pour n'être jamais venu me voir ? demanda Lacy. Je ne veux pas une réponse toute faite. J'aimerais vraiment la vérité.

Arrête. Arrête. Arrête. Elle détestait l'entraîner dans une dispute qu'il ne pouvait pas gagner.

Il la regarda de ses chaleureux et séduisants yeux marron, et lui prit la main avant de se tourner vers la plage.

— Peu importe. Je… je comprends.

Que suis-je en train de faire ? La colère lui serra le ventre – colère contre elle-même d'avoir eu cette putain de crise de panique, colère contre Dane d'être si parfait avec elle. La peur enveloppa la douleur de son cœur et sécha ses larmes. Elle détruisait leur relation, et ça la tuait.

— J'ai compris, dit-elle avec plus de force avant de retirer sa main de la sienne. Je ne sais pas ce que j'imaginais qu'il se passait entre nous ou pourquoi j'ai cru que c'était une bonne chose que tu ne me vois pas à cause de ton emploi du temps, mais…

Arrête ça ! Je ne peux pas m'arrêter. Je ne peux pas. Je dois rompre alors, pourquoi ne pas tout remettre en question ?

— Ce n'est pas ce que tu penses, Lace, dit-il.

Elle sauta au bas du jeu.

— D'accord, dit-elle en s'éloignant.

Elle entendit alors ses pieds atterrir avec un bruit sourd derrière elle et sentit sa main au creux de ses reins.

— Lacy, je n'ai pas de bonne réponse, dit-il.

— C'est bien ce que je pensais, dit-elle en s'extrayant de ses bras.

Éloigne-toi. Éloigne-toi simplement.

— Lacy, attends. S'il te plaît, dit-il en lui prenant la main.

Il la regarda dans les yeux, et ses larmes brouillèrent momentanément son image.

— Lace, quand on discutait, tout ce que je voulais, c'était courir jusqu'à ta porte d'entrée et te revoir. Sortir avec toi, te prendre dans mes bras et te courtiser comme une reine, mais...

— Mais ? souffla-t-elle.

— Mais chaque fois que je pensais à le faire, quelque chose me retenait. Je ne sais pas si c'était de la peur ou autre, mais je savais qu'une fois que tu serais dans mes bras, je ne voudrais plus jamais te laisser partir, et...

Il haussa les épaules.

Ce n'était pas un haussement d'épaules traduisant de l'indifférence, mais de l'incompréhension. Lacy soupira. Une part d'elle aurait souhaité qu'il lui dise autre chose, même si c'était un mensonge. Quelque chose qui faciliterait la rupture. Une autre part plus grande d'elle fondait sous la chaleur de sa voix sincère et son regard plein d'espoir. Elle savait ce qu'il essayait de dire, car même si elle aurait souhaité qu'il coure vers elle tel un chevalier sur son cheval blanc, elle avait eu peur de ce qui se passerait dans ce cas.

Il lui prit les mains, et cette fois l'amour qu'elle ressentait déjà pour Dane l'emporta sur la colère et la confusion qui menaçait de les séparer, et elle le laissa prendre ses mains dans les siennes.

— J'avais raison, Lace. Je ne veux plus te laisser partir.

Le souvenir du bateau lui revint, et avec, une oppression fulgurante dans la poitrine.

— Moi non plus, mais…

— Mais ? demanda-t-il.

— Je repars demain matin – *je peux le faire* –, et je ne suis pas sûre que nous devrions continuer à nous parler après mon départ, dit-elle, soudain en pleurs.

— Quoi ? Lacy. Pourquoi ?

— Je ne suis pas la bonne personne pour toi, Dane. J'ai ça…

Elle se frappa la cuisse en pleurant plus fort.

— Je ne sais pas à quoi je pensais. Je ne savais même pas que j'avais si peur des requins, mais maintenant je le sais, et tu travailles avec eux, dit-elle avant de rire à travers ses larmes. C'est ridicule.

— C'est un contretemps, déclara Dane.

— Un contretemps ? Dane, tu as probablement une femme dans tous les ports du monde, ou même deux ou trois, peu importe. La dernière chose dont tu as besoin c'est d'un contretemps, s'écria-t-elle en essuyant les larmes qui lui brûlaient les yeux.

— Merde, Lacy. C'est ce que tu t'imagines ? Que tu n'es qu'une parmi d'autres ? dit-il en se passant la main sur le visage. Je savais que nous n'aurions pas dû coucher ensemble hier soir. Tu n'as aucune idée de qui je suis.

— Je sais qui tu semblais être au téléphone, sur Skype et dans tous ces messages doux et romantiques quand tu me racontais tes journées et me disais que tu pensais à moi, dit-elle avant de se détourner et croiser les bras sur son ventre. Et à quel point tu semblais heureux d'entendre ma voix chaque fois qu'on se parlait.

Elle se retourna sans lui laisser le temps de répondre, et poursuivit en déversant toute sa souffrance pour sa propre faiblesse et sa douleur de savoir qu'elle devait quitter un homme qu'elle avait attendu si longtemps.

— Et je sais que quand j'étais dans tes bras, je ne voulais plus te laisser partir, mais à présent… je ne peux pas être ton contretemps.

— Tu n'es pas mon contretemps. Je faisais une simple remarque. Je ne veux pas d'une femme à chaque port, Lacy.

Il lui toucha le menton et plongea dans son regard.

— Je ne vais pas te mentir. Je connais des femmes dans les endroits où je travaille, mais ce sont des femmes que je vois une ou deux fois par an. Ce ne sont pas des femmes auxquelles je pense. Je sais de quoi ça a l'air. Je suis bien conscient de mon passé avec les femmes, et, Lacy, c'est une des raisons pour lesquelles j'avais peur de venir te voir. N'as-tu pas vu quand nous étions ensemble que ce que nous partagions était bien plus qu'une simple aventure ? demanda-t-il en fouillant ses yeux.

— Je me suis tellement laissé emporter par chacune de ces secondes bénies, que j'en ai oublié tout le reste, mais j'ai fini par me réveiller et m'en souvenir.

Lacy pensait qu'elle essayait seulement de provoquer une dispute – mais la réponse qu'il venait de lui donner avait éveillé en elle une colère sourde et réelle.

— Qu'est-ce que tu insinues ? demanda Dane.

Lacy serra les dents pour s'empêcher de prendre la fuite ou de se recroqueviller en position fœtale et sangloter. Mais elle était allée trop loin ; elle devait en finir.

— Pendant que tu couchais avec des femmes dans le monde entier, j'attendais que tu frappes à ma porte, lui avoua-t-elle.

Elle n'avait pas réalisé comme ces longs mois l'avaient bouleversée. Les appels l'emportaient au lendemain, et au lendemain, et les semaines s'étaient transformées en mois, et chaque fois qu'elle commençait à déprimer de ne pas le voir, il lui envoyait un SMS ou un e-mail et elle se souvenait qu'il valait la peine qu'elle l'attende. *Et bon sang, tu valais aussi la peine qu'il t'attende. C'est moi la folle.*

Elle était venue au mariage sans réfléchir, et avait fini par paniquer ; elle avait eu *beaucoup* de temps pour construire des attentes. Dès qu'ils s'étaient revus, tout avait été si harmonieux entre eux, qu'elle l'aurait épousé sur le champ s'il lui avait demandé. Mais entre l'aveu de Dane et la douleur de cette séparation, elle n'arrivait plus à s'arrêter. Elle ne reconnut même pas la voix qui venait du plus profond de sa poitrine douloureuse.

— Je me suis souvenue à quel point je me sentais seule en t'attendant, et combien j'ai essayé de me perdre dans le travail pour ne pas penser à toi chaque minute de chaque jour.

Elle s'essuya les yeux et tenta de reprendre le contrôle de sa voix.

— Je me suis souvenue des nuits où je restais allongée en me demandant si tu étais avec quelqu'un d'autre, et si oui, si tu pensais à moi.

— Lace, murmura-t-il.

Elle savait qu'elle créait une fissure trop profonde pour être comblée, mais c'était le but, n'est-ce pas ? Plus elle lui faciliterait la tâche pour la quitter, plus il lui serait facile d'y arriver. Elle enfonça le dernier clou dans le cercueil de leur relation tandis qu'une unique larme coulait sur sa joue.

— Une fois de retour chez moi, je ne veux plus de ces nuits, murmura-t-elle. Je pense qu'aucun de nous n'a besoin du contretemps que représentent cette crise de panique et la confrontation avec la réalité.

CHAPITRE DIX

Dimanche matin, Dane se réveilla au son de son alarme à 5 h 30. Il n'avait pas parlé à Lacy depuis la nuit précédente. Elle ne répondait pas à ses appels ou ses SMS où il tentait de la raisonner, mais comment raisonner quelqu'un qui lisait clairement en lui ?

Il fit ses valises, envoya un message à son employé et ami, Rob, qu'il devait rencontrer à la marina de Chatham. Déçu de n'avoir toujours pas reçu de nouvelles de Lacy, il fourra son téléphone dans sa poche et descendit. Il fut surpris de trouver Josh et Riley au bureau d'inscription.

— Vous partez tôt, dit Dane.

— Oui. On doit rencontrer l'avocat pour finaliser les documents de partenariat.

Josh regarda Riley et sourit. Lorsqu'ils s'étaient fiancés, Josh avait fait de Riley une associée à part entière de sa société de design, JBD, qui devait se transformer en JRB Designs.

— Après cela, nous serons inséparables.

— Comme si on ne l'était pas déjà, le taquina Riley avant de passer Dane en revue. Ça va ? Tu as l'air vraiment fatigué.

— Oui, ça va, mentit-il.

— Oh oh. Un problème avec Lacy ? demanda Josh.

— On peut dire ça.

Dane posa ses sacs et enfonça ses mains dans les poches de son short.

— Je suis désolée, Dane, déclara Riley en fronçant les sourcils et remettant une mèche brune et bouclée derrière son oreille avant de s'appuyer contre Josh et passer son bras autour du sien. Elle a l'air vraiment adorable.

— Elle l'est, confirma Dane.

— Que s'est-il passé ? demanda Riley.

— Disons simplement qu'elle me voit pour celui que je suis et non celui que je veux être.

— Aïe, désolé frangin, fit Josh en embrassant son frère. Écoute, s'il y a bien quelqu'un capable de la convaincre du contraire, c'est toi. Mais avant même de penser à le faire, tu devrais être sûr que c'est bien ce que tu veux.

Dane laissa échapper un soupir.

— Oui. Merci. Je vois que les commérages de Braden n'ont pas perdu de temps.

Tu penses que j'ai passé la moitié de la nuit à penser à quoi ?

— Je pense quand même qu'il y a plus, ajouta-t-il. Je pense que la crise de panique y est pour quelque chose.

— Tu ne peux pas lui parler ?

Il secoua la tête.

— J'ai essayé.

— Au fait, Hugh te cherchait hier soir. Tu devrais peut-être l'appeler avant de partir. Il voulait te rejoindre aujourd'hui à Chatham. Il a dit qu'il avait besoin de vivre un peu plus dangereusement que ça.

Dane adorait Hugh, mais l'idée de divertir son jeune frère égocentrique alors qu'il était au plus bas était douloureuse.

— Je vais l'appeler, dit-il.

Après le départ de Josh, Dane quitta l'hôtel et envoya de

nouveau un message à Lacy.

Je suis désolé pour tout. Je déteste la façon dont on s'est quittés, et tu me manques. Peut-on se parler ? S'il te plaît ?

Il jeta ses bagages dans le coffre de sa voiture de location, puis envoya un texto à Hugh.

Je vais à Chatham. Ça te dit ?

Une minute plus tard, son téléphone vibra et une bouffée d'excitation lui fit sortir son téléphone à tâtons. *Lacy ?* Ses espoirs se dégonflèrent lorsque le nom de Hugh apparut. Il lut le message.

Ma journée s'est libérée. Ça te dérange si je t'accompagne ? Je pars ce soir, mais j'ai quelques heures à tuer.

Merde. Dane jeta un dernier long regard aux dunes où lui et Lacy avaient fait l'amour. Il se souvint du fait que son esprit ne s'était pas détourné d'elle comme par le passé avec les autres femmes. Avec Lacy, il avait été à la fois mentalement et physiquement présent. La sensation de sa peau sous ses mains, son goût sur ses lèvres, et le souvenir de ces sentiments inconnus lui transperça le cœur comme une lance.

Il savait qu'il n'était pas juste de faire payer à Hugh pour ses problèmes avec Lacy, et il ne voyait pas Hugh assez souvent pour refuser sa compagnie. Peut-être que la distraction l'aiderait à passer la journée. Il lui répondit par texto.

Bien sûr. On se retrouve au pkg dans 10 minutes.

Dane lança un dernier regard à l'hôtel, et une vague de tristesse le traversa. Il aurait dû rester et dire au revoir à son père et à ses frères et sœur, qui devaient tous s'envoler dans les prochaines heures, mais la dernière chose qu'il souhaitait, c'était de les entendre dire qu'ils l'avaient prévenu. La dernière chose dont il avait besoin était de retourner dans cet hôtel et de se souvenir de ce qu'il avait ressenti la nuit précédente, sachant qu'il avait perdu toute chance d'être avec Lacy.

Le soleil devait encore réchauffer la vive matinée en Nouvelle-Angleterre. Café à la main, Dane remonta la capuche de son sweat-shirt *Brave Foundation* sur sa tête, rangea son portefeuille et son téléphone portable dans la poche de son short cargo et s'avança sur le quai en compagnie de Hugh, pour rejoindre son bateau. Si cela avait été une journée normale, l'idée de naviguer dans les eaux de la Nouvelle-Angleterre l'aurait empli d'anticipation et fait vibrer son corps d'adrénaline. Aujourd'hui, son esprit était coincé à Wellfleet, comme un porc dans la boue, à ce moment précis au parc où Lacy avait arraché son cœur du sien. Pour la première fois de sa vie, il n'avait pas été capable de se frayer un chemin dans les bras d'une femme.

— Où est Rob ? demanda Hugh.

— Je n'en sais pas plus que toi.

C'était peut-être une erreur d'amener Hugh avec lui. Dane n'était même pas sûr de pouvoir faire preuve d'humour ou de patience.

Il regarda le homardier de vingt mètres de long. Robuste. *Prêt à naviguer.* Il vérifia à nouveau son téléphone. *Mais enfin, où est Rob ?* Rob travaillait depuis dix ans pour Dane. Il l'accompagnait sur presque toutes les missions, et il avait l'équipe la plus sûre et la meilleure qui soit. Hugh contempla une femme sur un bateau de pêche un peu plus loin. *Non, mais franchement !* Dane n'avait pas le temps pour ces conneries. Il monta à bord.

— Allons-y, lança-t-il à Hugh.

— C'est bon, frangin. Calme-toi. Je prends juste un petit plaisir avec les yeux. Bon sang, elle est canon sous ces survête-ments, déclara Hugh.

Deux ans plus tôt, il se serait tenu tout près de Hugh et aurait bu du regard les courbes d'une inconnue. Mais à présent, la seule femme qu'il voulait admirer était celle qui ne répondait même pas à ses SMS. *Merde.*

Dane repéra Rob qui se dirigeait vers le quai dans des vête-ments froissés, les yeux rivés au sol et suivi du matelot qu'ils avaient embauché à la journée.

— Ça va ? demanda Dane en passant en revue les vêtements de Rob.

— Oui. Voici Tim, dit Rob avant de tourner son regard vers Hugh. Hugh, content de te voir, mec.

— Rob, répondit Hugh.

Ses yeux scrutaient chacun des mouvements de Rob. Dane le remarqua et fut surpris de voir Hugh accorder une telle attention à quelqu'un d'autre que lui-même. Hugh était généralement trop égocentrique pour s'occuper des autres. Mais il fallait dire que Dane avait également découvert une autre facette de son petit frère sur le bateau hier. Peut-être qu'il grandissait enfin.

Rob se déplaça de manière robotique pour contrôler les équipements. À un mètre soixante-dix-huit, Rob faisait dix bons centimètres de moins que Dane. C'était un homme costaud avec une barbe d'un jour omniprésente et des cheveux bruns épais qui avaient récemment commencé à grisonner aux tempes. Rob était généralement aussi fort et confiant qu'un lion. Aujourd'hui, il se déplaçait comme un chat domestique blessé.

— Qu'est-ce qu'il a ? demanda Hugh. La dernière fois que je l'ai vu, c'était une grande-gueule qui se la ramenait constam-ment.

— Je ne sais pas, répondit Dane.

Rob était un homme de quarante-quatre ans, père de deux enfants, sur qui Dane avait toujours pu compter. Au cours des dernières semaines, il avait remarqué un changement dans le comportement de Rob, mais là c'était bien différent de tout ce qu'il avait vu auparavant.

Dane scruta le pont à la recherche des barils d'appâts.

— Où est l'appât ? demanda-t-il.

— Merde, dit Rob. Tim, va le chercher. On ira le récupérer. C'est resté au quai.

— Mec, on était censés partir il y a une demi-heure, dit Dan en secouant la tête.

— Désolé. Je n'ai pas dormi de la nuit. Avec Sheila, on a beaucoup de problèmes, déclara Rob.

— Des problèmes ?

Rob posa ses mains sur ses hanches et cracha dans l'eau.

— Oui. Je ne voulais rien dire, mais elle m'a quitté, Dane. Elle a dit qu'elle avait besoin d'une pause, pour se vider la tête ou un truc comme ça.

— Et tu n'as rien voulu me dire ? Merde, Rob, tu me racontes quand elle se casse un ongle, déclara Dane. On a dîné ensemble il y a quelques semaines. Vous sembliez être en bons termes. Mon Dieu, Rob, comment ça peut arriver après quatorze ans de...

— Quatorze ans de mariage ? Elle m'a eu par les couilles, déclara Rob. Elle a emmené les enfants et est allée chez sa mère il y a trois jours.

— Qu'est-ce qui s'est passé ? C'est à cause de tous les voyages ? demanda Dan.

Durant toutes les années où ils avaient travaillé ensemble, Dane n'avait jamais vu Rob faire quoi que ce soit d'inapproprié avec les femmes. Il avait toujours fait l'éloge de sa famille, et pour autant que Dane le sache, c'était un père formidable. Il ne pouvait pas l'imaginer faire quoi que ce soit qui serait la cause du départ de Sheila.

— Je ne sais vraiment pas, répondit Rob en secouant la tête.

Dane remarqua le regard évasif de Rob, et il comprit que son ami connaissait la raison du départ de Sheila, mais qu'il ne voulait pas lui en parler.

— On peut repousser cette expédition, dit Dane en posant une main sur l'épaule de Rob. Prends une journée. Ce n'est pas rien.

— Foutaises, dit Rob en haussant les épaules. Je vais bien.

— Rob…

— Je vais bien. On se met en route, le coupa Rob en se dirigeant à l'autre bout du pont.

Dane le regarda s'éloigner en se demandant comment quatorze années de mariage pouvaient se terminer ainsi. *Comment des mois de… de – de flirts à distance ? – pouvaient se terminer ainsi ?*

Dane pilota le bateau vers la mer en ressassant la façon dont Lacy avait terminé sa nuit. Elle avait refusé qu'il la raccompagne jusqu'à sa chambre, et alors qu'il regardait les portes de l'ascenseur se refermer en emportant Lacy, il avait cru que son cœur se déchirait en deux. À présent, alors qu'ils se dirigeaient vers le large, la colère montait. *Pourquoi n'ai-je pas anticipé sa crise de panique ? Bon sang, pourquoi est-ce que je lui ai parlé de ces autres femmes ? Pourquoi ne suis-je pas allé la voir ?*

— Excuse-moi, Dane ?

Dane se retourna. Tim avait noué un bandana autour de sa tête qui retenait ses cheveux blonds qui lui retombaient jusqu'au col. Il avait un large torse et une taille fine, et ses gros biceps pouvaient rivaliser avec ceux de Dane, bien qu'il ait une bonne dizaine d'années de moins.

— Oui ?

— C'est juste que, euh, je ne veux pas être irrespectueux, mais Rob est en train de vomir ses tripes là-bas et je, euh, me demandais si tu voulais pas aller le voir. Je peux prendre le relais ici.

— Merde, dit Dane.

Tim prit le relais et Dane trouva Rob penché par-dessus sur la rambarde. Hugh se tenait à quelques pas de lui, les bras croisés et secouant la tête.

— Ça va ? demanda Dane.

— Oui, dit Rob.

— Pourquoi ne pas m'avoir dit que tu étais malade ? Tu aurais pu rester à terre. J'ai Hugh et Tim avec moi. Merde, on peut aussi se permettre de rater une journée, Rob, maugréa Dane en tendant une serviette à son ami.

— Je vais bien, répondit Rob en prenant la serviette et s'éloignant.

Hugh s'approcha de Dane et chuchota :

— Gueule de bois.

— Certainement pas. Rob ne serait jamais aussi négligent.

Ni ne retomberait dans l'alcool. Rob était un ancien alcoolique, sobre depuis quinze ans. Dane qui avait mis Treat et son père au courant se demanda si la hotline Braden avait également fourni cette information à Hugh. Il observa Rob, qui était penché sur la balustrade opposée et secoua la tête, incrédule. Il entraîna Rob un peu plus loin.

— Tu as quelque chose d'autre à me dire ?

Rob grimaça.

— Non.

— Rob, on ne peut pas maintenir cette sortie si tu es dans cet état. Merde, Rob. Pourquoi n'es-tu pas venu me voir ? insista Dane en s'efforçant de ne pas penser à Lacy et se concentrer sur Rob.

— Je ne sais pas de quoi tu parles, mais je ne suis pas en forme.

— Suffisamment pour qu'on annule l'expédition ? demanda-t-il en plissant les yeux.

— Non, fit Rob en soutenant son regard.

Durant deux heures, ils tentèrent d'appâter des requins. Dane surveillait Rob comme un faucon. Celui-ci semblait s'être ressaisi. *C'était peut-être juste une indisposition passagère.*

— Nageoire ! hurla Hugh.

— Merde, Hugh. Appelle aussi la cavalerie pendant que tu y es ! s'énerva Rob.

— Il était temps, déclara Dane.

Entre Lacy et Rob, sa patience était à bout.

Dane et Hugh se tenaient l'un à côté de l'autre, les bras croisés, et observant l'eau dans l'attente.

— Allez, fils de pute, grommela Rob. Prends-le.

Le requin fit des cercles, puis disparut, et quelques minutes plus tard, il réapparut.

— Fils de pute. Prends l'appât, grogna Rob.

— Ça prend toujours autant de temps ?

Hugh et Dane retirèrent leurs tee-shirts. Leurs muscles luisaient déjà de sueur.

— Et c'est rien, encore. Parfois, Rob et moi restons pendant quatre ou cinq heures et rentrons bredouilles. C'est la nature de la bête, déclara Dane.

— Putain de bête, déclara Rob.

Plus Rob rouspétait, plus Dane se sentait irrité. Il surveillait Rob depuis que Hugh avait évoqué la gueule de bois, et après avoir vu ses yeux injectés de sang, Dane n'était pas certain que Hugh ait tort.

— Merde, ils sont si proches. Regardez ce grand-là. Quand vont-ils prendre l'appât ? demanda Hugh.

Rob s'appuya contre la rampe.

— Quand ils en auront envie, putain, dit-il sèchement.

— Il n'est pas bien, confia Dane à Hugh en guise d'excuse.

— Hé, ce n'est pas grave. Je suis content d'être ici. Je t'ai cherché hier soir. Je pensais que tu avais quitté l'hôtel plus tôt, déclara Hugh.

Dane serra les dents. La dernière chose dont il voulait, c'était parler de la veille. Il essayait de ne pas penser au fait que Lacy ignorait ses appels.

— Où étais-tu ? demanda Hugh. J'ai vu Lacy dans le hall de l'hôtel.

— Vraiment ? À minuit ?

Pour quelle raison ?

— Oui. Je lui ai demandé où tu étais, et elle a dit que tu étais probablement parti te coucher tôt, mais que tu pouvais tout aussi bien être avec quelqu'un d'autre, expliqua Hugh avec un haussement d'épaules. Je me suis dit que vous aviez dû vous disputer.

— Avec quelqu'un d'autre ? Pour qui est-ce qu'elle me…

Le cliquet du moulinet de pêche tinta à plusieurs reprises tandis que la ligne se tendit, attirant l'attention de Dane.

— Ça mord. On a une prise.

Rob bondit sur ses pieds et aida Dane à attacher le harnais autour de sa taille et de ses jambes. Dane scruta le visage de Rob. Que ce soit la montée d'adrénaline précédant le marquage ou l'air frais du large, Rob semblait en meilleure forme qu'il y a quelques instants et ses joues avaient repris des couleurs. Ils terminèrent en quelques secondes ; puis Dane s'attacha à la chaise de combat, ou ce que Dane appelait en plaisantant la chaise de la mort. C'était une chaise en bois et en métal, fixée au pont du bateau avec un repose-pied que Dane utilisait pour gagner davantage de contrôle pendant qu'il ramenait le requin. La chaise tournait avec le mouvement du poisson et les jambes de Dane se tendaient contre la pression.

— Tu es sûr que ça tiendra ? demanda Hugh.

— Y'a intérêt.

Dane tira sur la ligne jusqu'à ce qu'elle soit bien tendue, puis tira trois ou quatre fois avec force.

— Laisse-lui du mou, conseilla Rob.

Dane était habitué à cette partie du jeu. Il devina, d'après la traction, que ça serait une épreuve d'environ deux heures de lutte pour garder le contrôle tout en fatiguant le requin et finalement en le ramenant pour le marquage. Il se prépara pour un long et chaud après-midi. *Bien. Cela m'évitera de penser à Lacy.*

Une heure et demie plus tard, les veines de ses bras et de ses jambes étaient saillantes contre sa peau. Ses mains étaient attachées au moulinet et à la canne, et ses biceps tendus à l'extrême. La sueur lui couvrait le front alors qu'il luttait avec la canne et ramenait le requin blanc de plus de deux mètres vers le bateau.

— Rob !

Mais où est-il ?

— Merde. Tim, attrape la queue. Hugh, putain, où est Rob ?

— Je vais le chercher. Il était parti pisser, déclara Hugh.

— Quoi ? fit Dane, sans quitter le requin des yeux.

Personne ne va pisser quand il y a un requin au bout de la ligne.

Mais il ne pouvait pas râler à ce sujet pour le moment : il avait un requin à taguer.

— C'est la partie la plus difficile, Tim. Attrape le harnais.

Tim saisit le long outil métallique par la poignée et passa la main sur le câble flexible et la ligne solide. Dane le regarda faire courir rapidement sa main le long de la ligne et suivre la boucle du câble en forme de D, jusqu'à la poignée et en vérifier la sécurité.

— Je l'ai, fit Tim.

Dane se décrocha du siège tout en s'efforçant de garder le requin près du bateau.

— Rob !

— Je suis là, dit Rob.

Ses paupières étaient lourdes et ses joues étaient à nouveau rouges.

— Tu es en état de le faire ? demanda Dane.

— Putain, oui.

Il tenait les outils nécessaires au marquage. Dane lui saisit le bras.

— Mec. On ne prend pas de risques. Si tu n'es pas en état, ne touche pas au requin.

Rob retira vivement son bras.

— Je suis prêt. On va faire du bon boulot.

— Que puis-je faire ? demanda Hugh.

Dane regardait Rob du coin de l'œil. Il ne connaissait que trop bien cette poussée d'adrénaline lorsqu'un requin était enfin à leur portée. Rob se déplaçait avec plus d'assurance, et Dane se demanda – plein d'espoir – si Hugh ne s'était pas trompé.

— Tim va accrocher sa queue, et je tiens la tête. Pendant que Rob fixe l'étiquette à la nageoire dorsale, tiens-la et garde-la aussi immobile que possible, déclara Dane.

— Et cette chose que j'ai lue sur… l'immobilité tonique ? demanda Hugh.

— Tu as lu à ce sujet ? demanda Dane.

Dane n'en revenait pas que son frère ait lu sur son métier. L'immobilité tonique était une technique utilisée par plusieurs tagueurs : en mettant le requin à l'envers, ils plongeaient l'animal dans un état naturel de paralysie, ou un état de transe, pendant quinze minutes. Après quoi le requin se redressait et nageait, indemne.

— Ma vie ne se résume pas aux courses et aux femmes, rétorqua Hugh.

— Je n'aurais jamais deviné, déclara Dane avec un clin d'œil. Nous utilisons occasionnellement l'immobilité tonique, mais ce n'est pas notre mesure de prédilection.

Le requin se débattait et fouettait l'eau, se cambrant d'un côté puis de l'autre. Tim eut du mal à lui poser le harnais.

Impressionné par les connaissances de Hugh et confiant en sa force et son intelligence, Dane lui cria :

— Hugh, tu l'aides ?

— J'ai compris.

Comme s'il avait fait ça toute sa vie, Hugh chronométra

parfaitement l'action et sécurisa la boucle sur la queue du requin du premier coup. Il recula, et le câble glissa et se resserra parfaitement.

— Ha ha ! cria-t-il. Mission accomplie.

Rob entreprit de marquer le requin. Il positionna l'outil sur la nageoire dorsale et injecta l'attache d'un centimètre et attacha l'étiquette.

— Habituellement, nous aimons faire des analyses de sang, mesurer le poids approximatif, la longueur, circonférence, mais aujourd'hui, nous ne faisons que marquer, expliqua Dane à Hugh alors qu'il soufflait contre la ligne pour garder le requin au plus près. Je déteste ne pas avoir la longueur et la circonférence de cet enfoiré.

Rob le regarda et sourit.

— Je m'en occupe.

— Quoi ? demanda Hugh en regardant tour à tour, Rob et Dane.

— Ton frère veut se jeter à l'eau et connaître la circonférence de ce monstre, déclara Rob.

— Tu veux te jeter à l'eau ? demanda Hugh.

Dane détourna son attention du requin, le temps d'étudier le visage de Rob.

— Tu n'as vraiment pas l'air bien.

Rob finit de marquer le requin et s'essuya les yeux.

— Vas-y, OK ? lâcha-t-il.

— Tu sembles malade. On zappe cette partie, déclara Dane.

— Je vais bien, dit Rob. On y va ou quoi ? On a dans les sept minutes. Au maximum.

Ils limitaient toujours leur marquage et leurs tests à moins de quinze minutes pour la sécurité du requin.

— Arrête, merde. Pose ton cul là-bas. Je vais bien. Je te l'ai dit, j'étais fatigué, mais je vais bien maintenant, déclara Rob.

— Fatigué n'est pas synonyme de sécurité, déclara Dane.

— Fais chier, s'écria Rob avant de retirer son tee-shirt et sauter du bateau à un pied de la queue du requin.

— Bon Dieu. Tiens bien cet enfoiré, Hugh. Tim, donne-moi le harnais.

Putain de Rob. Qu'est-ce que tu fous ? Le cœur de Dane battait contre sa poitrine alors qu'il cherchait son ami dans l'eau tout en agrippant le harnais de toutes ses forces. Il savait que Rob avait plongé sous le requin et utilisé ses bras pour estimer sa circonférence, mais l'eau était trop trouble pour le voir.

Rob surgit soudain à côté du requin.

— C'est bon.

Il nageait contre le bateau avec un grand sourire. Juste quand il montait à bord, le requin s'agita, Rob perdit l'équilibre et retomba dans l'eau.

— Merde. Tim, fais-le monter dans ce putain de bateau ! cria Dane.

Rob nagea et Tim l'aida à monter dans le bateau. Dane commença le processus de libération du requin, de la ligne et de la queue.

— Qu'est-ce que c'était que ça ? Règle numéro un : jamais d'imprévus. Bon sang, Rob ! C'était quoi ce bordel ? criait Dane.

Rob était assis, les coudes sur ses genoux, le sourire bravache et fier.

— Une circonférence d'environ un mètre cinquante.

— Espèce de fils de pute, fulmina Dane.

Ils revinrent au quai vers 16 h et amarrèrent le bateau. Tout en étant content d'avoir tagué un requin, Dane était livide. Il regarda Rob descendre du bateau et s'essuyer le visage au creux de son coude. Pour la première fois en dix ans, sa foi en Rob était ébranlée.

— Qu'est-ce que c'était que ce bordel là-bas ? demanda Dane.

— Tu veux que je te dise ? On ne vit qu'une fois, et vivre en sécurité ne me convient pas, rétorqua Rob en haussant les épaules. J'avais besoin d'un peu d'aventure, dit-il en tapant dans le dos de Dane. C'était une belle prise.

— Mon cul, oui. Tu m'inquiètes, Rob. Tu veux aller manger un morceau et en discuter ? demanda Dane.

— Non. Je suis fatigué. Je vais prendre une douche, et me coucher, dit Rob en faisant signe à Tim.

Les ennuis de Rob avec Sheila et son comportement sur le bateau pesaient lourdement sur l'esprit de Dane. Il avait besoin de comprendre. Il ne pensait pas que Rob se soit remis à boire, mais il n'avait jamais vu ce dernier faire quoi que ce soit qui puisse compromettre une mission – et aujourd'hui, il s'était montré tout simplement négligent.

Dane attrapa le bras de Rob alors qu'il passait devant.

— Écoute, je sais que tu as des problèmes avec Sheila, mais ça, ce n'est pas possible. Tu es sûr que tu ne veux pas en parler ?

— Je vais bien, dit Rob en serrant les dents. On se voit demain.

Dane regarda Rob s'éloigner. Il était hors de question qu'il l'emmène avec lui demain avec la merde qu'il avait faite aujourd'hui. Il lui laisserait le temps de se calmer, de lui parler de Sheila et de s'occuper du reste de ses conneries plus tard.

— Je dois prendre une douche et aller à l'aéroport de Ptown, déclara Hugh. Smitty ouvre le cottage de Treat pour que je me nettoie avant de quitter la ville. Je vole vers Boston, puis vers Cali. J'ai passé un excellent moment aujourd'hui. Merci de m'avoir laissé vous accompagner.

Il passa un bras par-dessus l'épaule de Dane.

— Je suis content que tu sois venu. Comment ça se fait que tu te documentes sur les requins ? demanda Dane.

Il était distrait par le comportement de Rob, et maintenant qu'il était de revenu sur la terre ferme, sa concentration était à nouveau happée par Lacy, mais il était curieux de la récente métamorphose de son frère.

Hugh haussa les épaules.

— Je m'informe simplement sur les impressionnantes activités de mes frères aînés. J'ai aussi lu sur les fusions. Treat traite d'importantes affaires. Pourquoi est-ce que tu restes sur le bateau de Treat ce soir ?

— Je me sens plus comme à la maison, déclara Dane.

Il sortit son téléphone de sa poche et vérifia ses messages. *Merde.* Il remit le téléphone dans sa poche.

— Pas de message de Lacy ?

— Non.

— Tu me ramènes chez Treat ? demanda Hugh.

— Absolument.

En chemin, ils s'arrêtèrent au Catch of the Day, et prirent des sandwichs au crabe, puis remontèrent dans la voiture et se dirigèrent vers la maison de Treat sur la baie.

— Tu veux en parler ? demanda Hugh.

Dane regarda son frère, surpris à nouveau qu'il lui propose de l'aide. Il vit une véritable inquiétude dans les yeux de Hugh avant de se concentrer à nouveau sur la route.

— Pas vraiment, dit-il.

— Comme tu voudras, mais je suis une bonne oreille, déclara Hugh. Et je connais les femmes.

Dane s'esclaffa.

— D'accord, alors peut-être que je ne suis pas une bonne oreille, mais je connais les femmes.

— Écoute, petit frère, moi aussi, d'accord ? Je connais les femmes ; c'est bien le problème, déclara Dane.

Hugh fronça les sourcils.

— Alors… elle est énervée parce que tu couches avec trop de femmes ?

Dane lui lança un regard sévère.

— Je n'en ai aucune putain d'idée.

— Alors tu ne connais pas les femmes, dit Hugh en inclinant son siège et soupirant. Si tu étais moi, tu saurais exactement ce qui ne va pas. Est-ce que ça pourrait avoir un rapport avec sa crise de panique ?

— Merde, Hugh, je ne sais pas.

Dane ne voulait pas parler de Lacy. Au mieux, ça l'énerverait, au pire, ça l'irriterait. Il n'avait aucune réponse à donner. Il avait passé des mois à nier la raison pour laquelle il ne s'était pas rendu au Massachusetts pour la voir, et le temps qu'il comprenne pourquoi, il était trop tard.

— Quoi ? J'essaie de t'aider. Tu es un marqueur de requins balaise, mais tu ne peux pas parler d'une fille sexy ? demanda Hugh.

Dane vira sur le côté de la route et freina brusquement.

— Écoute, ce n'est pas qu'une fille sexy, et je ne comprends pas ce qui se passe, d'accord ? Tout ce que je sais, c'est que quand j'étais avec elle, je ne voulais plus la laisser partir, et que c'est la première fois que je ressens ça.

Ses narines étaient dilatées et il respirait par rapides bouffées.

— Merde, Hugh. Ce n'était pas que de la baise pour moi.

Hugh redressa sur son siège.

— Du calme, frangin. Ce n'est pas du tout ce que je voulais dire.

— Tu sais pourquoi je ne suis pas allé la voir pendant tout ce temps ? J'avais peur, d'accord ? Je ne passe jamais dix minutes à connaître une femme. Jamais. Je sors avec elles, fais semblant de les écouter pendant quelques minutes, et durant tout ce temps, je ne pense qu'à la sensation de leurs seins ou à comment je vais les baiser. Mais avec Lacy, j'ai passé chaque seconde loin d'elle à penser à elle. Je me demandais ce qu'elle faisait, avec qui elle était.

Dane claqua son dos contre le siège et laissa échapper un gémissement.

— Je tenais à elle avant même de la toucher. Et puis on arrive ici et elle est plus que tout ce dont j'aie jamais rêvé.

— Dane.

— Et puis, elle fait cette putain de crise d'angoisse, et à la scène suivante elle me sort cet étrange je-ne-peux-pas-être-avec-toi, cria Dane.

Sa poitrine se contracta tandis qu'il expliquait tout ce qu'il avait fait pour essayer de lui parler.

— J'ai discuté avec Danica et Kaylie. J'ai même demandé à Blake de demander à Danica de convaincre Lacy de me parler. Elle ne répond ni à mes SMS ni à mes appels.

Des larmes de colère brûlaient au fond de ses yeux, et il se détourna pour que Hugh ne les voie pas.

— Dane, répéta Hugh.

— Et puis elle rompt. Tout simplement ! Elle m'a dit que pendant que je baisais tout ce qui bougeait, elle attendait chez elle que je vienne la retrouver. J'ai tué cette relation avant même qu'elle commence.

— Dane! cria Hugh en levant les mains pour attirer l'attention de son frère.

— Quoi ? fit ce dernier en essayant de se calmer.

— Veux-tu être avec elle ?

— C'est quoi cette question stupide ? demanda Dane.

— Tu le veux ?

— Oui. Oui, oui. Plus que tu ne peux l'imaginer, répondit Dane.

Il passa une main sur son visage et gémit à nouveau.

— Si c'était un requin, que ferais-tu ? demanda Hugh.

— Tout ce qu'il faut. Je le harnacherai pendant des jours, des semaines, jusqu'à ce que je le soumette.

— Tu es vraiment taré.

— Tu sais ce que je veux dire : je n'abandonnerais pas. Mais Lacy n'est pas un requin. C'est une femme. Une femme brillante, chaleureuse, charmante, magnifique et belle qui n'est pas là et qui ne va pas mordre à l'appât, déclara Dane en reprenant la route.

— Pourtant ça me semble simple, dit Hugh. N'a-t-elle pas dit qu'elle travaillait au World Geographic ? En tant que représentante marketing ou quelque chose comme ça ?

— Gestionnaire de compte, le corrigea Dane.

— Tu es propriétaire d'une fondation. N'as-tu pas besoin d'une sorte de plan marketing ? demanda Hugh.

— Non.

Plan marketing ?

— Tu es sûr ? Moi je pense que si, dit Hugh avec un sourire entendu.

— Marketing… répéta Dane en souriant avant de froncer les sourcils. Tu veux que je l'embauche ? Elle n'acceptera jamais.

— Non. Loue les services de l'entreprise. Tu es Dane Braden. Tu as une réputation dans la recherche océanique et tu possèdes une entreprise prospère. Engage l'entreprise et stipule que c'est elle que tu veux. Ça me semble simple, déclara Hugh.

— Simple ? Et ensuite ? Je vais dans son bureau et je regarde les murs ? demanda Dane.

— Tu n'es pas si simplet, Dane. Réfléchis un peu.

Dane laissa échapper un souffle bruyant. *Louer les services de son entreprise. Et ensuite ?*

— Voyons, Dane. Elle a peur des requins. Tu peux l'aider à surmonter ça et elle peut t'aider avec le marketing. Peut-être que votre nouveau gestionnaire de compte devrait t'accompagner en mission de marquage pendant une semaine. Peut-être qu'elle a besoin de s'immerger dans ton travail pour comprendre le projet.

Dane entra dans l'allée de Treat en secouant la tête.

— Idée farfelue.

— Et quand est-ce que ça t'a empêché de faire quoi que ce soit dans ta vie ? demanda Hugh. Entre, prends une douche, réfléchis et prends une décision.

— C'est de la folie, déclara Dane.

— Tout comme la plongée avec les requins.

Vingt minutes plus tard, Dane appela et organisa une prolongation de la mission de marquage : il lui fallait plus de temps s'il voulait mettre son idée à exécution. Il appela ensuite Rob et laissa un message.

— Rob, prends deux jours de congé. Repose-toi, et on en

reparlera mercredi. Je dois m'absenter durant une journée. Si tu veux parler de Sheila, appelle-moi. Je garderai mon téléphone allumé et, mon pote… après ce que tu as fait aujourd'hui, je suis un peu inquiet.

Dane appela Danica et lui demanda de le conseiller sur la façon d'aider Lacy avec sa phobie. Il ne lui parla pas de ce qu'il avait prévu, et il fallut quelques tâtonnements, pas mal de supplications, ainsi que des assurances sur ses intentions envers Lacy, mais quarante minutes plus tard, il était armé d'informations sur les techniques de désensibilisation et l'exposition in vivo à la galéophobia. Dane était fin prêt à aider Lacy à surmonter sa peur des requins. Il avait encore un coup de fil à passer et, en composant le 411, il sut qu'il avait pris la bonne décision.

— Les bureaux de World Geographic, s'il vous plaît, banlieue de Boston.

CHAPITRE ONZE

Le lundi matin, Lacy poussa les portes vitrées du World Geographic, le cœur lourd. Elle n'avait ni répondu aux appels de Dane, ni à ses SMS, et elle n'avait délibérément pas consulté ses e-mails. La dernière chose qu'elle voulait, c'était entendre sa voix ou lire un message qui adoucirait sa résolution. Elle savait que ça lui tordrait le cœur. Elle n'avait pas réalisé comme cela l'avait blessée qu'il ne soit pas venu la voir pendant tous ces mois, et quand il l'avait regardée dans les yeux et avait confirmé qu'il avait eu des aventures, cela l'avait terriblement bouleversée. Malgré tout, elle avait déjà rationalisé cette inquiétude – ils n'étaient pas engagés dans une relation monogame et elle n'avait pas le droit de lui en vouloir, même si ça restait douloureux à accepter. Elle s'accrocha à cette pensée logique et laissa échapper un soupir bruyant. Toute cette histoire était devenue trop déroutante.

Cette séparation est pour le mieux, même si je crève d'envie de le revoir. Le toucher. L'embrasser. Oh, mon Dieu, tais-toi !

Elle ne pouvait pas être un fardeau pour sa carrière. Un contretemps. Il méritait d'avoir une partenaire qui aimait autant la mer que lui, ainsi que tout ce qui était en rapport avec son métier.

La nuit dernière s'était déroulée comme au ralenti. Tout lui rappelait Dane. Chaque fois qu'elle fermait les yeux, elle revoyait son visage et ses yeux sombres qui la suppliaient de ne pas être fâchée et de lui parler. Elle avait surfé sur Internet pendant un moment, regardé People.com puis CNN, et elle avait lu un article sur un requin blanc vu au large de Cape Cod. Il y avait une référence à la Brave Foundation qui avait été appelée pour marquer et suivre les requins. Elle n'avait pas pu s'empêcher de cliquer sur ce lien, et avait passé des heures à regarder des vidéos de requins et à s'informer sur les différentes espèces. Plus elle lisait, plus cela l'intéressait. La tête emplie d'informations, elle avait fini par éteindre l'ordinateur et s'était effondrée pour une nuit agitée.

Au moins ici, au bureau, elle aurait des projets sur lesquels travailler, et des clients à appeler. Son cerveau serait occupé. *Trop occupé pour penser à Dane.* Quand elle alluma son ordinateur, la messagerie interne tinta. Elle avait un message de Fred, son patron.

Nouveau rendez-vous client. À but non lucratif, ton domaine. 9 h, mon bureau.

Super. Une occupation !

Le deuxième message était de Danica. *Zut.* Elle avait aussi esquivé les appels de Danica hier soir, car elle ne voulait pas être consolée. Mais à présent, elle se sentait coupable. Elle prit son portable et appela sa sœur.

— Lacy, ça va ? demanda Danica.

— Je vais bien. J'avais juste besoin d'être seule.

— Tu es sûr que ça va ? Que s'est-il passé ? Je t'ai cherchée dimanche matin, mais tu étais déjà partie. Savannah a dit qu'il y avait eu des problèmes entre Dane et toi.

Lacy leva les yeux au ciel dans un effort pour retenir ses larmes.

— De quoi est-ce qu'elle se mêle ?

— Savannah s'inquiète pour toi.

— Ah oui ? Eh bien, elle ne le devrait pas, dit Lacy.

— Oh, Lacy. Tu as l'air si triste. Que s'est-il passé ? demanda Danica.

Elle ne voulait pas se disputer avec Danica. Elle décida donc de lui confier la confusion qu'elle ressentait en pensant que celle-ci se rangerait de son avis et l'aiderait à rester forte.

— Disons simplement que j'ai réalisé qu'attendre tout ce temps pour être avec quelqu'un n'était pas une bonne idée. J'aurais dû voir les drapeaux rouges annonciateurs. Tu es thérapeute ; tu aurais dû me prévenir, expliqua-t-elle en prenant un mouchoir et s'essuyant les yeux.

— Vraiment ? Alors c'est ma faute ? Je pensais que tu étais d'accord pour ne pas le voir pendant tout ce temps. Tu étais follement occupée, aussi, et tu as dit que tu comprenais. Que s'est-il passé ?

Lacy ne répondit pas. Le mensonge n'était pas son fort.

— Lacy ?

Devant son silence obstiné, Danica continua :

— Lacy écoute, chérie. S'il s'agit vraiment d'une crise de panique, tu peux y remédier. Ta crise a pu être causée par un ensemble de choses : tes sentiments pour Dane, des mois à espérer et à transformer tout ce désir en une véritable intimité, et ta peur des requins. L'anxiété est une drôle de chose, Lace. Ça peut être vraiment puissant et venir de tellement de choses.

Lacy voulait juste que tout ce désastre disparaisse. Elle aimait déjà trop Dane pour être la femme qui ne serait qu'une source d'ennuis pour lui. Dane avait été si attentive à ses besoins, et elle savait qu'il en serait toujours ainsi s'il le fallait. Elle ne pouvait pas le laisser la couver en raison de ses peurs insensées. Il méritait d'être avec une personne normale qui n'avait pas peur des animaux qu'il s'efforçait autant de sauver. Cela la faisait souffrir de penser à lui, et encore plus d'en parler. Elle avait déjà pris sa décision, et cette fois, elle ne flancherait pas, même si cela impliquait d'entraîner sa sœur sur une piste hasardeuse dont elle ne se souciait pas vraiment... ou peut-être que si. Elle ne savait pas vraiment, et ça faisait trop mal d'y penser, mais ça mettrait définitivement fin aux tentatives de Danica de la pousser dans les bras de Dane.

— Il a des femmes partout dans le monde, déclara Lacy.

— Et alors ?

— Et alors ? Danica ! s'exclama Lacy avant de baisser la voix. Comment ça, *et alors* ?

Bon sang. Je pensais que ça te ferait taire.

— Ce qu'une personne fait avant de rencontrer sa moitié, n'a rien à voir avec qui elle sera après l'avoir rencontrée, déclara Danica. Regarde Blake.

— C'est différent.

Pourquoi tient-elle autant à cette relation ?

— Vraiment ? Comment ça ? demanda Danica.

Ce n'était un secret pour personne qu'avant de rencontrer Danica, Blake avait été un Don Juan de la pire espèce. Il couchait avec toute femme consentante.

— La plupart des hommes ne sont pas capables de changer, émit Lacy.

— Ce n'est pas vrai, rétorqua Danica.

— Il faut qu'ils veuillent changer.

— C'est vrai, et en ce qui le concerne ? demanda Danica.

— Comment le saurais-je ?

— Tu veux qu'il change ?

— Je ne sais pas, dit Lacy en fermant les yeux pour empê-

cher les larmes de couler. Quelle importance ? Je ne peux pas
être avec quelqu'un qui marque des requins si j'en ai peur.

— C'est une phobie, et tu n'as aucune idée de la gravité de
ton cas. Tu as fait une crise de panique, et tu as eu tous ces
autres problèmes anxiogènes qui sont apparus en même temps.
Une fois que Dane et toi passerez plus de temps ensemble, ton
niveau d'anxiété pourrait très bien diminuer, et si tu consacres
un peu de temps à te renseigner sur les requins et à t'imprégner
d'eux, ça pourrait t'aider à vaincre ce qui te reste de peur. Tu
pourrais y travailler, et ce ne serait probablement pas si difficile.

Le silence remplit l'air.

— Que comptes-tu faire ? demanda finalement Danica.

— Oublier que je l'ai rencontré et continuer ma vie.

— Et comment ça s'est passé hier soir ?

Lacy baissa les yeux sur ses genoux au souvenir de la boîte de
mouchoirs qu'elle avait vidée et du pot de crème glacée qu'elle
avait englouti.

— Lacy ?

— Hmm ?

— Avant de fermer cette porte, pourquoi ne pas lui parler ?
Cela ne signifie pas que tu dois être avec lui, mais simplement
assainir les choses. Tu as attendu plus d'un an. C'est long à
attendre pour finalement tout abandonner à cause d'une crise de
panique. Je peux aussi t'aider avec ça, l'assura Danica.

— Mais le fait qu'il ne soit pas venu me voir pendant tout
ce temps, ça ne veut pas dire qu'il n'est pas sincère ou qu'il
voulait juste coucher avec moi ? Réfléchis, Dan. Tu accepterais
ça ? demanda Lacy.

Elle avait passé des heures à réfléchir à leur situation.
Chaque fois qu'il avait eu du temps libre, elle lui avait dit qu'elle
n'était pas disponible à cause de sa fichue promotion. Mais la

vérité c'était qu'elle était aussi effrayée que lui à l'époque.

Danica soupira.

— Je ne sais pas. Tu étais si heureuse pendant cette période, et tu ne te languissais pas d'un homme qui te traitait mal : il t'appelait chaque fois qu'il le promettait. Il te parlait sur Skype et FaceTime, et il t'envoyait des mails et des cartes. Ce n'est pas comme si tu étais négligée.

— Bon sang, Danica. Tu ne me facilites pas les choses.

Son téléphone de bureau sonna.

— Attends, dit-elle en posant son portable sur ses genoux pour répondre à l'appel : Lacy Snow.

— Notre nouveau client est arrivé. Tu peux nous rejoindre dans mon bureau, maintenant, au lieu de 9 h ? demanda Fred.

— Bien sûr. Donne-moi deux minutes.

— Bien sûr.

Elle raccrocha et reprit sa conversation avec Danica.

— Je dois y aller. Mon patron veut que je rencontre un nouveau client.

— D'accord, mais écoute, Lacy. Peut-être que tu ne devrais pas porter de jugements hâtifs sur Dane. Je peux t'aider à surmonter ta phobie et tu pourrais arranger les choses avec lui, si tu y vas en douceur, déclara Danica.

— Je ne sais pas. Je pense qu'il vaut mieux qu'on se sépare. J'ai ignoré ses appels et ses SMS, ce qui – permets-moi de te le dire – a été la chose la plus difficile que j'aie jamais faite. J'ai tellement l'habitude d'entendre sa voix tous les soirs que la nuit dernière a été une torture. Je n'étais jamais seule avant de le rencontrer et maintenant, après lui avoir parlé presque tous les soirs, puis l'avoir rencontré (*et l'avoir touché*), je me sens tellement seule. Comment est-ce que je peux me sentir seule après l'avoir vu qu'un seul week-end ? gémit Lacy. Je veux croire que c'est la meilleure solution.

Et passer le reste de ma vie avec un cœur brisé.

Dane était assis en face de Fred Wright, le directeur général de World Geographic, et se concentrait sur son plan. Lacy avait beau éviter ses appels et ses messages, elle ne pouvait éviter son patron. Ses sentiments pour elle étaient trop forts pour faire comme si les dix-huit derniers mois n'avaient pas existé. À bien des égards, leurs conversations à distance avaient été plus intimes que leur nuit à Wellfleet, et ils comptaient plus que tout pour lui. Il avait changé grâce à Lacy, et jamais il n'accepterait de la laisser partir. Il devait au moins essayer de lui faire savoir quel genre d'homme il voulait être : le genre d'homme qui l'aiderait à surmonter sa peur des requins.

Son estomac était noué depuis qu'il avait eu cette idée. Il prenait de gros risques. Lacy pourrait prendre la fuite en le voyant et sonner définitivement le glas de leur relation. Dane s'accrochait à la petite lueur d'espoir que son travail comptait trop pour elle pour qu'elle agisse de la sorte.

Lacy franchit le seuil du bureau de Fred, vêtue d'un chemisier blanc à encolure dégagée, d'un pantalon noir ajusté et arborant un sourire professionnel. Le cœur de Dane bondit dans sa gorge. Les yeux de Lacy balayèrent la pièce avant de tomber sur lui. Cela le peina de voir sa salutation professionnelle se transformer en un regard confus. Ses délicats sourcils se rapprochèrent et son regard passa tour à tour de l'un à l'autre.

— Comment… réussit-elle à articuler.

— Lacy, Voici Dane Braden, le fondateur de la Brave

Foundation. Il nous a engagés pour gérer sa campagne de marketing durant l'année à venir.

Fred était un petit homme aux épaules étroites et à la taille épaisse. Il désigna Dane en souriant.

— Je suis désolé de te prendre au dépourvu, mais monsieur Braden m'a contacté hier soir. Le temps qu'on se mette d'accord, il était déjà trop tard pour t'appeler, et nous avons travaillé toute la matinée pour élaborer un plan.

— Euh… bonjour ? dit-elle.

— Lacy.

Dane se leva et lui serra la main comme s'il la voyait pour la première fois et qu'il ne lui avait pas ravagé son corps quelques nuits auparavant. Il attendait de voir sa réaction afin de calquer son comportement au sien… en quelque sorte. La main de Lacy tremblait dans la sienne, et Dane posa son autre main par-dessus, espérant qu'elle trouverait du réconfort dans cette petite étreinte et peut-être même que cela calmerait les regards noirs qu'elle lui lançait.

Confuse, Lacy s'assit près de Dane. Celui-ci poussa un soupir de soulagement. *Au moins, elle ne m'a pas dénoncé immédiatement.* Il savait qu'il ne devait pas sourire, car elle pourrait penser qu'il jubilait, mais il ne pouvait pas effacer le sourire stupide de son visage. Le simple fait de la revoir faisait chanter son cœur. Il s'empêcha de tendre la main et toucher la peau douce de sa joue.

— Comme je l'ai expliqué, la Brave Foundation a engagé World Geographic pour mettre en place un programme de marketing, promouvoir la marque et faire connaître son nom dans les nouveaux canaux médiatiques. Lacy, M. Braden a…

— Dane, je vous prie, dit Dane.

Fred sourit.

— Dane, merci. Dane a demandé que tu sois responsable du dossier.

Dane la vit tressaillir, et la lumière que son sourire apportait dans la pièce fut aspirée par la confusion et la douleur de son regard.

— Mais… je suis déjà très occupée. Et j'ai… dit-elle d'une voix fluette.

— Je m'en suis déjà occupé, l'interrompit Fred. Tasha va prendre en charge tes autres dossiers le temps que tu t'immerges dans les activités de la Brave Foundation et que tu apprennes à mieux connaître leurs objectifs et leur marché cible.

Lacy tourna les yeux vers Dane, les lèvres pincées.

— J'ai entendu dire que vous étiez la meilleure, expliqua Dane.

— Vraiment ? demanda-t-elle d'une voix agacée. Par qui ?

Dane avait passé la matinée à rechercher les anciens clients de Lacy. Il en était ressorti encore plus impressionné par ses capacités qu'il ne l'était déjà.

— Oceanic Research et un bon ami de la Boots for Boys Foundation m'ont dit que je ne pouvais pas trouver de personne plus qualifiée.

Lacy serra la mâchoire, mais au-delà de son expression tendue et son regard furieux, il distingua la tristesse. Son regard rouge lui disait qu'elle avait également passé une soirée difficile. *Je fais la bonne chose.*

— Dan…

— Dane, la corrigea Dane en souriant intérieurement à l'idée de l'agacer.

C'est la Lacy que je connais et que j'aime. Dane aimait la féminité de Lacy, mais sa force était tout aussi attrayante.

Fred l'interrompit.

— Lacy, Dane est actuellement en mission à Chatham, et depuis cet après-midi, vous aussi.

— Pardon ? fit Lacy.

— C'est excitant, je sais, commença Fred. L'idée est brillante : te plonger dans leur travail pendant une semaine ou deux afin d'élaborer une stratégie. Voir à qui ils s'adressent, comment ils se présentent, s'impliquer, faire partie de l'équipe.

Fred regarda Dane avant de préciser :

— Elle est incroyablement talentueuse. C'est notre meilleur gestionnaire de compte.

— Faire partie de l'équipe ? Désolée, *Dane*, mais votre entreprise fait de la recherche sur les requins ? Malheureusement, j'ai peur des requins, donc ce ne sera pas possible, déclara Lacy avec un sourire ravi.

Dane avait prévu cette riposte.

— Effectivement, mais ça ne devrait pas poser de problèmes. Je veillerai à ce que vous ne soyez jamais mise en situation inconfortable.

Lacy plissa les yeux.

— Mais être à proximité de votre activité est déjà inconfortable pour moi.

— Dans ce cas, je veillerai à ce que vous ne soyez pas à proximité de ce genre d'activité.

Dane sentit la brûlure du regard de Lacy. Il avait beau être peiné par la situation et avoir mal au ventre de la voir se trémousser sur sa chaise en sachant que son cerveau cherchait une échappatoire, il était persuadé qu'ils méritaient tous les deux d'avoir une seconde chance, afin de déterminer si leur unique nuit ensemble était le signe d'une vie épanouie et heureuse ensemble, ou s'il s'était complètement trompé à leur sujet.

Dane se leva et tendit la main par-dessus le bureau de Fred.

— Ça a été un plaisir, merci. Je me réjouis de cette collaboration mutuellement bénéfique.

Et bien plus encore avec Lacy.

Avant de partir, il tendit également la main à Lacy et déclara d'un ton tout aussi professionnel :

— Je vais à Chatham cet après-midi. Voulez-vous que je vous accompagne ?

Dane ne pouvait imaginer sa vie sans Lacy, et il ne comptait rien laisser au hasard. Il savait que Lacy s'inquiéterait à l'idée d'être forcée à une quelconque intimité avec lui, donc il avait déjà élaboré un plan pour l'aider à se sentir plus à l'aise. Il lui assurerait qu'il ne tomberait pas amoureux d'elle. Elle n'avait pas besoin de savoir qu'il avait déjà l'impression d'être tombé au centre de la terre.

— J'ai ma propre voiture, merci, répondit-elle avec un regard glacial.

CHAPITRE DOUZE

— Je ne suis pas la personne qui convient. J'ai peur des requins et j'ai trop de travail. S'il te plaît, refile ce dossier à Tasha.

Lacy essayait depuis cinq minutes de convaincre Fred qu'elle n'était pas la bonne personne pour cette mission. Mais elle avait l'impression de se taper la tête contre le mur. *Je vais tuer Dane.* Pourquoi faisait-il cela ? Il pouvait avoir n'importe quelle femme. Pourquoi elle ? *Je n'ai rien de spécial.* Mais elle savait que ce n'était pas parce qu'elle était spéciale, mais parce que ce qu'ils partageaient était spécial. Elle le savait parce qu'elle le ressentait aussi. C'était trop puissant pour être nié, et c'était pour cette raison précise qu'elle était résolue à l'ignorer.

— J'ai confiance en toi, Lacy, dit Fred. Il s'agit d'un client essentiel pour World Geographic, et j'attends de toi que tu le traites avec la même diligence et le même professionnalisme que nos autres clients. Ton travail en dépend.

Fred l'avait soutenue avec véhémence au cours des cinq années travaillées sous sa supervision. Il l'avait poussée à travailler dur et à atteindre son potentiel à des moments où elle pensait être à son maximum. Il la conseillait pour rester sur la bonne voie afin d'obtenir la promotion pour laquelle elle avait travaillé si dur. Allait-il vraiment lui retirer ça ? Il devait être persuadé que cette stupide mascarade était la condition de sa promotion, sinon il ne la menacerait pas. *Bon sang.*

— Mon travail en dépend ? Es-tu en train de me dire que tu me virerais si je n'acceptais pas la mission ? Éclata Lacy avec angoisse.

Perdre mon emploi ?

— Non. Tu es une employée précieuse, Lacy. Mais nous savons tous les deux que tu as des aspirations plus élevées que gestionnaire de compte, et tu as prouvé que tu avais les compétences et le dévouement nécessaire. Si je confie ce projet à Tasha, tu pourrais être mise de côté pour la promotion de chargé de compte senior pour laquelle tu te démènes.

— Ce compte est-il si important ?

— Ce compte nous rapportera énormément. Lacy, être chargé de compte senior signifie que tu auras un pouvoir décisionnel. Tu choisiras qui avoir comme client et quand. Tu auras des employés pour faire tes recherches et ton travail administratif. C'est énorme, Lacy. En plus, ce n'est pas l'enfer d'aller une semaine ou deux à Chatham. Dane Braden semble gentil et professionnel. Il a accepté un énorme budget pour tes frais de voyage. On s'occupera bien de toi, lui assura Fred.

Je n'en doute pas. C'est bien ce qui me fait peur. Elle ne pouvait pas se permettre de perdre sa promotion. Elle avait travaillé trop dur pour conserver une avance dans la course – et elle avait renoncé à voir Dane pendant tous ces mois. Elle gémit intérieurement. Même si l'idée de travailler avec Dane perturbait son cœur et sa tête, elle céda à contrecœur.

— Bien, dit-elle. Merci pour cette opportunité.

L'opportunité de lutter contre mon désir irrépressible de mettre une taloche à Dane avant d'embrasser ses lèvres pulpeuses. Arrête ça. Arrête ça. Arrête ça.

Lacy prit son téléphone portable et sortit en trombe du

bâtiment. Elle composa le numéro de Danica tout en arpentant le parking avec l'impression d'avoir de la fumée qui lui sortait par les oreilles.

Elle tomba sur la messagerie de Danica et laissa un message.

— Il était ici, Danica. Il est venu à mon travail et a loué les services de mon entreprise, et maintenant je dois me rendre à Chatham et travailler avec lui ou je perdrai ma chance d'obtenir une promotion. Bon sang. Où es-tu ?

Elle baissa le téléphone avant de le recoller rapidement à son oreille.

— Je suis désolée. Je ne voulais pas crier. Je suis tellement stressée. Appelle-moi ? S'il te plaît ?

Lacy raccrocha et regarda le bâtiment. Trop en colère pour retourner au travail, elle se dirigea vers la sortie du parking et continua de marcher dans l'espoir de se calmer. Elle se mit sur le côté pour laisser passer une voiture, et se retourna en la voyant s'arrêter à côté d'elle.

Merde, Dane.

Il était au volant, un sourire aux lèvres.

— Désolé, dit-il avec un haussement d'épaules.

— Désolé ? Tu entres dans mon entreprise et tu exiges que je te suive à Chatham, et tout ce que tu trouves à dire c'est « désolé » ? Que penses-tu qu'il va se passer, Dane ? Que je vais tomber en pâmoison ? Rien n'a changé. C'était une grosse erreur.

Elle planta ses jambes dans une position déterminée et croisa les bras tout en priant pour que ses larmes ne coulent pas.

— C'est un peu ce que j'espère, avoua-t-il.

Lacy gémit.

— Ça n'arrivera pas. Tu ne peux pas acheter ta place dans le cœur de quelqu'un.

— Un cœur qui peut être acheté n'est pas un cœur qui mérite d'être poursuivi. Lace, je connais ton cœur et je n'ai jamais rien vu d'aussi pur.

— Arrête ça, dit-elle.

— Quoi ?

— D'être si gentil avec moi.

Dane sourit à nouveau.

— Nous devrions vraiment parler des détails de la mission, tu ne penses pas ?

Dane gara la voiture et ouvrit la portière. Le cœur de Lace manqua un battement. Elle parcourut son corps du regard en se souvenant de la sensation de l'avoir sur elle. À l'intérieur d'elle. *Ne fais pas ça. Ne fais pas ça. Non.* Lacy fit un pas en arrière.

Dane fouilla dans sa poche et lui tendit une enveloppe.

— c'est l'adresse du pavillon que j'ai loué pour toi. C'est à Chatham, tu n'auras pas à faire de longs trajets tous les jours. L'endroit est agréable, juste sur la baie de Cockel. Je pense que ça te plaira.

Elle prit l'enveloppe. *Tu m'as loué un pavillon ? Dans une baie ?*

— Il y a l'adresse de la marina, ainsi qu'une liste de restaurants et de boutiques que tu pourrais apprécier. Il y a aussi l'adresse de l'endroit où je séjourne au cas où tu aurais besoin de quoi que ce soit. Tu as mon numéro de portable, alors… on se voit demain matin à 8 h ?

Lacy regarda l'enveloppe. Tout allait trop vite. *Je vais à Chatham avec lui. Il m'a loué un pavillon.*

— 8 h, dit-elle.

Peut-être qu'elle aurait dû être alarmée par l'organisation et les prévisions de Dane, mais ce fut le contraire. Dane était là. Non seulement il était venu la chercher, mais il avait pris toutes les dispositions nécessaires pour qu'ils passent du temps ensemble. Après plus d'un an à espérer qu'il agisse ainsi, il était enfin là et il lui était difficile de l'ignorer. Elle sentit ses sourcils reprendre leur position et sa mâchoire se détendre.

— Il y a aussi le programme. Je ne vais pas te mettre la pression, Lacy.

— Et ça, ce n'est pas de la pression ? rétorqua Lacy en levant les yeux au ciel.

— C'est un coup de pouce dans ce que j'espère être la bonne direction. Mais ne t'inquiète pas. C'est vrai que je te pousse à passer du temps en ma compagnie, mais je ne te mettrai jamais la pression pour quoi que ce soit de physique. En fait, faisons un pacte, Lace.

Il sourit, le regard joyeux.

Oh, mon Dieu, j'aime quand tu prononces mon nom de cette façon.

— Mettons-nous d'accord pour ne pas tomber follement amoureux l'un de l'autre. D'accord ? Parce que ce serait tout simplement trop de pression, déclara Dane.

— Ne pas...

Pas de pression. Ne pas tomber amoureuse. Mon Dieu, je l'aime déjà.

— Oui, je pense que c'est mieux. Voyons si on peut être amis. J'ai senti quelque chose sur cette dune que je ne comprends toujours pas, et la nuit dernière a été un enfer. J'ai tellement l'habitude d'entendre ta voix la nuit, même par téléphone, que c'était affreux. Je n'arrêtais pas d'entendre les portes de l'ascenseur se fermer et d'imaginer ton visage, si bouleversé et en colère.

Il tendit la main et passa son doigt le long de sa joue, et ajouta :

— Je ne veux pas perdre ton amitié.

— Amitié.

Bon sang, reprends-toi. Dis quelque chose d'intelligent. Tu veux vraiment qu'on soit simplement amis ?

Elle était trop confuse pour déchiffrer s'il faisait cela comme un filet de sécurité afin qu'elle ne se sente pas sous pression, ou s'il voulait vraiment s'accrocher à leur amitié par-dessus tout. Quoi qu'il en soit, elle accepterait tout ce qu'il demanderait, car être près de lui ne faisait que lui donner envie de le voir davantage.

— D'accord.

Pouah.

— D'accord ? demanda-t-il, les yeux illuminés. Tu es d'accord pour ne pas tomber amoureuse de moi ?

Lacy sentit un sourire se dessiner sur son visage.

— Je suis d'accord pour ne pas tomber amoureuse de toi, mais c'est un chemin à double sens. Ne tombe pas amoureux de moi non plus.

Qu'est-ce que je suis en train de faire ?

— Ça marche.

Elle le regarda s'éloigner et recomposa le numéro de Danica pour laisser un autre message.

— Tu ferais mieux de m'appeler. Je crois que j'ai des ennuis.

CHAPITRE TREIZE

— Laisse-moi récapituler. Tu es dans un pavillon qu'il a loué pour toi, à Chatham, et tu vas faire quoi ? Suivre son itinéraire pour les prochains jours ? Et ton patron t'a laissée partir ? demanda Danica.

Il était 21 h, et Lacy était assise sur la terrasse du pavillon que Dane lui avait loué. Le bruit des vagues se brisant et le vent frais venant du large lui rappelaient des souvenirs.

Elle pressa le téléphone portable contre son oreille.

— Oui, dit-elle. Il a vraiment bon goût en plus. Cet endroit est incroyable. Il y a deux chambres, deux salles de bain, et...

— Lacy, l'interrompit Danica.

— Oui ?

— Tu m'as laissé un message comme si tu avais des ennuis. Qu'est-ce que j'ai raté ? demanda Danica.

Lacy soupira.

— Je n'arrive pas à savoir si tout cela n'est pas fou. Je veux dire, suis-je en train d'ignorer toutes sortes de drapeaux rouges ? Qui fait ce genre de chose ? Louer une maison, organiser une semaine ou deux loin du bureau – et le payer – pour une amie ?

Elle descendit les marches jusqu'à la plage et fit courir ses orteils dans le sable.

— Je n'arrive pas à décider si c'est incroyablement romantique ou du n'importe quoi.

Danica éclata de rire.

— Si c'était autre famille, je serais peut-être d'accord avec toi, mais les Braden ont tendance à faire les choses jusqu'au bout. Tu te souviens de mon mariage ? La matinée Spa ? Et *l'île*, bon sang ?

Treat s'était arrangé pour que Danica et Kaylie aient l'usage exclusif d'une île pour leur mariage.

— Je suppose que tu as raison.

— Lacy, dis-moi ce que tu penses. Ce matin, tu ne voulais rien avoir à faire avec lui, et maintenant tu es à Chatham. Je sais que tu devais le faire pour sauver ta promotion, mais que te dit ton cœur ? Et les autres femmes pour lesquelles tu t'inquiétais ? demanda Danica.

Lacy s'assit sur la dernière marche et enfouit ses pieds dans le sable. Cette question l'avait obsédée durant tout l'après-midi. Elle n'arrivait pas à imaginer Dane avec d'autres femmes ; cela ne semblait pas réel. Bien sûr, elle ressentait une petite pointe de jalousie, et elle voulait savoir s'il avait eu des aventures jusqu'au jour du mariage, mais il lui avait dit qu'elle était tout ce qu'il désirait, et dans son cœur, elle savait que c'était vrai. Elle avait utilisé les autres femmes comme excuse et solution facile pour mettre fin à leur relation.

— Je ne sais pas. J'ai réfléchi à ce que tu as dit. On a tous un passé, déclara Lacy. Est-ce que je suis une idiote ? Tu peux être franche. Je peux l'encaisser. Et je ne dis pas non plus que je veux sauter dans son lit. J'ai juste l'impression que peut-être…

Lacy ne savait pas ce qu'elle pourrait dire après ce « peut-être », pourtant elle ressentait quelque chose, et cela ressemblait beaucoup à de l'espoir.

— Et ta peur des requins ? demanda Danica.

Merde, merde, merde.

— Pouah. Tu as raison. Il y a trop d'obstacles. Des signes… Peu importe.

Lacy remonta les marches jusqu'au perron et vit un homme marcher vers l'eau. Elle s'installa sur une chaise et posa ses pieds sur la rambarde.

— Ce n'est pas ce que je dis. La thérapeute en moi pense que tu dois garder tes soucis au premier plan de ton esprit afin de ne pas être guidée par tes émotions et prendre une décision rationnelle. La sœur en moi veut bondir de joie, te serrer dans ses bras et célébrer le côté intensément romantique de tout cela. Je suis à la frontière des deux, Lacy, déclara Danica.

Son aveu fit sourire Lacy.

— C'est exactement ce que je ressens.

— Écoute. Dis-toi que les phobies sont généralement des peurs irrationnelles. Ton cas est différent, bien sûr, après ce qui s'est passé quand tu étais petite, mais tu peux quand même contrôler cette peur. Lorsque tu ressentiras ce picotement d'anxiété, tu devras te rappeler que tu vas bien et que tu as le contrôle – en supposant que tu es en sécurité, bien sûr, comme sur un bateau. Tu as le pouvoir de contrôler cette anxiété. Ce n'est peut-être pas ce que tu ressens en ce moment, mais c'est vraiment le cas.

— Le truc, c'est que je sais tout ça. Je le comprends. Mais quand j'ai eu cette crise de panique, je n'arrivais plus à me raisonner, répondit Lacy.

— Je sais, mais tu peux toujours essayer. Je pense aussi que tu devrais faire le point sur tes émotions. Si tu y réfléchis un peu, tu verras que tous ces mois d'attente ont atteint leur paroxysme le week-end dernier, et ça a aussi probablement augmenté ton anxiété. Même si tu penses que non, j'en mettrais ma main à couper. Et dans une certaine mesure, la seule façon de surmonter tes peurs est de les affronter.

— Affronter mes peurs. Tu veux dire avec des requins ou avec Dane ? demanda Lacy.

— C'est à toi de voir. Mon instinct me dit les deux.

— Peut-être que tu as raison. Je ne sais pas, déclara Lacy.

L'homme qui marchait était assis dans le sable et regardait l'eau. Elle s'approcha de la rambarde et le regarda de plus près. Son pouls s'accéléra. Elle se rassit sur la chaise et chuchota dans le téléphone.

— Il est là.

— Qui ? chuchota Danica en retour.

— Dane. Il est ici, sur la plage. Il est assis devant la maison, dit Lacy en regardant à travers les barreaux de la balustrade.

— Tu es sûre ? demanda Danica.

— Carrément. Tu trouves ça effrayant ou romantique ?

— Je ne sais pas. Peut-être qu'il a vu que tu étais au téléphone et qu'il a décidé d'attendre que tu raccroches. D'où vient-il ?

— Je ne sais pas, répondit Lacy en mettant sa main autour de sa bouche pour empêcher sa voix de porter. Est-ce que c'est un obsédé ?

Oui, en effet. C'est en mon cœur que je n'ai pas confiance.

— Tu es vraiment bizarre. Non, Dane Braden n'est pas un obsédé, répondit Danica en éclatant de rire. Va lui dire bonsoir.

— D'accord, merci, Danica. Je t'appellerai plus tard.

Lacy posa son téléphone et descendit timidement les marches, puis s'approcha de lui. Dane était assis, appuyé sur les mains, les pieds allongés et les chevilles croisées. Les mains de Lacy transpiraient malgré la brise fraîche venant de l'eau.

— Bonsoir, Lacy, dit-il.

— Bonsoir.

Elle en eut la chair de poule. Dane pencha son menton sur le côté, et d'un doux regard, apaisa les nerfs de la jeune femme.

— Tu veux t'asseoir une seconde ? demanda Dane.

Oui ! Lacy réfléchit aux conseils de Danica. *Garde tes soucis au premier plan de ton esprit.* Elle se sentait tout de même obligée d'être là, mais alors qu'elle regardait le pavillon, puis Dane, elle sentit sa colère se dissiper.

Dane se leva. Il portait un jean, un tee-shirt et un cardigan épais. Il tendit la main vers elle, avant de se raviser.

— Lace, dit-il d'une voix apaisante en la caressant du regard. Je suis désolé de t'avoir fait de la peine. Je ne pouvais tout simplement pas renoncer à nous aussi facilement.

Nous.

— Je ne suis pas ici ce soir pour te mettre davantage la pression. J'ai essayé de t'appeler plusieurs fois, et comme tu n'as pas répondu à mes appels, j'ai préféré passer pour m'assurer que tu étais bien entrée.

— Je… j'étais avec Danica depuis un bon moment, et avant ça, je prenais une douche, je faisais les courses. Désolée, j'ai raté ton appel.

Elle se reprocha de ne pas avoir consulté sa messagerie vocale.

— Pas de soucis. Tu as trouvé facilement l'épicerie ? Tu as besoin de quelque chose ? demanda-t-il.

— Tout va bien.

Elle détourna les yeux, essayant d'ignorer le tiraillement dans son estomac qui l'attirait vers lui. Il lui avait imposé cette situation, mais elle n'arrivait pas à lui en tenir rigueur et se tenir à distance quand il la courtisait.

— Je sais que tu m'en veux probablement d'avoir tout organisé avec ton patron, Lace, mais je n'ai pas trouvé d'autre moyen pour te parler. Tu as ignoré toutes mes tentatives pour te joindre, et je ne t'en veux pas. Je sais que tu t'inquiètes pour la crise de panique, et je sais que tu t'inquiètes de ce que j'ai dit au sujet des femmes.

Les jambes de Lacy se ramollirent. La peur envahit ses membres.

— Je ne veux pas parler d'elles.

— Je sais, mais moi si.

Non, non, non.

— On peut s'asseoir ? S'il te plaît ? dit Dane en désignant le sable.

Le cœur de Lacy battait si vite qu'elle n'arrivait plus à réfléchir. Elle se laissa tomber sur le sable et enroula ses bras autour de ses jambes.

— Lacy, si j'étais une femme et que je rencontrais un type comme moi, je courrais probablement dans le sens opposé. Je sais que j'ai l'air d'un homme à femmes. Bon sang, j'en étais peut-être un… je ne sais pas. Mais je ne me suis jamais considéré comme tel. Je suis un homme qui n'arrivait pas à s'installer. Je n'ai jamais trouvé l'idée attirante. Mais les choses ont changé ces dernières années. J'ai changé. Et quand je t'ai rencontrée, j'ai eu l'impression d'avoir couru la tête la première dans un mur de briques. Pour la première fois de ma vie, j'ai pris du recul et j'ai bien étudié ma vie… et j'ai voulu changer, Lace. À cause de toi.

— Je ne sais pas quoi répondre à cela.

Dans un ultime effort pour s'empêcher de se jeter dans ses bras et de l'embrasser jusqu'à en perdre haleine, elle ajouta :

— Ça me semble plutôt commode.

— Commode ? répéta-t-il en riant. Rien dans notre relation

n'a été commode. Écoute, soit tu m'accepteras pour qui je suis... en tant qu'ami... soit tu me rejetteras. J'étais *cet* homme, et le mot clef est « était », déclara Dane.

— Qu'est-ce que ça veut dire ?

— Ça veut exactement dire ce que cela veut dire. J'étais cet homme qui amarrait son bateau dans un nouveau port, qui se trouvait une femme disponible et consentante pour un jour ou deux, et qui partait sans regarder en arrière. Je ne peux pas changer mon passé. Je ne peux qu'essayer d'être la personne que je veux devenir, déclara Dane.

— J'ignorais que tu étais comme ça quand on discutait pendant tous ces mois. Je m'interrogeais, mais je ne savais pas vraiment.

Elle avait beau avoir surmonté le stade de la douleur, mais l'imaginer en compagnie d'autres femmes la rendait tout de même malade. *Qu'est-ce qui ne va pas chez moi ? Arrête avec ça !* Elle ne voulait pas avoir cette conversation, et maintenant qu'elle y était coincée, sa frustration se traduisait par des mots.

— C'est juste dégoûtant. Comment as-tu pu être ainsi ?

— Je ne sais pas. Je l'étais, c'est tout. Mais, Lacy, ces derniers mois, les choses ont changé. Je ne suis pas fier de ce que j'ai fait, mais si nous voulons avancer, même en tant qu'amis, tu dois m'accepter comme je suis, le négatif et le positif. Je ne suis plus cet homme, Lacy, et si je t'avais rencontrée il y a dix ans, je ne l'aurais même probablement jamais été. Tu es la seule femme qui a cet effet sur moi. Mais je suis bien cet homme, Lace.

Il lui releva le menton afin qu'elle le regarde à nouveau dans les yeux.

— L'homme qui veut plus que tout explorer ce qu'il y a entre nous, même si nous avons convenu de ne pas tomber amoureux. Je suis toujours cet homme avec qui tu as discuté tous ces mois. Je suis celui qui a chanté faux pour toi quand tu ne te sentais pas bien et qui a ri avec toi pendant qu'on regardait *Frankenstein Junior* sur ta télévision sur Skype.

Lacy baissa les yeux. Tout ce qu'il disait lui donnait envie de l'embrasser. Elle avait besoin d'oublier ces autres femmes. Ce qu'ils partageaient ensemble comptait beaucoup à ses yeux et était bien trop important pour qu'elle puisse tirer un trait dessus.

— Regarde-moi, Lacy. S'il te plaît.

Elle croisa son regard.

— C'est moi, Lace. Je suis le même gars.

Il mettait son cœur et son âme à nu, et Lacy réalisa que ce qu'il faisait n'était pas facile. Il la regardait avec tendresse, et tous ces mois passés à tomber amoureuse de lui, coup de fil après coup de fil, lui revinrent en mémoire et elle en eut le cœur serré.

L'expression de Lacy glaça Dane. Elle fronçait les sourcils, la bouche figée dans une expression mi-sourire, mi-inquiétude.

— C'est ce que j'étais, Lace. Puis je t'ai rencontrée, et ces nuits se sont espacées, déclara Dane.

— D'accord. Peut-on changer de sujet ?

— Bien sûr, je ne suis pas venu ici pour te mettre mal à l'aise. Je peux m'en aller d'ailleurs, dit-il en se relevant.

Elle leva les yeux vers lui.

— Non, tu n'es pas obligé de partir. Juste, je ne veux pas parler de toi et des autres femmes. Même si nous sommes d'accord pour ne pas tomber amoureux l'un de l'autre, je ne

veux pas être l'amie à qui tu racontes tes… sorties en tête à tête.
L'expression douloureuse de son regard était presque palpable et elle tremblait de froid.

Il retira son pull et le drapa autour de ses épaules.

— Très bien. Je veux juste être honnête.

— Merci, dit-elle en tirant le pull autour d'elle.

— Tu veux entrer pour te réchauffer ?

— Pas vraiment. J'aime bien être ici, mais peut-être qu'on pourrait aller sur la terrasse ? J'aimerais bien un verre de vin. J'en ai acheté tout à l'heure, déclara Lacy.

Ils montèrent sur le perron, où ils remplirent leurs verres et s'installèrent sur les transats. Dane avait l'impression de faire un numéro d'équilibriste. Il était prêt à ravaler son envie de la tenir, de lui toucher la main ou de lui caresser le visage, si c'était la condition pour passer du temps avec elle, mais il comptait bien tenter de lui montrer l'homme qu'il était à présent, ou du moins, l'homme qu'il avait l'intention de devenir.

— Tu sais, tu as commis une grosse erreur en m'amenant ici. Je ne vais pas te regarder attraper des requins, déclara Lacy.

Son ton de défi surprit Dane, jusqu'à ce qu'il voie son regard taquin.

— Si tu avais regardé le programme, tu aurais vu qu'aucun requin n'y figure. Demain, nous irons à la bibliothèque, dit-il.

Lacy termina son vin et Dane le remplit à nouveau.

— Tu ne me soûleras pas non plus. Du moins pas assez pour me faire faire quoi que ce soit que je regretterai demain.

L'estomac de Dane se noua.

— Tu regrettes d'être avec moi ? demanda-t-il.

Il s'attendait à beaucoup de choses, mais regretter la soirée passée ensemble n'en faisait pas partie.

— Lacy, j'ai peut-être commis une erreur en t'amenant ici.

Je n'aurais jamais imaginé que tu ressentais ça.

Elle remonta ses pieds sur la chaise et les plaça sous elle.

— Je ne regrette pas cette soirée, dit-elle. Mais je ne vais plus sauter dans ton lit.

— Je comprends. Nous n'allons pas dans cette direction de toute façon. Ne pas tomber amoureux, tu te souviens ? Et je ne couche plus à droite et à gauche, alors… déclara Dane avec un sourire.

— Je dois admettre que cela m'a manqué de ne pas te parler hier soir.

Quand elle leva les yeux vers lui, le clair de lune éclaira ses grands yeux bleus.

— Moi aussi.

Il avait besoin d'un sujet de conversation moins dangereux. Parler du fait qu'ils s'étaient manqués et de coucher ensemble, le submergeait de désir. Il fallait qu'il parle de quelque chose qui ne le faisait pas penser au goût de ses lèvres ou à la façon dont ses yeux se fermaient lorsqu'elle jouissait.

— Fred a l'air d'être un patron plutôt sympa.

— Il est super, dit Lacy en ricanant. Il est si intelligent, mais il a un côté vieux jeu attachant. Je n'arrive pas à croire que tu aies réussi à le convaincre de m'envoyer en vacances.

— Oh, c'est ce que tu penses que c'est ? Des vacances ? Tu te trompes, ma chère. Ce voyage a pour but de te plonger dans la vie d'un employé de la Brave Foundation et te montrer ce que nous faisons, afin que tu puisses nous vendre au monde.

Et j'espère que tu me trouveras irrésistible en cours de route.

Lacy vida le reste de son vin avant de répondre en souriant.

— Vraiment ? J'avais tout faux en ce qui te concerne alors.

— J'en doute. Tu m'as probablement assez bien cerné, déclara Dane.

Malheureusement.

Lacy reposa sa tête sur le dossier de sa chaise et ferma les yeux. Dane avait envie de la prendre dans ses bras et de la porter à l'intérieur, de la mettre dans son lit et de la laisser s'endormir dans ses bras, en sécurité et au chaud. Au lieu de cela, il se leva.

— Je pense que je ferais mieux d'y aller, dit-il.

— Tu n'es pas obligé, répondit Lacy en se redressant.

— Si. Je t'ai promis que je ne tomberais pas amoureux de toi, et passer trop de temps avec toi ne m'aidera pas à tenir cette promesse.

Dane lui prit la main et l'aida à se relever. Le corps de la jeune femme tangua un instant, et lorsqu'elle se stabilisa, ses lèvres étaient à quelques centimètres des siennes. Il respira l'odeur fraîche de son shampoing, et ses mains le brûlèrent à l'idée de la prendre par les hanches et de l'attirer contre lui, de presser sa poitrine contre la sienne, sa bouche contre ses lèvres. Elle leva vers lui un regard empli de désir, un regard qui était resté gravé dans sa mémoire depuis leur nuit dans les dunes.

— Je dois y aller, murmura-t-il.

Quand elle se lécha la lèvre inférieure, Dane étouffa un gémissement.

— C'était agréable de – *j'ai envie de t'embrasser* – te voir, dit-il en enfonçant ses mains tremblantes dans les poches de son jean et reculant d'un pas. On se voit demain, Lacy.

Elle haussa un sourcil.

— À demain, dit-elle.

— Dors bien.

Il recula vers la porte d'entrée, heurta une chaise et trébucha. Lacy se précipita vers lui et lui prit le bras. Ils se figèrent en s'observant l'un et l'autre. Le désir brillait dans les yeux de Lacy.

Je ne céderai pas.

— Merci, réussit-il à dire avant de se retourner et se diriger vers la porte. Demain, 8 h.

À la seconde où la porte se referma, Lacy poussa un grognement puis se jeta sur le canapé.

— *Merde. Merde merde.*

Elle roula sur le ventre et enfouit son visage dans l'oreiller. *Qu'est-ce que je vais faire ? Cours-lui après !*

Elle courut jusqu'à la porte d'entrée et regarda par la fenêtre. Il était déjà parti. Elle s'appuya contre la porte et se laissa tomber sur ses talons. Elle avait tellement envie de l'embrasser qu'elle pouvait sentir ses lèvres sur les siennes. Elle pouvait pratiquement goûter le vin dans son haleine. *Qu'est-ce que je vais faire ?*

Son téléphone vibra. Elle lut le SMS de Dane.

Bonne nuit, Lace.

Elle voulait lui dire de revenir. Pendant une minute, elle fixa le téléphone, incapable de répondre.

Il fait juste ce qu'il a promis de faire. Pas de pression.

Elle lui répondit finalement par un *bonne nuit*.

Elle attendit un autre SMS, mais après dix minutes de silence, elle jeta son téléphone sur le canapé. Puis, repérant le pull de Dane sur la chaise du porche, elle alla le récupérer. La brise fraîche était agréable contre sa peau brûlante. Elle s'allongea sur la chaise longue et renifla le pull en inspirant profondément, et gémit de plaisir avant de l'inhaler à nouveau. Puis elle posa le pull sur sa poitrine et l'étala sur elle. *Il est si imposant.* Cette pensée déclencha un frisson en elle, et son esprit évoqua un souvenir de lui, nu, penché sur elle, avec un torse semblable à un mur de muscles alors qu'il la pénétrait de son sexe impressionnant. Elle glissa sa main sous sa ceinture et se toucha, aucunement surprise par la moiteur de sa chair intime, ou sa réaction instantanée. Lacy ferma les yeux et imagina Dane en se donnant du désir. Son nom erra sur ses lèvres comme une prière alors qu'elle montait rapidement sur les cimes du plaisir et y succombait. Des répliques grondèrent dans son corps, allongée dans la nuit, et pensant à cet homme qu'elle s'était juré de ne plus jamais embrasser, tout en se demandant ce que le lendemain lui réserverait.

CHAPITRE QUATORZE

Le lendemain matin, Dane sortit du lit avec une énergie renouvelée. Il traversa la cabine somptueuse du voilier de douze mètres de long de Treat et pénétra dans la cuisine, où il mit en marche la cafetière. Puis il prit une douche et appela Rob. Il haussa un sourcil quand il passa sur la messagerie vocale.

— Enfoiré de flemmard qui dort encore à 7 h. Profite de ta journée et appelle-moi si tu veux parler. J'ai pensé à toi et Sheila, et je me demande si tu ne devrais pas juste prendre un jour ou deux et aller chez ses parents pour lui parler. Assainir la situation. En tout cas, je suis là. Je suis là si tu veux parler.

Son appel suivant fut pour Lacy. Il appuya sur son numéro abrégé et sifflota pendant que ça sonnait. Puis il raccrocha rapidement. Bon sang. Il ne voulait pas avoir l'air de la harceler. Il n'avait pas pu s'empêcher de s'arrêter la veille, et bon sang, partir avait été la chose la plus difficile qu'il ait jamais eu à faire. Mais une promesse était une promesse, et il était hors de question qu'il la rompe. Il devait faire ses preuves auprès d'elle et il voulait l'aider à surmonter sa peur des requins. Il se demanda si Hugh avait vu juste, et si sa peur était vraiment la raison pour laquelle elle ne voulait plus de lui dans sa vie.

Au moins, la nuit dernière était un bon début. Il aimait Lacy, et il détestait que quoi que ce soit puisse lui voler sa confiance.

Les requins et les océans avaient toujours été sa passion, mais ce qu'il ressentait pour elle était bien plus fort que tout ce qu'il pouvait aimer d'autre. Il était la personne idéale pour l'aider à traverser cela, et pour finir, peut-être que Lacy verrait enfin l'homme qu'il essayait d'être. *L'homme que je suis.*

Son téléphone vibra avec l'arrivée d'un SMS de Lacy. Dane sourit en le lisant.

Tu viens d'appeler ?

Il rit et répondit.

J'ai appelé, puis je me suis souvenu que tu n'étais pas censé tomber amoureuse de moi, alors...

Il but son café sur le pont et s'étira au soleil du matin. Lorsque son téléphone vibra à nouveau, un frisson le parcourut.

Me faire raccrocher au nez est un moyen sûr pour m'empêcher de tomber amoureuse de toi. Rendez-vous dans 20 minutes.

Dane regarda Lacy s'avancer vers les quais. Ses boucles blondes, épaisses et sauvages étaient relâchées autour de son visage joliment bronzé. Ses hanches se balançaient alors qu'elle marchait vêtue d'une courte jupe blanche, d'un chemisier sans manches bleu marine et de baskets blanches qui lui donnaient un look nautique. Dane sourit. Chaque fois qu'il la voyait, elle était encore plus jolie.

Elle regarda le programme qu'il lui avait donné, sur lequel il avait écrit : *Je serai au troisième emplacement en partant de la gauche.* Elle plissa le nez, regarda à gauche, puis à droite, puis vérifia à nouveau le papier et scruta les bateaux une fois de plus. Elle était si mignonne qu'il fut tenté de continuer à l'espionner encore un peu pendant qu'elle essayait de se repérer, mais l'envie d'être près d'elle était plus grande que son désir de la regarder.

Dane se leva et lui fit signe.

— Lace !

Elle lui adressa un signe de la main et s'approcha du bateau en souriant.

— C'est comme le bateau sur lequel nous étions à Wellfleet.

— En quelque sorte, mais en beaucoup plus petit. Treat a bon goût, commenta Dane.

— Tu loges ici ? Pourquoi est-ce que je ne suis pas surprise ? Il l'embrassa sur la joue.

— Les amis se saluent de cette façon, donc c'est dans mon droit, la taquina-t-il avant de l'aider à monter à bord.

— Je ne t'accompagne pas pour chasser les requins, dit-elle.

— Je sais. Il n'y a pas de requins dans le café, et je ne pense pas qu'il y ait beaucoup de requins à la bibliothèque, donc on devrait être en sécurité, dit-il. « Mon chez moi, loin de chez moi ». Café ?

— Non, merci, répondit Lacy en regardant la cabine.

Ses joues s'empourprèrent.

— N'y pense même pas. Je ne descendrai pas dans cette cabine avec toi. La dernière fois que je l'ai fait, tu as profité de moi.

Il lui fit un clin d'œil et fut soulagé quand elle sourit.

— Est-ce que la bibliothèque ouvre aussi tôt ? demanda-t-elle.

— Non, mais j'ai pensé qu'on pourrait aller à la jetée de poissons, puis peut-être faire une promenade en ville, et quand la bibliothèque ouvrira, on sera à côté.

— Tu n'es pas obligé de travailler ? demanda-t-il.

— On a marqué un gros requin dimanche, eh oui, je dois travailler, mais j'ai redéfini mes priorités, et je vais consacrer les prochains jours à veiller à ce que tu reçoives une éducation appropriée sur tout ce qui concerne Brave.

Dane termina son café et descendit laver sa tasse pendant que Lacy se détendait au soleil.

— Prête ?

— Aussi prête que possible, dit-elle.

Quelques minutes plus tard, ils prirent la voiture de Dane et se rendirent au quai des pêcheurs de Chatham. Il était trop tôt pour voir les pêcheurs rapporter leur cargaison journalière, mais Dane avait déjà parlé au responsable du quai et il avait autre chose en réserve pour Lacy.

Ils se garèrent au bord de la route et descendirent une colline escarpée qui menait à la jetée.

— C'est tellement mignon, dit-elle en passant devant le marché aux poissons.

— Ce plan d'eau c'est la crique Aunt Lydia, et tu vois cette petite île ? C'est le sanctuaire de Tern Island, expliqua-t-il en lui prenant la main. Viens.

Alors qu'ils montaient les marches menant au deuxième étage de la jetée de poissons, Dane lâcha sa main pour ne pas repousser les limites.

C'était plus difficile qu'il ne le pensait, mais il devait rester fort. *Pas de pression.* Il fit semblant de ne pas remarquer le regard interrogateur de la jeune femme.

Elle se dirigea vers le côté opposé du pont supérieur.

— Des phoques, dit-elle en désignant les petites têtes sombres qui entraient et sortaient de l'eau près de l'île.

— Oui. C'est pour ça qu'ils ont fait appel à la Brave Foundation. Durant ces dix dernières années, cette région est passée d'une population de phoques de deux ou trois mille à plus de quinze ou seize mille. Les phoques sont venus, les requins ont suivi, expliqua-t-il.

— Pour manger les phoques.

— Ils doivent bien manger, dit Dane en haussant les épaules.

Ils descendirent les escaliers et se dirigèrent vers la plage.

— Tu te sens capable de marcher sur le quai flottant ? demanda-t-il en la surveillant, à la recherche de signes de nervosité.

— Oui. Ça devrait aller.

Un pêcheur se tenait sur le quai avec un seau et lançait des poissons dans l'eau alors que Lacy et Dane s'approchaient. En quelques secondes, il y avait trois phoques qui cambraient leur dos lisse hors de l'eau et levaient leurs énormes têtes en regardant l'homme au seau. Il jeta quelques poissons de plus et les phoques plongèrent sous l'eau pour les attraper.

— Ils sont si mignons ! dit Lacy. Regarde leurs grands yeux. Et regarde celui-là là-bas. Tu vois comme il nous regarde ?

Elle s'approcha du pêcheur.

— Vous pouvez lui en lancer un, s'il vous plaît ?

Dane adorait son enthousiasme et, alors qu'elle s'approchait du bord du quai, il se tint à ses côtés, protecteur. Elle s'accroupit et il s'agenouilla près d'elle.

— Dane, en sauvant les requins, tu permets à ces créatures mignonnes d'être leurs repas, déclara Lacy.

— Lace, qu'y a-t-il dans le seau ?

— Des poissons ?

— Exact. Les poissons sont-ils plus importants que les phoques ?

— Eh bien, non.

— C'est la chaîne alimentaire naturelle, bébé. Les phoques mangent du poisson et les requins mangent des phoques. Nous mangeons des vaches et des poulets. C'est ainsi que fonctionne la nature. Les océans sont l'écosystème le plus important de la planète et notre meilleure défense contre le réchauffement climatique. Les requins jouent un rôle vital au sommet de la chaîne alimentaire en entretenant les océans.

Il trempa ses doigts dans l'eau.

— Savais-tu que les océans absorbent la majeure partie du dioxyde de carbone que nous rejetons dans l'atmosphère ?

Lacy secoua la tête.

— Les océans convertissent ce dioxyde de carbone en de grandes quantités d'oxygène que nous respirons. Éradiquer les requins pourrait détruire nos océans et notre système de survie, expliqua-t-il. Ce n'est qu'un exemple. Il y a un million de raisons de sauver les requins, tout comme il y a un million de raisons de sauver les phoques.

Il se tourna alors vers le pêcheur.

— Merci, Caleb.

Caleb fit un signe de la main, et Lacy et Dane remontèrent la colline jusqu'à la voiture.

— Ne te sens-tu jamais coupable de sauver des requins quand tu entends parler d'attaques de leur part ? demanda Lacy alors qu'ils montaient dans la voiture.

— Non. Je me sens très mal quand quelqu'un se fait mordre par un requin, mais les requins ne sont pas des mangeurs d'humain. Si c'était le cas, il y aurait beaucoup plus de morts, expliqua Dane.

Il tourna au coin de la rue en direction de Chatham.

— Alors, ta théorie c'est que les requins pensent que les humains sur les planches de surf sont des phoques ? demanda-t-elle avec une pointe de sarcasme.

— Pas du tout. Si les requins pensaient que les gens étaient des phoques, ils attaqueraient à la vitesse d'une torpille. Ce sont des créatures curieuses. Lorsqu'ils apparaissent brièvement, leur objectif n'est pas la prédation. Ils utilisent leurs dents comme nous utilisons nos mains. Quand ils mordent quelque chose d'inconnu, que ce soit une personne, une planche de surf ou une plaque d'immatriculation, ils cherchent d'une manière tactile à comprendre ce que c'est. C'est comme un test, un reniflement de chien. Quand ils attaquent les phoques, ils attaquent vite et fort et les mettent en pièce. C'est une approche différente. Donc, oui, je me sens mal quand quelqu'un se fait mordre par un requin, tout comme je me sens mal quand une personne se fait mordre par un chien, piquer par une abeille ou renverser par une voiture, mais on ne tue pas tous les chiens, les abeilles, et on ne détruit pas les voitures, n'est-ce pas ?

Lacy hocha la tête.

— J'imagine que je peux entendre ton point de vue.

— J'ai l'air de donner un cours magistral et j'en suis désolé. Je suis passionné par ce que je fais, admit-il. Rob et moi passons une grande partie de notre temps libre à convaincre les gens de l'innocence des requins. C'est un métier difficile.

Il gara la voiture et ils sortirent du parking pour se rendre à Main Street.

— Où est Rob ? Je pensais qu'il arriverait dimanche, demanda Lacy.

— Il traverse une période difficile avec sa femme en ce moment. Pour être honnête, je suis un peu inquiet pour lui.

Dane repensa au comportement de Rob sur le bateau. Il ne devait pas oublier de le rappeler plus tard pour essayer de le faire parler de ce qui se passait entre Sheila et lui.

— Tu m'as tellement parlé de lui avant que je vienne, que j'ai l'impression de les connaître déjà, sa femme et lui. Si tu t'inquiètes pour lui, tu devrais peut-être aller le retrouver plutôt qu'être avec moi.

— Ton grand cœur ne manque jamais de m'étonner, déclara Dane. Je l'appellerai plus tard. Je lui ai laissé un message ce matin. Tu le rencontreras quand nous sortirons en bateau dans la semaine.

Les yeux de Lacy s'agrandirent.

— Ne t'inquiète pas. Nous n'attrapons pas de requins, lui assura-t-il.

Lacy parcourut rapidement Main Street du regard.

— Je ne me souviens pas être déjà venue ici. Ça me semble familier, mais… déclara Lacy.

Malgré l'heure matinale, les touristes se promenaient sur les trottoirs de la petite ville. Lacy et Dane regardaient les vitrines en passant. Contrairement à d'autres régions sud de Cap, Chatham était connue pour son style bon chic bon genre. Des polos roses Izod et des shorts vert citron décoraient presque toutes les vitrines des magasins de vêtements. Ils regardèrent les livres de la librairie d'occasion, puis traversèrent la rue jusqu'au parc Kate Gould où Lacy foula la pelouse luxuriante en ouvrant de grands yeux.

— Je suis déjà venue ici. Je le sais, dit-elle.

Dane désigna le kiosque à musique blanc à l'extrémité du terrain.

— À un concert ? demanda-t-il. L'orchestre de Chatham y joue tous les vendredis soir durant l'été, depuis la Seconde Guerre mondiale.

— Oui, dit-elle. Je me souviens de vieillards en tenue rouge, je pense. Mon Dieu, je devais être si jeune. Je n'y avais pas pensé depuis… une éternité, ajouta-t-elle en souriant. Viens.

Elle courut sur la pelouse jusqu'au kiosque et monta les marches, puis tournoya sur la scène vide.

Dane la suivit et regarda son sourire gagner également ses yeux.

— Tu sais quoi ? demanda-t-elle.

— Quoi ?

Il aurait voulu lui toucher à nouveau la main, n'importe quoi pour lui faire savoir qu'il était là pour elle, prêt et désireux d'écouter tout ce qu'elle voudrait bien partager.

Elle s'assit sur les marches.

— Je ne pense pas que le bonheur soit basé sur le temps que tu passes avec quelqu'un. Je pense que tout dépend de la façon dont tu passes ce temps, et du plaisir que les personnes en retirent quand elles sont en compagnie l'une de l'autre.

— Tu penses à ton père, dit-il.

— Mon père n'était pas souvent là parce qu'il avait une autre famille, comme je te l'ai dit. Mais quand il était avec nous, il était présent. Il était là ; émotionnellement et physiquement.

— Lace.

Il se demanda si comme lui, elle faisait le parallèle entre l'attention qu'elle avait reçue de la part de son père et la sienne.

— Je suis désolé si ça a été difficile pour toi, et je suis désolé de ne pas avoir été physiquement présent ces derniers mois.

Il la regarda hocher la tête, et ramener ses genoux contre sa poitrine. *Au diable le fait de garder mes distances.* Il enroula son bras autour d'elle et l'attira contre lui.

— Merci. Tu m'as déjà entendue te le dire. J'ai eu une enfance heureuse, mais c'était un peu bizarre de savoir que j'avais des sœurs que je n'avais jamais rencontrées, et les enfants à l'école pensaient que j'inventais des histoires.

Elle soupira avant de continuer.

— Mais mon père nous aime toutes, et je n'ai jamais eu de rancœur envers Danica ou Kaylie, même s'il passait la majeure partie de son temps avec elles. Après avoir rencontré leur mère, je me suis sentie très mal à propos de ce qu'il avait fait, mais il nous aime toutes. Même leur mère, je pense. Et ma mère a toujours été là pour moi. Je suppose que ça a vraiment été essentiel pour moi.

Elle toucha sa main.

— Même quand tu n'étais pas physiquement là, Dane, je sentais toujours ta présence comme si tu y étais.

Dane ferma les yeux, soulagé qu'elle confirme qu'il avait été attentif. Il avait besoin d'entendre qu'elle reconnaissait au moins les efforts qu'il avait fournis. C'était un autre pas en avant.

— Je pense que tu as raison, Lace. Ce n'est pas le nombre d'heures qui compte, mais la façon dont nous passons ce temps avec les autres.

Comme passer du temps avec toi en ce moment.

Son corps était chaud contre lui, et il dut se remémorer qu'elle n'était pas sa petite amie. Il détestait cette ligne invisible dans le sable qu'il devait essayer de ne pas franchir.

— Est-ce que tu penses à ta mère ? demanda-t-elle. Elle doit beaucoup te manquer.

La poitrine de Dane se serra. Une boule familière se forma dans sa gorge. Il la repoussa et lui sourit.

— Oui, Lace. Certains jours plus que d'autres.

Elle lui sourit. Refusant de trop risquer sa chance, Dane retira son bras d'autour de son épaule et se leva.

— Bibliothèque ? demanda-t-il.

— Bien sûr.

Il l'aida à se relever, et une fois debout, Lacy ne lui lâcha pas la main. Dane la laissa faire, sans non plus lui serrer davantage la main. Il voulait lui laisser le contrôler de la situation.

Lorsqu'ils atteignirent la bibliothèque, Lacy monta sur le muret face au bâtiment et marcha dessus comme sur une poutre d'équilibre, en tenant toujours la main de Dane.

— Je parie que j'ai fait ça aussi quand j'étais ici, dit-elle en riant.

Une fois au bout du muret, elle lâcha sa main et descendit tandis qu'il montait les marches.

— C'est magnifique, déclara Lacy quand ils franchirent l'entrée faite de bois riche et sombre, et décorée d'un tapis oriental qui menait à la pièce principale couverte de parquet.

Dane fit signe aux femmes derrière le bureau, puis guida Lacy vers une allée particulière et commença à sortir des livres des étagères.

— Que faisons-nous ?

— Tu as le programme, dit-il avec un sourire.

— Tout ce que ça disait, c'était, « thérapie bibliothèque ».

— C'est ce que nous faisons. Allez.

Il posa une pile de livres sur une table au fond de la bibliothèque et s'assit à côté de Lacy.

— Vas-y. Jette un coup d'œil et dis-moi trois faits sur les requins-tigres.

— Les requins-tigres ? répéta-t-elle en plissant le nez.

— Tu es terriblement mignonne. Tu le sais ?

— Ça fait des années qu'on ne m'a pas dit que j'étais mignonne. Merci. Tu n'es pas si mal non plus, dit-elle.

Il montra le livre.

— Requin-tigre.

Dane la regarda ouvrir les pages en marmonnant : « Requins-tigres ». Il prit un autre livre et fit courir son doigt sur l'index, puis ouvrit une page et posa le livre de côté. Il fit la même chose avec les trois autres livres de sa pile.

— D'accord, j'ai compris, dit Lacy.

— Tu es une élève rapide. Maintenant celui-ci.

Dane s'adossa, s'attendant à ce que Lacy raconte les trois premiers faits du livre.

— Ils mesurent de quatre à six mètres. C'est la quatrième

plus grande espèce de requin ; ce sont des créatures solitaires qui vivent principalement seules, ce qui est vraiment triste. Ils doivent se sentir seuls. Ils peuvent vivre près de cent ans. Ils dorment les yeux ouverts.

Elle s'arrêta pour reprendre son souffle, mais Dane la coupa.

— Lace, leurs habitudes de sommeil ne sont pas dans ce chapitre, dit-il.

Un éclair d'excitation le parcourut. Peut-être qu'elle était aussi désireuse de surmonter sa peur qu'il était désireux de l'aider.

— Oh, désolée, dit-elle en se mordant la lèvre inférieure.

— Si j'osais, je dirais que tu as effectué des recherches sur les requins.

— J'ai peut-être lu quelques trucs à leur sujet, admit-elle.

Il poussa un autre livre devant elle.

— As-tu lu ces informations ? demanda-t-il.

— Les requins-pèlerins ?

Elle ferma les yeux, et lorsqu'elle les rouvrit, elle laissa échapper un soupir.

— Le *Cetorhinus Maximus* atteint une longueur de dix mètres ; leur bouche peut atteindre jusqu'à un mètre de diamètre et – c'est cool – ils nagent la bouche ouverte parce qu'ils mangent du zooplancton. J'aurais pensé qu'ils mangeraient des phoques, du poisson, ce genre de choses, mais non. C'est bizarre, non ?

Dane était toujours ébahi qu'elle connaisse le genre de l'espèce.

— Oui, c'est bizarre, réussit-il enfin à répondre.

— Et ils sont connus sous le nom de requins flâneurs, parce qu'ils aiment se prélasser à la surface. Je te jure que si j'en voyais un, je serais morte de peur, car ils ont ces toutes petites rangées de dents, conclut Lacy en secouant la tête.

— Lacy, que se passe-t-il ? demanda Dane.

— Comment ça ?

— Pourquoi en sais-tu autant sur les requins ? Je voulais t'aider à les connaître, mais on dirait que c'est déjà le cas, dit-il en croisant les bras sur son large torse et s'appuyant contre le dossier de la chaise.

— Oh, ça. Je suis restée debout toute la nuit du dimanche soir à lire à leur sujet. C'était un accident. Je lisais un article sur la présence d'un requin au large de Cap, et ils ont mentionné Brave, puis j'ai cliqué sur le lien, et tu sais comment ça se passe sur Internet. Quelques heures plus tard, j'étais enfoncée jusqu'au cou dans les faits sur les requins.

— Incroyable, dit Dane avec un sourire en coin. Tu es pleine de surprises. Que penses-tu d'eux maintenant ?

— Les requins ? demanda-t-elle, les yeux assombris. Que veux-tu dire ?

Dane se pencha en avant et posa ses coudes sur ses genoux. Ses mains s'immobilisèrent à quelques centimètres au-dessus de sa jambe. Il faisait attention de ne pas la toucher, même s'il aurait voulu la prendre dans ses bras et chasser cette expression déroutée de ses lèvres.

— Là, dit-il en touchant son torse, tout près de son cœur.

— Je ne sais pas. Je suppose que je n'y avais pas pensé de cette façon. Je veux dire, jusqu'à ce qu'on soit sur ce bateau ensemble, je ne savais même pas que j'avais à ce point peur d'eux. Maintenant que j'y pense, quand je me suis mise à lire des choses à leur sujet, les images m'ont effrayée, mais cela ne m'a pas empêchée de continuer à lire.

Elle regarda les livres posés sur la table et conclut.

— Tu sais, je pense que cela m'a aidée.

— Tu m'as coiffé au poteau. Il y a un nouvel aquarium à environ une demi-heure d'ici. Aimerais-tu aller ? demanda Dane.

— Je ne sais pas. C'est une chose de les voir en images et une tout autre de les voir de près et pour de vrai.

— C'est à toi de décider.

Lacy leva les yeux et soutint son regard.

— Tu m'as amenée ici pour essayer de m'aider à comprendre les requins et me soigner de ma peur, n'est-ce pas ? Pas pour en savoir plus sur Brave.

Carrément.

— C'est si mal ? demanda-t-il.

— C'est la chose la plus gentille qu'un homme ait jamais faite pour moi, dit Lacy en touchant sa cuisse. Vraiment gentil.

Les muscles des jambes de Dane se contractèrent.

— Bébé, murmura-t-il.

— Oui ? demanda Lacy en se penchant plus près.

Ne l'embrasse pas. Ne l'embrasse pas, se répéta Dane avant de se pencher en avant. *Non. Non. Non. Non.*

Son parfum imprégnait ses sens. Il retint son souffle et recula avant de repousser sa main de sa jambe.

— Je suis désolé, Lace. Pas de pression. Nous avons un accord.

Il recula davantage, se laissant assez d'espace pour clarifier ses idées. Il n'était qu'humain, après tout. Jusqu'où pourrait-il s'approcher sans céder ?

— L'accord. Exact, dit-elle en se redressant. Très bien monsieur Braden, quelle est la prochaine étape de la tournée Brave ?

Mes lèvres sur les tiennes, ma langue dans ta bouche, mes mains – bon sang. Arrête ça.

— L'aquarium ?

— C'est toi le patron, dit-elle en soutenant son regard.

Ils replacèrent en silence les livres sur les étagères et quittè-rent la bibliothèque. Chaque regard attisait leur feu, irradiant une passion tendue et étouffée alors qu'ils descendaient la rue vers le parking. Dane sentit Lacy lui lancer des regards furtifs, et il dut user de toute sa volonté pour ne pas se retourner et l'embrasser en plein milieu du trottoir. À la place, il accéléra le pas.

Marcher vers la voiture. J'ai besoin d'une diversion.

Quelques minutes plus tard, ils étaient devant la voiture. Dane lui ouvrit la portière et Lacy s'appuya contre la voiture en triturant le bas de son chemisier.

— Je ne sais pas de quoi tu t'inquiètes. Je ne vais pas tomber amoureuse de toi, dit-elle, le regard empli de ce même sombre défi qu'il avait vu la nuit dernière.

Dane tenait la portière de sa main droite et serrait ses clés dans la gauche. Il soutint son regard. Chaque respiration tiraillait son entrejambe ; chaque pensée affolait ses nerfs tendus.

Lacy le regarda à travers les boucles qui lui retombaient devant les yeux.

Mon Dieu, que tu es belle.

— Peut-être que tu ne peux pas t'empêcher de tomber amoureux de moi… mais je suis forte. Tu peux presser ton corps séduisant contre moi tous les soirs de la semaine, je suis capable de résister.

Dane s'approcha, l'esprit à cent à l'heure, le corps bouillon-nant et les mains comme mues de leur propre volonté – saisir Lacy, l'attraper par sa taille fine et la tenir fermement, puis presser ses hanches contre les siennes. Il se pencha et ouvrit la bouche pour la poser sur la sienne. Bon sang. Il ne pouvait plus lutter contre ses sentiments, surtout quand elle passait son temps à lui envoyer un signal vert.

Ses lèvres planaient au-dessus des siennes, et Lacy se cambra contre lui, les bras autour de son cou pour l'attirer plus près, l'haleine chaude, la poitrine pressée contre lui.

— Teste-moi, bébé, murmura-t-il avant de la planter là pour contourner la voiture, les dents serrer pour résister à son désir.

Quiconque regardait aurait vu un homme confiant et en total contrôle de ses émotions. Mais Dane pouvait à peine réfléchir au-delà de son désir intense pour elle ou entendre autre chose que les jurons qu'il se lançait de ne pas l'avoir embrassée.

Lacy s'installa sur le siège passager et attacha sa ceinture de sécurité avant de croiser les bras et regarder droit devant elle.

— Ça va ? demanda Dane d'un ton trop léger.

— Parfaitement.

— Tu as l'air... frustrée.

Il sourit intérieurement en démarrant la voiture. Au moins, elle pensait à lui maintenant. Son téléphone portable sonna. Il laissa échapper un souffle et répondit au numéro inconnu.

— Excuse-moi, dit-il à Lacy. Dane Braden.

— Dane Braden ? C'est l'officier Eaton de la police de Chatham. Connaissez-vous un certain Robert Mann ?

— Oui, il travaille pour moi, répondit Dane, tout désir balayé par la peur. Il s'est passé quelque chose ?

— Nous l'avons arrêté pour trouble à l'ordre public. Êtes-vous d'accord pour venir le chercher ?

Merde, Rob, qu'as-tu fait ?

— Je ne comprends pas. Trouble à l'ordre public ? répéta Dane en regardant Lacy, qui l'observait du coin de l'œil.

— Il provoquait un groupe d'étudiants, expliqua l'officier.

— Ça ne ressemble pas du tout à Rob. Vous êtes sûr que

c'est lui ? demanda Dane.

— Robert Mann, cheveux bruns grisonnants. Trapu, dans les un mètre quatre-vingts, la quarantaine. Il dit qu'il travaille pour la Brave Foundation.

— J'arrive tout de suite, dit Dane.

Il raccrocha et s'efforça de masquer son inquiétude et son irritation, ainsi que sa culpabilité. Il aurait dû forcer Rob à parler et aller se confier. Bon sang !

— Je suis désolé, Lacy. Je dois reporter notre sortie à l'aquarium. Je vais te ramener à ton chalet.

— Que se passe-t-il ?

Elle était sortie du mode frustré, et semblait inquiète à présent.

— Mon ami Rob. Il est au commissariat. Il semble qu'il a provoqué des étudiants ou quelque chose comme ça. Je ne sais pas vraiment.

— Tu veux que je vienne avec toi ? demanda-t-elle en lui touchant le bras.

— Tu n'as quand même pas envie de t'occuper de ce genre de choses.

— Toi non plus, j'imagine. Peut-être que je pourrais me rendre utile ? Et puis, je n'aimerais pas aller seule dans un poste de police, et ça ne me dérange pas d'y aller si c'est pour que tu ne sois pas seul.

Il ferma les yeux pendant qu'il réfléchissait. Quand il les rouvrit, Lacy le regardait toujours, sa main tenant toujours son bras.

— Lacy, je ne sais pas à quoi m'attendre. Ça ne s'est encore jamais produit, dit-il. Mais il n'était pas lui-même ces derniers temps.

— J'aimerais y aller. J'aimerais être là pour toi.

CHAPITRE QUINZE

Alors qu'ils se rendaient au poste de police de Chatham, Lacy se demanda si elle avait eu raison de le suivre. Elle voulait soutenir Dane, et si ça avait été elle, elle n'aurait pas voulu être seule pour affronter une chose pareille. Mais alors qu'ils s'approchaient du commissariat, elle imagina toutes sortes de criminels drogués qui la peloteraient et essaierait de se saisir de Dane.

Un regard sur le poste de police paisible dissipa toute cette inquiétude. L'endroit ressemblait plus à une école qu'à un lieu où seraient détenus des criminels. De grands piliers blancs soutenaient un délicat porche en A couleur crème et des garnitures blanches, ainsi qu'un beau jardin à l'avant. Plus détendue, Lacy suivit Dane à l'intérieur, où il discuta avec un officier à travers une vitre. Ils montrèrent leurs pièces d'identité ; puis lui et Lacy furent escortés à travers un couloir vers une autre pièce. Ils s'assirent près d'une petite table et attendirent.

— Pourquoi sommes-nous ici ? demanda Lacy.

Dane haussa les épaules.

— Je n'ai jamais vécu cette situation, donc je n'en ai aucune idée, mais j'imagine qu'il y a une procédure bien précise pour le laisser sortir.

Lacy se demanda comment elle se sentirait si Danica ou

Kaylie étaient arrêtées par la police. Serait-elle fâchée de devoir aller les chercher ? Embarrassée ? Inquiète ? Effrayée ? La bouche de Dane était pincée et son front était plissé d'inquiétude. Il se pencha en avant, les mains sur le nez et la bouche, et ferma les yeux. L'inquiétude de Dane envers Rob était visible non seulement sur son visage et dans ses actes, mais également par l'atmosphère qui devenait plus lourde. Lacy avait envie de tendre la main et le toucher pour lui rappeler qu'il n'était pas seul, mais elle se retint. Elle était si confuse sur ce qu'elle devait ou ne devait pas faire avec lui, et sur la façon dont elle devait agir. C'était elle qui avait rompu, et maintenant c'était elle qui voulait se remettre avec lui. Quand ils étaient dans le parking de Chatham, elle voulait tellement l'embrasser qu'elle avait cru qu'elle allait se jeter sur lui s'il ne se décidait pas. Devant l'absence d'initiative de Dane, elle s'était sentie blessée, et cette blessure s'était transformée en embarras, qui à son tour s'était rapidement changé en frustration qu'il se soit ainsi joué d'elle. Toutes ces émotions qui se mêlaient et se battaient pour être entendues n'étaient rien comparées à l'inquiétude qui rongeait son cœur en ce moment.

Elle avait tellement besoin de le réconforter qu'elle lui toucha le bras.

— Est-ce que ça va ?

Il hocha la tête, puis baissa les mains et secoua la tête.

— Je m'inquiète pour Rob. Il s'est remis à boire. J'aurais dû le voir. L'autre jour, Hugh pensait qu'il avait la gueule de bois en venant travailler, et je n'ai pas voulu y croire. Depuis toutes ces années où je le connais, Rob n'a jamais rien fait d'irresponsable. Et voilà qu'il fait ça. Je suis simplement inquiet pour lui. C'est un homme bien. C'est mon ami, et j'ai l'impression qu'il m'échappe. J'aimerais savoir quoi faire.

— Voyons déjà comment il va et ce qui s'est passé ; nous verrons ensuite pour le reste.

— Nous ? demanda Dane.

Lacy haussa les épaules.

— Les amis s'aident.

— Oui, répondit Dane en souriant. Merci.

La porte s'ouvrit et un officier d'âge mûr entra, suivi de Rob et d'un autre officier plus jeune. Dane se leva et se dirigea vers Rob. Ses vêtements étaient froissés, il avait une petite coupure sous l'œil et il utilisait plus naturellement le côté gauche.

— Rob, que s'est-il passé ? demanda Dane en prenant le bras de son ami et lui inspectant le visage.

Les veines du cou de Dane se gonflèrent et ses biceps se contractèrent à tel point que Lacy entendit l'accusation silencieuse dans son regard quand il fixa l'officier.

— Il a provoqué un groupe d'étudiants, s'est battu et il a perdu, déclara l'officier le plus âgé. Nous ne l'avons pas passé à tabac, mais on l'a gardé toute la nuit jusqu'à ce qu'il dégrise.

— Tu étais saoul ? demanda Dane. Bon sang, Rob.

Malgré sa voix dure, la façon dont il tenait Rob – une main sur son avant-bras, l'autre derrière son dos – était douce et affectueuse. Le mot *protecteur* vint à l'esprit de Lacy.

Lacy avait vu suffisamment de photos de Rob pour se rendre compte qu'il n'était pas lui-même en ce moment, vacillant et appuyé contre Dane.

— Qu'avez-vous fait des autres ? demanda Dane. Ils ont aussi été arrêtés ?

— L'un d'eux, oui, mais les autres ont été relâchés. C'est monsieur Mann qui a provoqué le groupe. Nous ne prenons pas ce genre de choses à la légère ici, et si ça se reproduit, on l'arrêtera pour de bon.

— Compris, dit Dane. Est-ce que je peux le ramener à la maison maintenant ?

— Oui monsieur. Et, monsieur Mann, je vous suggère d'éviter les ennuis, vous entendez ?

— Oui, monsieur, répondit Rob.

Avant qu'ils ne franchissent la porte, l'officier ajouta :

— je peux vous poser une question ? Vous êtes les gars de la Brave Foundation, n'est-ce pas ? demanda-t-il sans attendre de réponse. Vous n'avez pas peur d'aller dans l'eau avec ces requins ?

Dane discuta avec l'officier, mais son attention restait concentrée sur Rob.

— C'est moins risqué que de conduire en ville. Vous savez qu'on peut même s'étouffer avec un os de poulet.

Une fois de retour au motel où séjournait Rob, celui-ci s'allongea sur le lit en gémissant. Lacy regarda Dane arpenter la petite pièce bien rangée. Il passa sa main dans ses cheveux, et jeta un coup d'œil à Rob avant de secouer la tête.

— Tu ne veux rien dire ? demanda finalement Dane.

— Je suis désolé, Dane. C'est toute cette histoire avec Sheila.

— J'aurais pu t'aider, t'accompagner aux Alcooliques Anonymes, rester avec toi, te donner du temps libre, n'importe quoi, Rob. Comment as-tu pu laisser cela aller aussi loin ?

La voix profonde de Dane s'adoucit et ses yeux inquiets se posèrent sur Rob.

— Ça m'a fait plonger, je suppose. Ces jeunes étaient en

train de raconter comment ils allaient…

Il jeta un coup d'œil à Lacy avant de poursuivre :

— Ils allaient sortir avec des femmes naïves, mais pas dans le sens consenti. J'ai perdu les pédales. Je n'arrêtais pas de penser à Katie et au fait que je ne suis pas là pour la protéger.

— Katie ? Elle a quatre ans, s'exclama Dane. Tu ne peux pas casser la figure des gens comme ça. Merde alors ! Tu n'avais jamais fait ce genre de choses avant.

— Non, mais je n'ai jamais été séparé non plus.

— Tu sais, je ne voulais pas y croire quand Hugh a dit que tu avais la gueule de bois, dit Dane en croisant les bras sur son torse.

Lacy regarda la mâchoire de Dane se serrer alors qu'il fixait l'homme qu'il aimait comme un frère. La tension entre les deux se multiplia en quelques secondes ; puis Dane laissa échapper un soupir, et la tension se dégonfla comme un ballon éclaté. Il s'assit près de Rob sur le lit et lui prit le bras pour regarder son ami avec plus de douceur.

— Allons à une réunion des AA, mon pote. C'est pour ça que Sheila est partie ? demanda Dane en serrant le bras de Rob.

La dureté de son ton avait disparu, révélant l'homme empathique et véritablement attentionné que Lacy avait appris à connaître. Elle sentit une fissure dans sa résolution.

Rob secoua la tête et se redressa.

— Je n'ai commencé à boire qu'après son départ. On se disputait beaucoup. J'imagine que je ne me rendais pas compte à quel point. Elle n'arrêtait pas de me demander d'arrêter le marquage. Je ne peux pas y renoncer. Je ne peux pas, mais…

Ses yeux se remplirent de larmes.

— Je ne peux pas la perdre. Elle est tout pour moi. Mes enfants… je ne veux pas les perdre.

Dane enveloppa le corps costaud de Rob dans ses bras et plaça une main derrière sa tête alors qu'il le tenait.

— Ça va aller. Elle t'aime, Rob. Ça va s'arranger. Tu as dit que tu avais réglé vos histoires sur le travail. Je n'y ai plus pensé. Écoute, prends une semaine de congé, et va la voir dans le Connecticut. Parlez-en. Elle sait à quel point tu aimes ce que tu fais.

Tu le tiens comme tu m'as tenue. Elle aimait le fait que Dane et sa famille n'avaient pas peur d'exprimer leurs émotions, et alors qu'elle regardait les deux hommes, elle sentit que Rob était vraiment sa famille, ce qui lui fit encore plus aimer Dane.

— Je ne peux pas, dit Rob en s'écartant. Elle a dit qu'elle avait besoin d'espace, mais je vais l'appeler.

— Et une réunion ? demanda Dane en sortant son téléphone et tapant quelque chose. Je vais trouver une réunion par ici où on pourra s'y rendre.

— J'y suis allé hier soir. Mais j'ai merdé après. Je peux le faire. Je l'ai fait il y a quinze ans et je le referai.

— J'irai avec toi. Tu as besoin de soutien, proposa Dane.

Tellement disponible, prêt à être là, quoi qu'il arrive. Lacy sentit son cœur s'ouvrir comme une fleur qui éclot.

— Non. Je dois faire ça seul. Tout le monde sait maintenant, Dane, dit-il en détournant les yeux alors que le rouge lui montait aux joues. Je t'appellerai si j'ai l'impression de faire une rechute. Promis. Je n'ai repris la bouteille que depuis deux jours. Je suis désolé. Tu ne mérites pas cette merde.

Il se tourna alors vers Lacy.

— Je suis désolé, trésor.

— Ne vous excusez pas. Je suis désolée que vous traversiez une période aussi difficile, répondit Lacy.

Dane s'approcha à nouveau de Rob et murmura :

— J'ai confiance en toi. Promets-moi que ça sera une bonne course, car je ne peux pas franchir cette porte en sachant que je pourrais perdre mon meilleur ami.

Une bonne course. Elle avait appris à connaître cette expression dans la bouche de Dane, et elle savait que ça signifiait qu'il faisait confiance à Rob pour s'en sortir. Elle ravala la boule dans sa gorge et réprima l'envie d'ouvrir les bras et de se joindre à eux.

— Je te le promets, Dane, affirma Rob en soutenant son regard.

— Et si tu as besoin de moi, tu me passes un coup de téléphone. Je peux être ici en quelques minutes.

Dane ferma les yeux et Lacy ouvrit les siens.

CHAPITRE SEIZE

Les yeux de Dane étaient encore humides quand ils quittèrent le motel. Lacy détourna le regard afin de ne pas l'embarrasser et sans trop savoir si c'était à elle dire quelque chose.

Quand Dane prit enfin la parole, sa voix était douce et ses yeux étaient contemplatifs.

— Je n'aurais jamais cru que Rob se remettrait à boire. Il a été sobre pendant quinze ans. Quinze ans ! Il avait tout. Ils avaient tout. Je ne comprends pas.

— Il a dit quelque chose à propos de Sheila qui voulait qu'il arrête de taguer, et l'amour est une chose puissante, déclara Lacy. Les gens font des choses stupides pour essayer d'attirer l'attention de ceux qu'ils aiment.

Ou pour les protéger.

— Il n'abandonnera jamais. Mais elle ne partira pas non plus. Elle l'adore. Je les ai vus ensemble, et tu ne peux pas simuler à ce point. Je suis désolé pour tout ça.

— Pas besoin de t'excuser. Rob est ton ami, et il va visiblement mal en ce moment. Tu penses que tu devrais rester avec lui ? Je peux rentrer en taxi. Ça ne me dérange vraiment pas.

Lacy avait l'impression de voir Dane avec de nouveaux yeux. La façon dont il avait abandonné sa colère initiale et s'était occupé de Rob. Le fait qu'il était prêt à renoncer à tout ce qu'il avait prévu pour l'accompagner à une réunion des AA, et la manière dont il l'avait embrassé et réconforté. Ce n'était pas si différent de son comportement avec elle. Là où il avait de l'empathie pour Rob, il avait de la tendresse pour Lacy. Là où il avait de l'amour pour Rob, il avait quelque chose d'étonnamment similaire, semblait-il, pour Lacy. Elle commençait à voir l'homme qui se trouvait sous cette apparence séduisante, et cet homme qui se frayait un chemin dans son cœur réticent.

— Je suis content que tu sois venue. Ta présence m'a aidé, dit Dane. Veux-tu que je te ramène à la maison ou… ?

— Comme tu veux. Si tu veux être avec Rob, je comprends. Ne t'embarrasse pas de moi ; il s'agit de Rob. Il a besoin de toi, dit Lacy.

Dane s'arrêta sur le bord de la route et se pencha vers elle.

— Merci, dit-il en l'attirant contre lui. J'ai de la chance de t'avoir comme amie.

Amie ? Lacy commençait à détester ce pacte stupide. Elle passa ses bras autour de lui, essayant de ne pas inhaler son odeur brute et masculine.

— Rob préfère être seul. Il est déjà passé par là, et il sait ce qui lui convient le mieux. Je dois respecter son désir d'être seul, dit-il en reprenant le volant. On peut toujours aller à l'aquarium si ça te va.

Aquarium. Lacy sentit un battement nerveux dans sa poitrine.

— Je ne suis pas sûre de pouvoir accomplir tout ce que tu as en tête pour moi, et je sais que je ne veux pas m'approcher d'un aquarium à requins, mais à part ça, j'adorerais.

Dans l'entrée du nouvel aquarium se trouvaient plusieurs modèles grandeur nature de différentes espèces de requins. *Parfait.* Dane n'avait pas l'intention de pousser Lacy au-delà de ses limites, mais Danica lui avait dit que la plonger dans différentes activités liées aux requins tout en la surveillant pour détecter des signes de détresse l'aiderait à surmonter ses peurs. Il connaissait plusieurs membres du personnel de recherche, qui avaient quitté d'autres centres pour ouvrir ce nouveau site, et il avait pris des dispositions pour une visite privée avec Lacy. D'habitude, Dane détestait l'idée que des requins soient retirés de leur environnement naturel, mais aujourd'hui, il était reconnaissant pour cet aspect pratique.

— Lacy, nous n'avons pas beaucoup parlé de ce qui s'est passé sur le bateau, et j'aimerais comprendre ce que tu ressens, déclara Dane.

Lacy croisa les bras.

— C'est trop embarrassant.

— Bébé, tout le monde a des peurs. Il n'y a pas de quoi être gênée.

— Ça ne semble pas être ton cas, dit-elle en le regardant à travers ses longs cils.

— Oh que si, répondit Dane en riant.

Ma peur de te perdre par exemple.

— Si je ne suis jamais venu te voir, c'était par peur, même si je ne me l'explique pas vraiment. Ça ne pouvait pas être autre chose. Et chaque fois que je plonge dans l'océan avec un grand requin blanc, je ressens une sorte de peur. Ce n'est pas envahissant, mais c'est là au fond de ma tête.

— Tu avais peur de me voir ?

— Je te l'ai en quelque sorte déjà expliqué. J'avais peur de ce que je ressentais, et je ne voulais pas te rencontrer en sachant le genre d'homme que j'avais été. Mais nous ne tombons pas amoureux, tu te souviens ? Alors, n'empruntons pas ce chemin. Je veux en savoir plus sur toi, Lace, pas ressasser qui je suis. Je veux savoir ce que tu ressens au sujet de la crise de panique que tu as eue.

— Plus je lisais sur les requins, plus je me sentais calme, mais c'était peut-être simplement mon côté rationnel, déclara-t-elle.

— Mais comment te sens-tu, Lace ? Quand tu penses à un requin, que ressens-tu ?

Danica lui avait dit d'être vigilant sur l'évolution des émotions de Lacy durant le processus de désensibilisation, et lui avait également donné un ou deux avertissements fraternels. Elle avait dit que chez certains patients qui cachaient leurs peurs – ou les refoulaient – pendant de longues périodes, la peur pouvait surgir avec force et rapidité, mais qu'elle pouvait aussi s'estomper rapidement lorsque la personne comprenait que ses craintes étaient infondées. Dane n'était pas sûr que ce soit si facile.

— Je suppose que je ne ressens pas grand-chose. Mais ça sera probablement différent si je me trouve sur un bateau et que je vois un requin dans l'eau. D'après Danica, il y avait probablement d'autres facteurs que le requin à ma crise de panique, et j'étais probablement anxieuse à l'idée de te voir après avoir construit toutes ces attentes. Je dois affronter cette peur, ajouta-t-elle en haussant les épaules.

Dane se détendit.

— Eh bien, nous n'allons pas pousser les choses, dit-il.

— Tu es censé me plonger dans le champ d'activité de Brave.

— Exact, approuva Dane en souriant. Fais-moi confiance. Tu verras tout. Je vais juste m'assurer que tu te sentes bien. Si tu te sens mal à l'aise à n'importe quel moment, que ce soit avec moi ou juste ici, fais-le-moi savoir, d'accord ?

Lacy eut conscience que Dane la surveillait, dès qu'ils entrèrent dans l'aquarium. L'entrée était bordée de maquettes de différentes espèces de poissons. Lacy passa sa main sur chacune d'elles, sentant la céramique fraîche sous ses doigts, la rugosité des écailles gravées et le verre lisse des yeux. Elle voulait surmonter sa peur, mais elle se sentait déjà mal à l'aise et elle ne voulait pas quitter Dane d'une semelle.

— Un peu différent de ceux de la Frying Pan, hein ? demanda Dane.

— Oui, ils sont plus apaisants.

Elle sentait les yeux de Dane posés sur elle et surveillant ses moindres réactions. Quand elle se rapprocha des plus grands modèles, il se rapprocha un peu plus. Les maquettes ne provoquaient pas d'anxiété chez elle, mais la présence ce Dane qui l'observait avec ses yeux de faucon, très certainement. Chaque fois qu'il se rapprochait, des papillons s'envolaient dans son ventre.

Elle jeta un œil dans le couloir et remarqua que les modèles devenaient de plus en plus grands à mesure qu'ils s'approchaient de la pièce contenant les bassins. Elle passa au modèle suivant. *Est-ce que je vais paniquer en arrivant aux requins ?*

Dane se tenait devant un poisson qui semblait mesurer dans les un mètre.

— Crois-le ou non, c'est un thon, expliqua-t-il Dane.

— Ils sont plutôt mignons.

Son bras effleura l'épaule de Lacy, qui leva les yeux vers lui. Elle aimait sa silhouette imposante et la puissance de son torse, et quand il toucha le poisson, elle se souvint de la sensation agréable de ses mains fortes sur son corps.

— Je ne pense pas que beaucoup de gens qualifieraient ce poisson de mignon, dit-il. Mais encore une fois, tu n'es comme aucune personne que je connaisse.

Lacy sentit son visage rougir. Elle baissa les yeux.

— Désolé, Lace. Je ne veux pas t'embarrasser. On va passer aux maquettes de requins. Est-ce que ça va ? Comment te sens-tu ?

— Je vais bien.

Elle envisagea de lui prendre la main. Même si elle n'était pas encore nerveuse, elle devinait que ça n'allait pas tarder.

— Tu es sûre ?

Son regard était si sincère qu'elle ne pouvait plus respirer.

— Oui, je vais bien, lui assura-t-elle en souriant.

— Le prochain est un requin à pointes noires, dit-il en posant une main sur ses reins pour la guider vers l'avant.

En sentant la chaleur de sa main sur son dos, elle réalisa à quel point elle appréciait son contact. Merde, de qui se moquait-elle ? Elle appréciait tout de lui, de la façon dont il la regardait à la façon dont il avait dû serrer les dents tout à l'heure pour s'empêcher de l'embrasser.

— Tu vois les marques noires distinctives ? Ces bêtes sont rapides, expliqua Dane.

Le rythme cardiaque de Lacy s'accéléra en touchant la maquette, mais elle ignorait si cela venait du modèle ou de la présence de Dane.

Il posa sa paume près de la sienne, et leurs pouces se touchèrent.

— Tu vas toujours bien ? demanda-t-il à nouveau en posant un regard assombri et séducteur sur elle.

— Je pense que oui.

Bon sang, c'est plus dur que ces satanés requins.

— On continue ? demanda Dane.

Oui. Mon Dieu, oui. Elle était captive de son regard.

Il indiqua le modèle suivant, et Lacy laissa échapper un souffle qu'elle retenait sans en avoir conscience. Elle força ses jambes à se déplacer vers le modèle suivant. *Ressaisis-toi. Il fait quelque chose de gentil pour toi et tu te comportes comme une écolière énamourée.*

Lacy le suivit, et lorsqu'elle lui prit la main, c'était pour calmer sa nervosité.

— Je suis là. Tout va bien.

Dane lui tint fermement la main et fit un pas de plus pour plaquer son torse contre son dos. Lacy hocha la tête. Elle recula pour accentuer le contact et sentir sa sécurité. Elle fixa la maquette de l'énorme requin-bouledogue.

— C'est un requin-bouledogue. Ils sont très agressifs, déclara Dane.

Je vais bien. Je vais bien. Je vais bien.

— L'un des requins les plus courants, ajouta-t-elle.

— Oui, ils sont assez communs dans les eaux chaudes, confirma Dane en posant sa main sur son épaule. Est-ce que ça va ?

— Oui, je pense que oui. C'était plus facile de gérer les plus petits, dit-elle en lui faisant face, les yeux à quelques centimètres de son torse. Je sais qu'ils ne sont pas réels. Je ne comprends pas pourquoi je suis si nerveuse.

Lacy se demanda si ce que pensait Danica était vrai. Était-elle nerveuse à cause de Dane *et* des requins, ou était-ce uniquement à cause de l'un ou de l'autre ?

— N'insistons pas, dit-il en désignant le couloir.

Lacy suivit son regard jusqu'à un panneau qui disait : À LA RENCONTRE DES REQUINS. Elle devait savoir si le problème était Dane ou les requins. Elle n'avait pas encore eu de crise de panique, alors peut-être que ce n'était pas Dane la raison après tout.

— Je veux essayer d'entrer, mais je ne peux rien promettre, déclara Lacy.

— Je ne sais pas, Lace. Tu es sûre ?

Elle s'appuya sur les conseils que Danica lui avait donnés. *Je vais bien. Ils sont dans des bassins. Ça ira.*

— Je n'ai pas à aller jusqu'au bout si ça me rend trop nerveuse, mais je crois que je veux essayer.

— C'est toi qui décides, dit-il en lui tenant la main. Mais si tu te sens mal, tu dois me prévenir.

— Dane, tu me surveilles comme un faucon. Tu le saurais, dit-elle avec un sourire.

Il acquiesça.

— Excuse-moi.

— C'est bon. Je t'en suis reconnaissante.

— Très bien, dit-il en prenant une profonde inspiration, comme si c'était lui qui craignait les requins. Ça va ?

— Oui, je vais bien, mentit-elle.

Il dut entendre la tension dans sa voix, car il lui serra la main. Elle était reconnaissante de la force de sa poigne et de sa protection.

— Tu peux me tenir la main, mais souviens-toi de ne pas

tomber amoureuse, la taquina-t-il.

Elle hocha la tête, incapable de dire quoi que ce soit. *Je vais bien. Je vais bien. Je vais bien.*

Ils passèrent devant les deux dernières maquettes sans s'arrêter, et suivirent les panneaux qui indiquaient l'exposition sur les requins. Une fois sous l'entrée voûtée, Lacy s'arrêta brusquement. Face à eux se dressait un mur de verre derrière lequel nageaient trois requins coup sur coup. Lacy retint son souffle et regarda autour d'elle. Les bassins étaient disposés tout autour de la pièce et les requins nageaient en rond autour de celle-ci.

— Ils ne peuvent pas te toucher, Lace, lui assura Dane. Je suis là, et je ne laisserai rien t'arriver.

Les yeux de Lacy étaient fixés sur les requins alors qu'ils nageaient autour du bassin.

— Lace ?

— Oui ?

Je ne vais jamais y arriver.

— Je pense que je m'en sortirais mieux s'ils n'étaient pas si gros.

— Allons-y, Lace. Inutile de trop pousser.

Affronte tes peurs. Lacy ferma les yeux et demanda :

— Pose-moi des questions.

— Quoi ?

Elle le regarda en essayant de ne pas laisser son envie de fuir prendre le dessus.

— Je ne peux pas entrer là-dedans, mais pose-moi des questions à leur sujet. Si je me concentre sur les faits, cela m'aidera, expliqua-t-elle en lui tenant le bras. Je sais qu'ils ne peuvent pas me toucher. Mais mon cœur bat la chamade et j'ai envie de m'enfuir. Danica m'a dit d'affronter mes peurs, et je fais de mon mieux. S'il te plaît, pose-moi des questions.

— Quel est ce requin ? demanda Dane.

Ses yeux ne quittaient jamais son visage. Quand il s'approcha, Lacy se pencha contre lui pour calmer son corps tremblant. *Oh mon Dieu.*

— Euh...

Elle plissa les yeux en se concentrant sur l'espèce. Elle regarda leurs formes, leurs nez, la largeur de leurs corps, leurs queues.

— C'est un requin-taureau, là ?

Elle n'arrivait pas à lâcher son bras pour pointer le requin, et elle entendait sa propre voix qui tremblait.

Je vais bien. Je vais bien. Je vais bien.

— Ça, c'est ma copine. Oui, un requin-taureau approuva Dane.

Ma copine. Lacy essaya de se concentrer sur ce qu'il avait dit au lieu de l'anxiété qui montait en elle. Elle plissa les yeux et scruta les requins.

— Celui-là, je sais ce que c'est, dit-elle en regardant Dane avant de revenir à l'aquarium. C'est un... Oh, mon Dieu, je le sais. Euh, un requin-nourrice, et probablement une femelle, d'après sa taille.

— En plein dans le mille, dit Dane.

Quand elle leva les yeux, elle croisa son sourire fier, et même si elle n'arrivait pas à le lui rendre, elle ressentit une bouffée de fierté de ne pas s'être enfuie – ou de ne pas s'évanouir.

— Ça va ? demanda-t-il.

— Je pense que oui. Si je suis distraite, c'est beaucoup plus facile.

— J'essaierai de m'en souvenir, dit Dane d'un ton affectueux qui n'échappa pas à Lacy. Allez, on t'a assez torturée pour aujourd'hui.

C'était une affirmation et non une demande.

Dane la guida le long du couloir, et dès qu'ils revinrent aux maquettes, elle sentit la tension se relâcher dans ses membres.

— C'était énorme, Lacy, dit Dane en lui prenant les bras et lui souriant largement. Comment te sens-tu ?

Elle cligna des yeux pour dissiper la peur qu'elle avait ressentie en étant avec les requins.

— Je... bien, je pense.

— Je suis tellement heureux pour toi.

Il la serra contre lui, et l'anxiété restante de Lacy se dissipa. *Mon Dieu, j'aime quand tu me tiens dans tes bras.*

— Puisque tu as si bien réussi, je veux te montrer quelque chose de vraiment spécial.

Dane la guida loin de la zone des requins, à travers un autre couloir, et s'arrêta devant une porte marquée PRIVÉE.

— Je ne suis pas sûre que nous sommes censés y entrer, émit Lacy.

S'il pense que je vais l'embrasser dans l'aquarium, il se trompe. Je pense...

Dane frappa à la porte et une grande femme mince aux cheveux bruns et courts ouvrit la porte.

— Dane Braden ! s'exclama-t-elle en le serrant dans ses bras.

Lacy ressentit une pointe de jalousie. Était-ce une de ses anciennes copines ? *Non. Il ne me présenterait pas quelqu'un avec qui il a couché.*

— Sara, voici Lacy Snow, dit Dane en posant une main au creux de son dos. Lacy est celle dont je t'ai parlé.

Donc il a parlé ?

— Bonjour, dit-elle.

La main de Dane resta sur son dos alors qu'ils suivaient la femme dans ce qui semblait être un laboratoire, et ce contact intime lui donnait le sentiment d'être spéciale.

— Sara et moi avons travaillé ensemble sur plusieurs projets de recherche. Elle a le meilleur des boulots, expliqua Dane.

— C'est donc vous qui avez transformé le cœur de Dane en guimauve ? dit Sara avec un sourire éclatant.

Lacy se sentit rougir, et quand elle regarda Dane, elle vit que lui aussi. Sa jalousie disparut en voyant l'amour dans les yeux de Dane.

— Oui, j'ai un travail formidable, déclara Sara avec un sourire éclatant. Lacy, venez voir cet aquarium.

Elle désigna un bassin qui mesurait environ trois mètres sur deux, et dont la hauteur était au niveau de la poitrine de Lacy.

Lacy regarda dans cette direction, consciente de la main de Dane sur son omoplate. À l'intérieur du bassin se trouvaient deux requineaux. Lacy haleta.

— Dane, regarde, s'exclama-t-elle en lui prenant la main.

— Je sais, dit-il en s'avançant. Incroyable, non ?

— Il est rare que des requins naissent en captivité. En général, ils meurent. Nous nous sentons donc très chanceux d'avoir ces derniers arrivants. Ce sont des requins gros de récif. Nous sommes prudemment optimistes à leur sujet, déclara Sara. Je passe mes journées à surveiller ces petits coquins.

Lacy ne s'était pas rendu compte qu'elle tenait le bras de Dane jusqu'à ce qu'ils reculent du bassin.

— Je peux les toucher ? J'ai tout lu sur l'épaisseur de leur peau, et...

Elle regarda Dane et inspira profondément sans lui lâcher le bras.

— Je me doute que c'est dur, mais est-ce que je pourrais les toucher du bout des doigts ?

Sara et Dane échangèrent un regard et Dane hocha la tête.

— Normalement, nous portons des gants lorsque nous manipulons les requins, mais Dane m'a expliqué ce que vous avez vécu. Je suis heureuse de voir que vous cherchez à comprendre nos amis incompris. Si ça ne vous dérange pas d'utiliser ce savon spécial, dit-elle en désignant de la tête un lavabo à sa gauche. Alors oui, bien sûr que vous pouvez.

Le cœur de Lacy s'emballa. *Je vais toucher un bébé requin. Un requin !* Elle fut surprise de ne pas ressentir de la peur. Elle ne tremblait pas, ses nerfs ne ressemblaient pas à des câbles sous tension, et quand elle regarda Dane et qu'elle vit l'inquiétude dans ses yeux, elle ne put s'empêcher de se sentir fière.

— D'accord. Je suis prête.

Elle prit la main que Dane lui tendait et se dirigea vers l'aquarium. Le regard de Dane ne la lâchait pas, et savoir qu'il était près d'elle lui donnait la force de continuer.

Je vais bien. Je vais bien. Je vais bien. Elle retint son souffle et tendit la main vers l'eau avant de se mettre à trembler. Elle prit alors quelques profondes inspirations. Dane lâcha son autre main afin qu'elle puisse se tenir au bassin, puis il posa une main ferme au creux de ses reins.

— Vas-y doucement, Lace, murmura-t-il.

Lacy hocha la tête et tendit à nouveau la main. Elle cassa la surface de l'eau avec son index alors que le requineau nageait en dessous, et passa le bout du doigt contre sa peau rugueuse. Elle ramena sa main contre elle en haletant, ses yeux rivés sur l'eau.

Dane se pencha plus près et elle sentit son souffle chaud sur sa joue.

— Je suis là.

Elle hocha la tête, puis regarda Sara.

— Je peux ? Une… une autre fois ?

Sara acquiesça.

Dane s'approcha, le corps contre son flanc, une main sur le bas de son dos, l'autre sur sa hanche. Elle tendit à nouveau la main alors que le requineau nageait en dessous, et cette fois, elle l'avança en fermant les yeux. L'insolite texture rugueuse de la peau la fit frissonner, et elle sortit lentement sa main de l'eau.

— Tu trembles, dit Dane en la prenant dans ses bras et la serrant contre lui.

Elle sentit son cœur qui tambourinait contre sa joue, et elle ferma les yeux, le cœur empli de fierté. *Je vais bien. Je l'ai fait, et ça va.* Dane la serra plus fort, et quand elle leva la tête, elle vit que ses yeux étaient étrangement humides.

CHAPITRE DIX-SEPT

— C'était l'après-midi le plus incroyable de ma vie. Je l'ai touché, Dane. J'ai touché le bébé requin et je n'ai pas paniqué. Je ne me suis pas évanouie, et je n'ai pas fui en pleurant.

Ils avaient passé une heure de plus à l'aquarium, et à présent ils rentraient à Chatham. Le soleil planait derrière la limite des arbres, baignant la Route 6 d'un gris rosé. Lacy n'avait pas arrêté de parler depuis qu'ils avaient quitté le centre de recherche, et c'était comme de la musique aux oreilles de Dane. L'enthousiasme de la jeune femme lui rappelait celle dont elle avait fait preuve le jour de leur première rencontre à Nassau.

— Je suis si heureux pour toi, Lacy.

— Pour moi ? Et toi alors ?

Dane lui jeta un coup d'œil. Elle avait assemblé ses boucles blondes et les avait fixées derrière sa nuque avec un élastique. Le bleu de ses yeux était vibrant et plein d'espoir.

— Mon Dieu, Lace, tu es si belle, laissa-t-il échapper avant de jurer intérieurement.

Il avait si peur de la faire fuir qu'il se ressaisit immédiatement.

— Excuse-moi. Comment ça, *et moi* ?

— Dane, tu peux me dire que tu me trouves jolie. Merci. Ça m'a surpris que tu lui aies parlé de moi.

— Tu as été mon monde pendant un an et demi. J'ai parlé de toi à tout le monde, Lace.

Pendant une minute, elle resta là à le regarder, comme si elle ne savait pas quoi répondre ou qu'elle attendait qu'il en dise plus. Face à son silence, elle déclara :

— Ça veut dire que je pourrais probablement surmonter la peur qui m'a tant secouée sur le bateau.

Dane voulait la prendre dans ses bras et se laisser emporter par la joie que lui procuraient ses progrès, mais il ne se faisait pas assez confiance et craignait de pousser leur amitié trop loin, et ce n'était pas à lui de le faire. Il était déterminé à la laisser prendre l'initiative sans la presser.

Il lui répondit donc :

— C'est vrai. Comme je l'ai dit, je suis heureux que tu surmontes tes peurs. Ça te permettra d'avoir une vie plus remplie et plus riche, sans être paralysée par la peur.

— Merci… dit-elle.

Il sentait ses yeux posés sur lui alors qu'il conduisait vers la ville.

— Je te dépose au pavillon ? demanda-t-il.

— Je le suppose.

La déception était perceptible dans sa voix. *Bon sang, comment suis-je censé me comporter ? Je veux que tu tombes amoureuse de moi, mais si j'agis selon mes sentiments, je risque de t'effrayer.*

— Je dois prendre des nouvelles de Rob, dit-il.

— Oh, bonne idée. J'espère qu'il va bien.

— Moi aussi.

Ils roulèrent dans un silence gêné jusqu'au cottage de Lacy. Il la raccompagna jusqu'à sa porte en se demandant comment combler le fossé qui s'était creusé entre eux durant les vingt dernières minutes. Bon sang.

Les clés de Lacy planèrent devant la serrure, puis elle se retourna et leva les yeux vers Dane.

— Et après ? Je suivrai le programme demain ?

— Oui, ça marche.

Il s'efforçait d'avoir l'air nonchalant, même s'il mourait d'envie de la prendre dans ses bras et l'embrasser jusqu'à lui faire perdre haleine.

Lacy hocha la tête.

— Demain, c'est la Brave Exhibit ?

— Oui, confirma-t-il.

Elle hocha à nouveau la tête en regardant ses clés.

— Dane.

— Hmm ?

Invite-moi à entrer. Prenons du vin, rions, discutons. Tout ce que tu veux, mais ne me dis pas bonne nuit.

— Je dois contacter mon patron ce soir. Je lui dirai que ça marche finalement.

Elle se tourna et ouvrit la porte. Les yeux de Dane se posèrent sur la courbe de ses hanches, mais les mots tournaient dans son esprit : *ça marche finalement.*

— Merci, j'apprécie. Je sais que la journée a été stressante, mais si c'était facile de surmonter ses peurs, personne n'aurait besoin de thérapie par immersion, déclara Dane avant de se figer, les dents serrées.

— Thérapie par immersion ? répéta Lacy en fronçant les sourcils.

— J'ai peut-être appelé une amie pour lui demander comment t'aider à surmonter ta peur.

Dane détourna les yeux et se concentra sur un arbre dans la cour avant. Les muscles de ses bras et de son cou se tendirent en prévision de la colère de Lacy.

— Tu as fait ça ?

Ce n'était pas une accusation.

Il se tourna vers elle et tendit la main pour remettre en place une boucle que la brise balayait sur sa joue. Elle ferma les yeux quand son doigt lui effleura la joue, et sourit, apaisant l'inquiétude de Dane.

— Je l'ai fait. Je voulais t'aider, expliqua-t-il.

— Dane, je n'arrive pas à croire que tu aies fait ça. C'est vraiment attentionné de ta part.

Elle lui toucha le bras, et il sentit son corps crier de l'envie de l'embrasser à nouveau, mais il était bien trop nerveux. *Des pas de bébé.*

— Je suis content que tu ne sois pas en colère.

— C'est tout le contraire, dit-elle en secouant la tête.

Il sourit.

— Tant mieux. Demain, nous irons voir la brave Exhibit. Pas de requin vivant. Je le promets, dit-il en l'embrassant sur la joue et essayant d'ignorer le tiraillement de son entrejambe. Bonne nuit, Lacy.

Il descendait les marches du perron quand elle l'appela.

— Oui ? demanda-t-il.

Elle le fixa durant un si long moment que Dane faillit revenir sur ses pas pour l'embrasser à nouveau.

— Merci, dit-elle. Pour tout.

Il acquiesça.

— Bien sûr. Je veux juste que tu sois heureuse.

Il se dirigea vers sa voiture et la regarda entrer dans le cottage et refermer la porte derrière elle. Bon sang. Il détestait l'idée de la quitter à nouveau, mais il était réconforté par le fait de l'avoir aidée aujourd'hui. *Au moins, ce n'est pas rien.*

Il démarra la voiture et avant de partir, appela Rob.

— Salut, Dane, dit Rob.

Il avait l'air reposé et semblait avoir les idées bien plus claires que quand il l'avait quitté plus tôt dans la journée.

— Bonsoir. Comment vas-tu ? demanda-t-il en se massant les tempes entre son pouce et son index dans une tentative de se concentrer sur Rob au lieu de son désir pour Lacy.

— Bien. En fait, j'ai appelé Sheila. Elle va venir à Cape avec les enfants, déclara Rob. Et je suis allé à une réunion des AA tout à l'heure. Je te remercie vraiment de ton aide, Dane, et je ne vais pas te décevoir. Je sais comment tuer ce monstre.

Dieu merci.

— C'est super, Rob, et je suis là si tu as besoin de moi. Tout ce que tu as à faire c'est de m'appeler. Jour et nuit. Je suis avec toi.

— Comme toujours. Merci mon pote. Est-ce qu'on navigue avec ta jolie copine demain ? s'enquit-il.

Dane sourit en regardant le cottage.

— Pourquoi est-ce que tu ne passerais pas la journée de demain avec Sheila et les enfants ? Partez sur un bon pied. On sortira le lendemain.

— Mec, ce serait génial. Je vais appeler Sheila pour lui dire. Tout s'est enchaîné si vite que ça m'a déstabilisé, Dane, et je suis vraiment désolé. En fait, ça m'a semblé aller vite, mais comme Sheila l'a souligné, ça fait deux ans qu'elle me demande de quitter l'entreprise. Je me mentais à moi-même, déclara Rob.

— Et ?

Dane avait le sentiment que Rob était sur le point de larguer une bombe qu'il ne voulait pas entendre.

— Rien. Nous y travaillons.

Dane laissa échapper un soupir de soulagement et se força à ne pas harceler son ami pour plus d'explications. Il savait que

Rob lui dirait tout dès qu'il serait prêt.

— Hé, Dane.

— Oui ?

— À une bonne course, déclara Rob.

— Oui. Une bonne course.

Avec Lacy et avec toi.

L'estomac de Lacy faisait des sauts périlleux. Elle avait espéré que Dane essaierait au moins de l'embrasser pour lui dire au revoir, mais il n'avait fait aucune tentative. C'était un satané parfait gentleman. Elle détestait la promesse stupide qu'elle avait faite. Pourquoi avait-elle accepté ? En tout cas, il était hors de question que ce soit elle qui fasse le premier pas.

Elle envoya un e-mail à son patron pour lui expliquer que tout allait bien et qu'elle appréciait la mission. Puis elle prit une douche rapide pour se vider l'esprit. Partout où elle regardait, elle voyait Dane. Elle vérifia son téléphone pour voir si elle n'avait pas de messages, mais il n'avait ni appelé ni envoyé de SMS. *Merde.* Elle devait arrêter de penser à lui. Lacy sortit sur le perron et appela Danica.

— Bonsoir sœurette, comment ça va ? demanda Danica.

— Super et mal en même temps, dit Lacy en se laissant tomber sur une chaise longue.

— Raconte-moi tout.

— Ah, Dane. Dane est merveilleux. Il est tellement gentil et… tu sais comment il est. Ce n'est pas nouveau. Nous avons convenu de ne pas tomber amoureux l'un de l'autre, et maintenant je ne pense qu'à ça. Il a dû sortir son ami de prison sous caution et…

— Quoi ?

— Oui, tu te souviens que je t'ai parlé de son meilleur ami, Rob ? Tu as vu les photos. Je te les ai envoyées par email il y a des mois.

— Oh, oui, le chasseur de requins aux cheveux bruns, dit Danica.

Lacy regarda la mer en se souvenant du soir où elle avait trouvé Dane assis dans le sable. Elle sourit au souvenir.

— Oui. Il traverse une période difficile avec sa femme et c'est un alcoolique repenti – eh bien, il l'était. Sa femme l'a quitté et il a recommencé à boire il y a quelques semaines. Il s'est battu et a été arrêté par la police. C'est une triste histoire. Il a la quarantaine, et il est vraiment brisé par ce qui se passe avec sa femme. Mais Dane était tellement ému. Il a toujours dit que Rob était comme un frère pour lui, et aujourd'hui je l'ai vu. Il était si attentionné, si protecteur. Il lui a même proposé d'aller aux réunions des AA avec lui, expliqua Lacy.

— Je pense que Dane est un type bien, Lace. On dirait qu'il essaie vraiment de faire de son mieux, mais je pensais que tu étais censée en apprendre davantage sur son entreprise.

— Mais oui. Il m'a emmenée à la bibliothèque, et il était si mignon. Il avait tous ces livres sur les requins, et il voulait que je les lise pour me familiariser avec eux. Mais, Danica, j'étais bêtement restée debout toute la nuit du dimanche à lire sur les requins. Bref… il m'a emmenée dans un nouvel aquarium et j'ai caressé un bébé requin. Tu serais tellement fière de moi. Mais je n'ai pas pu entrer dans la salle où il y a les requins. Ça m'a complètement fait flipper. Je me tenais dans l'embrasure de la porte, accrochée au bras de Dane.

— Pas de crise de panique ?

— Non, mais je n'étais pas dans la salle. Je me tenais sur le pas de la porte.

— C'est génial, Lacy. C'est un grand pas en avant, mais ne sois pas surprise si tu as une autre crise de panique à un moment donné. Ce serait surprenant si tu pouvais te désensibiliser en une journée, déclara Danica.

— Oh, et il a reçu des conseils sur la thérapie par immersion pour m'aider à surmonter ma peur.

— À ce sujet…

— Danica, s'il te plaît dis-moi que tu n'as pas fait ce que je pense que tu as fait.

Lacy était à la fois en colère et ravie.

— Je n'ai rien fait d'autre que répondre à un appel téléphonique… et peut-être donner un petit conseil, admit Danica.

— Il t'a appelée ? demanda-t-elle en comprenant un peu mieux ce qui s'était passé. Alors c'était toi l'amie dont il a parlé. Et tu ne m'as rien dit ? Comment as-tu pu ?

— Lacy, si je te l'avais dit, tu aurais été en colère après moi, et je vois bien ce que vous ressentez l'un pour l'autre. De plus, je n'ai pas fait que lui donner des conseils. Je lui ai dit que s'il te faisait du mal, Blake le tuerait, ajouta-t-elle avec un sourire dans la voix.

— C'est tout simplement génial. Alors il est allé consulter la sœur dans mon dos.

Lacy aurait voulu être furieuse, mais elle en était incapable. Personne n'aurait fait ce qu'il avait fait, à moins qu'il – Oh, mon Dieu – l'aime vraiment.

— Lace, peu d'hommes iraient aussi loin. J'ai été impressionnée, admit Danica.

Lacy soupira.

— Oui, je suppose que je le suis aussi. Il n'est pas comme les autres hommes que je connais. C'est un peu ce que je voulais te demander. J'ai bien réfléchi, et je me demandais si tu n'avais pas raison, et si ma crise de panique ne concernait que le requin. Est-ce que ça aurait vraiment pu venir d'autre chose ? Le requin, les souvenirs et l'idée qu'après tout ce temps j'étais enfin avec Dane ? Est-ce que ça aurait pu me faire peur ? demanda Lacy.

— C'est possible, mais Lace, tu dois faire attention. Tu ne peux pas être trop optimiste et penser que tu iras bien sur un bateau quand il sera en mission. C'est vraiment dangereux, lui rappela Danica.

— Je ne l'accompagnerai pas en mission. Ne t'inquiète pas. Danica ?

— Oui ?

— Je l'aime vraiment beaucoup. J'ai l'impression que tout ce temps nous a préparés à tomber amoureux l'un de l'autre quand on s'est vu. Je sais que c'est fou, dit Lacy en s'appuyant contre la balustrade et passant son doigt sur le bois rugueux.

— Ce n'est pas si fou. Vous avez partagé vos vies. C'est juste que vous l'avez fait à distance. Vous avez partagé vos secrets, Lacy. Vous avez partagé vos cœurs. Donc, d'une certaine manière, vous vous êtes préparés à ça.

— Mais ne devrais-je pas ressentir quelque chose qu'il soit sorti avec des femmes à cette époque ? Comment peut-on être intime avec une autre personne en ayant des sentiments pour une autre ? Je ne comprends pas.

— Oh, Lacy, l'intimité est tellement différente de ce que tu définis. Le sexe c'est le sexe. Il peut s'agir de relations sexuelles sans amour pour combler un vide ou atténuer une frustration, ou il peut s'agir d'intimité et d'amour. Le sexe n'est pas exclusif à l'amour.

Lacy soupira.

— Je sais, mais…

— D'après ce que tu m'as dit, il n'essaie pas de cacher qui il était. Il est honnête et, l'honnêteté est la chose la plus importante dans une relation, expliqua Danica avant d'ajouter : n'as-tu jamais rien fait dans ta vie dont tu aurais honte si quelqu'un le découvrait ?

— Non.

— Rien ? Jamais ? Tu n'as jamais triché à un examen ou embrassé un professeur ? Tu n'as jamais fait l'amour sur le toit de ton lycée ? Tu ne t'es jamais masturbée devant une photo du père de ta meilleure amie ? demanda Danica.

— Seigneur, Danica, quel genre de personnes as-tu aidées quand tu étais thérapeute ? Non, je n'ai pas fait ces choses-là, dit Lacy avant de s'effondrer sur une chaise.

— Eh bien, tu es vraiment parfaite, petite sœur, la taquina Danica. Écoute. Peut-être que tu as raison. Peut-être que tu n'es pas faite pour être avec lui, malgré tes sentiments. Il faut une personne vraiment forte et spéciale pour pardonner un passé si différent du sien.

— À t'entendre, j'ai l'air d'une pimbêche ou quelqu'un qui se croie au-dessus de lui, déclara Lacy.

— Non. Je suis juste réaliste. Si tu avais fait certaines de ces choses, tu aurais peut-être compris l'usage du sexe comme moyen d'évasion. Mais tu ne l'as jamais fait, donc pour toi c'est étrange. Comment as-tu pardonné à papa ?

Lacy imagina les yeux sombres et sérieux de Danica en train de la regarder en attendant une réponse.

— C'est mon père. Je ne lui ai pas pardonné si facilement, et je ne suis pas sûre de l'avoir encore complètement fait. Il y a des moments où tout cela me bouleverse encore, mais ensuite je me rends compte qu'il a aimé deux femmes… en même temps.

— Mais n'est-ce pas pire que de n'en aimer aucune et de le dire honnêtement ? Il ne vit pas une double vie, à moins que... vous vous étiez promis d'être exclusifs pendant tous ces mois ?

— Non, Danica, tu sais bien que non, dit Lacy en se levant et faisant les cent pas.

— Alors, je pense que tu dois prendre une décision. Tu es soit partante pour cette relation et prête à oublier son passé – l'oublier vraiment, ce qui veut dire ne pas en parler chaque fois que vous vous disputerez – ou tu n'en veux pas et tu passes à autre chose.

— Mon Dieu, parfois je te déteste, dit Lacy.

— C'est à ça que servent les grandes sœurs. Qu'est-ce que tu fais ce soir ?

— Apparemment, prendre une décision qui changera ma vie.

CHAPITRE DIX-HUIT

Une fois de retour sur le bateau de Treat, Dane sortit de la douche en se demandant s'il aurait dû tenter quelque chose avec Lacy. Son commentaire sur son patron lui avait donné de l'espoir, mais elle ne l'avait pas invité à entrer après leur journée passée ensemble. Merde, elle n'avait pas fait de sous-entendus non plus. À présent, il était coincé sur ce bateau et elle lui manquait. Dane n'avait pas l'habitude d'avoir à courir après les femmes, encore moins de devoir s'abstenir de leur courir après. Il ramassa ses clés et se dirigea vers la voiture. C'était lui l'homme dans cette relation, et il était temps d'agir en conséquence. Si elle ne voulait pas être avec lui, elle allait devoir lui dire en face. Ce soir. *Maintenant.*

Son téléphone vibra. Il le prit en espérant que c'était Lacy, mais c'était Hugh. Il lut le SMS.

— *As-tu arrangé les choses avec Lacy ?*

Dane sourit et répondit.

— *J'essaie. Merci de m'encourager.*

Il monta dans la voiture et quelques secondes plus tard, son téléphone vibra à nouveau.

— *Est-ce que je peux passer ?*

Confus, il revint sur le message et réalisa que c'était un SMS de Lacy. De *Lace* ! Il répondit aussitôt.

— *Bien sûr. Que se passe-t-il ?*

Un autre SMS arriva, cette fois de Hugh.

— *Elle reviendra.*

Dane ne répondit pas. Il était trop inquiet pour Lacy. Il appuya sur son numéro abrégé et la jeune femme répondit à la première sonnerie.

— Que se passe-t-il ? demanda-t-il.

— Rien… Je… je n'avais pas envie de dîner seule.

Dane s'appuya contre le siège et ferma les yeux en soupirant de soulagement. *Tu ne tombes pas amoureux, hein ? Je dois faire les choses correctement.*

— Je peux venir te chercher et on ira manger un morceau.

— Mais tu viens de partir d'ici. Je peux venir chez toi, proposa-t-elle.

L'attente sera une torture.

— Je suis dans la voiture. Je serai là dans quelques minutes.

Il fit demi-tour, le téléphone coincé entre son oreille et son menton.

— De quoi as-tu envie ?

— De ta compagnie.

Dane se tenait devant la porte de Lacy, une bouteille de vin à la main et sa jambe rebondissant de son trop-plein d'énergie. Il lissa sa chemise noire à manches courtes contre son ventre et vérifia son pantalon en lin. *Qu'est-ce qui lui prend si longtemps ? Elle est peut-être sous la douche. Peut-être qu'elle a changé d'avis.*

Il frappa à nouveau et la porte s'ouvrit lentement, révélant Lacy dans une petite robe bleu foncé à épaules dénudées, et des sandales.

— Bonsoir, dit-elle avec un sourire nerveux.

Elle s'appuya contre la porte et le regarda à travers ses boucles sauvages qui pendaient devant ses yeux.

— Tu es magnifique, dit-il.

Pourquoi suis-je si nerveux ? Il l'embrassa sur la joue et respira l'odeur de son shampoing à la noix de coco.

— Hmm. Tu sens bon aussi.

— Toi aussi, dit-elle en refermant la porte derrière lui.

Les baies vitrées étaient grandes ouvertes et les voilages soufflaient dans la brise.

— Tu as apporté du vin, dit-elle en regardant la bouteille. Ouvrons-la.

Il la suivit à travers le salon pour se rendre à la cuisine. Ses yeux étaient rivés sur l'étoffe qui moulait ses hanches et qui laissaient entrevoir un petit string. Il sentit une tension familière dans son entrejambe, et détourna les yeux pour se concentrer sur le plan de travail à côté d'elle.

— Je suis heureux que tu aies appelé, dit-il.

Elle lui tendit un tire-bouchon, et il accueillit avec soulagement cette distraction bienvenue.

— Je n'arrive jamais à les ouvrir. Les bouchons me rendent complètement dingue, dit Lacy. J'ai toujours peur de faire tomber la bouteille ou de me poignarder avec le tire-bouchon.

— Eh bien, considère-moi comme ton ouvreur de bouteille personnel, dit-il en essayant de ne pas fixer la peau soyeuse et bronzée de ses épaules. Comment as-tu ouvert le vin hier soir ?

— Il se dévissait.

Il leva les yeux et la vit hausser les épaules.

— Il faut savoir se débrouiller quand on est une fille.

— J'imagine, dit Dane.

Il remplit leurs verres, et ils s'installèrent sur le canapé du salon. Lorsqu'elle s'assit, la robe de Lacy remonta encore plus loin, révélant le haut de ses cuisses. Elle tourna ses genoux vers Dane, et il étendit un bras sur le dossier du canapé.

— J'étais vraiment fier de toi aujourd'hui, dit-il. Je suis sûr que ce n'était pas facile de voir les requins et toucher les bébés.

Lacy regarda son verre avant de lever les yeux vers lui à travers ses boucles. Il tendit la main et repoussa les boucles de devant ses yeux.

— J'étais aussi fière de moi, dit-elle. Alors... tu as appelé Danica ?

Dane ferma les yeux. Danica avait promis de ne rien dire à Lacy, à moins qu'elle ne le demande. *Je suppose qu'elle l'a fait.* Il prit une profonde inspiration, prêt à être réprimandé pour avoir manigancé dans son dos – encore une fois.

— Oui. Je suis désolé, Lace, mais je voulais t'aider et elle te connaît si bien, et elle est thérapeute. Je sais que tu lui fais confiance, alors...

Lacy sourit.

— C'est bon. Je suis contente que tu l'aies fait. Ça veut dire que tu t'inquiètes pour moi. Mais juste pour que tu le saches, je n'aime pas que les choses soient faites dans mon dos. La prochaine fois, dis-le-moi ou suggère-le-moi.

Il expira de soulagement.

— Je lui ai parlé avant même que tu acceptes de me voir. Je n'aurais pas pu t'en parler avant, mais j'aurais probablement dû le faire avant que tu le découvres par toi-même.

— Dane, tu fais toutes ces choses merveilleuses et romantiques pour moi, et honnêtement, ça me plaît. Mais si jamais nous... tu sais... passons au stade supérieur, je n'ignorerai pas tes appels et tu ne pourras pas comploter dans mon dos. D'accord ?

Il était prêt à accepter n'importe quoi pour Lacy, et le fait qu'elle ait même mentionné d'aller au-delà de leur amitié lui donnait de l'espoir.

— Absolument.

— Et je ne suis pas en colère, donc il n'y a aucune raison pour qu'on soit gênés, ajouta-t-elle en prenant une gorgée de son vin.

Dane n'était pas familier – de près ou de loin – aux rencards officiels, et même si ce n'était pas un rendez-vous traditionnel, ça restait totalement différent de tout ce à quoi il était habitué. Donc quoi que Lacy en dise, il était tout de même mal à l'aise. Généralement, il draguait, prenait ce qu'il voulait et passait à autre chose. Il voulait tellement plus avec Lacy, et si ça signifiait assumer son passé, comme le disait Danica, il était prêt. Le silence dans la pièce n'était interrompu que par le bruissement des rideaux et le faible bruit des vagues se brisant sur le rivage, et cela exacerbait ses nerfs.

— Tu veux allumer la chaîne stéréo ? demanda-t-il.

— Oui bien sûr.

Lacy mit une station locale, et quand elle revint sur le canapé, elle s'assit plus près de Dane.

— J'espérais que nous pourrions parler.

Elle passa son doigt sur le rebord du verre avant de le tremper dans le vin et le porter à sa bouche pour le lécher.

Dane réprima un gémissement. Quand elle s'humecta les lèvres, il laissa échapper un souffle lourd.

— Parler ? répéta Dane.

Seigneur, tu me tues.

— Oui, dit-elle en haussant les épaules. Nous nous connaissons bien, mais il y a des choses que nous ne savons pas. Ça pourrait être amusant d'en savoir plus l'un sur l'autre.

Elle posa sa paume sur le canapé et se pencha vers lui.

— À moins qu'il y ait des squelettes dans ton placard, bien sûr.

— Je suis un livre ouvert, Lace. Je veux bien tout te dire.

Il avala le reste de son vin. Si elle s'approchait, il devrait l'embrasser. Le chemisier de sa robe s'ouvrit, et Dane ne put s'empêcher de laisser traîner son regard sur le sillon entre ses seins. Elle se pencha en arrière, juste assez pour redresser le décolleté, et ses mamelons se tendirent contre le tissu. Dane connaissait déjà la sensation agréable de ses seins entre ses mains, et voyant qu'elle ne portait pas de soutien-gorge, il eut encore plus de mal à étouffer le désir qui montait en lui depuis ce matin.

Il remplit son verre et Lacy finit le sien en rejetant la tête en arrière, avant de lui tendre son verre vide.

— D'accord, alors. Action ou Vérité ? demanda-t-elle.

— Action ou Vérité ? Je pensais qu'on devait parler, dit-il en arquant un sourcil.

J'aime bien où ça nous mène. Il pensait déjà à une dizaine de choses qu'il aimerait la mettre au défi de faire.

— C'est plus amusant comme ça. Je viens d'y penser. Alors, Vérité… ou Action ?

Elle termina son vin, et il l'imita.

Ça devient intéressant.

Il n'eut pas le temps de prendre la bouteille, que Lacy remplissait déjà leurs verres.

— Vérité, dit-il même s'il mourait d'envie de savoir ce que pouvait être son défi.

— D'accord, c'est facile. Glace préférée ?

— Ce n'est pas aussi facile qu'il y paraît. Ça dépend de l'endroit où je me trouve. Si je suis chez Ben & Jerry's, ce serait

Cherry Garcia, mais si je suis chez Baskin-Robbins, ce sera menthe aux pépites de chocolat.

Lacy enroula une mèche de cheveux autour de son doigt.

— De bons choix. À ton tour.

Il regarda Lacy finir son vin.

— Ça va, Lace ?

— Oui, juste un peu nerveuse. Le vin m'aide.

— Pourquoi es-tu si nerveuse ? Nous venons de passer la journée ensemble.

— Vérité ? demanda-t-elle.

— Je préfère.

Lacy retira ses sandales et frotta ses pieds ensemble.

— Parce que j'essaie vraiment de ne pas tomber amoureuse de toi.

Il termina son vin d'une seule gorgée, trop nerveux pour décider s'il devait lui avouer qu'il ressentait la même chose, et trop effrayé à l'idée de la faire fuir s'il le faisait.

— Nous avons conclu un marché : pas d'amour.

— Je sais, dit-elle.

— Ce n'était pas ma question, n'est-ce pas ? Action ou Vérité ?

Dane n'arrivait pas à penser à une seule question appropriée. Il passa en revue celles qui lui passaient par la tête. *Puis-je t'embrasser ? Puis-je passer mes doigts dans tes cheveux ? Combien de temps dois-je attendre pour te toucher ?*

— Action, dit-elle en plissant ses yeux bleus de manière séductrice et emplie de désir.

Merde. Action ? Qu'est-ce qui était approprié pour un défi ? Dane n'arrivait pas à imaginer autre chose que les défis que les enfants se donnaient : *Je te défie de courir nu dans le jardin. Je te défie de jeter un coup d'œil par la fenêtre des douches des filles. Je te défie de voler une bière dans la réserve de papa.*

— Lace, je ne suis pas très bon à ces jeux.

Elle s'était transformée en une sorte de séductrice, et maintenant que les rôles étaient inversés, il se demandait quel défi il devait lui lancer. Devait-il lui demander quelque chose de sexuel ? Est-ce à cela qu'elle s'attendait ? Ou peut-être qu'elle agissait simplement de manière séductrice, mais qu'elle ne voulait pas qu'il aille aussi loin. Bon sang, il avait besoin de conseils.

— Vas-y, mais sois gentil. Je n'ai pas joué à ça depuis vingt ans, dit-elle.

— D'accord. Je te défie de sortir une autre bouteille de vin de ton frigo.

Qu'est-ce que c'était que ça ?

Lacy sourit.

— Je peux le faire.

Bien. Maintenant, je peux choisir Action et voir où ça nous mène.

Il la regarda rapporter une autre bouteille de vin. Chaque balancement de ses hanches remplissait un peu plus ses veines de désir. Elle s'assit à côté de lui, hanche contre sa cuisse, et lui remplit son verre.

— Je pensais que tu voulais dîner, fit remarquer Dane.

— Mais oui. Bon, à ton tour. Action ou Vérité ?

— Action, dit-il en la regardant dans les yeux.

Lacy pointa un doigt sur lui et lui adressa un sourire séducteur.

— Le vilain garçon.

Elle s'écarta de lui et posa son pied entre ses cuisses, puis le remonta jusqu'à son entrejambe.

— Massage des pieds ?

Dane pouvait à peine respirer. Qui était ce petit chaton sexuel qui habitait la douce Lacy ?

— Massage des pieds, répéta-t-il.

— Oui. C'est le défi, dit-elle en souriant.

Merde, je ne suis pas plus avancé.

Dane prit son petit pied entre ses mains et commença à pétrir la voûte plantaire, puis massa les côtés et le dessus avant de remonter jusqu'à sa cheville. Lacy laissa aller sa tête contre le coussin.

— Bon Dieu, que ça fait du bien, dit-elle d'une voix rauque.

Il caressa la douce peau de son mollet sous ses mains fortes.

— Lace ?

— Oui, murmura-t-elle, les yeux toujours fermés.

— Action ou Vérité ?

Je ne romprai pas notre accord. Elle devait faire le premier pas ; sinon il se demanderait toujours s'il s'était imposé à elle.

— Vérité.

— Pourquoi m'as-tu demandé de venir ce soir ?

Son sourire s'estompa et elle leva la tête. Sa robe s'ouvrit à nouveau alors qu'elle se penchait en avant pour boire une longue gorgée de son vin.

— J'ai changé d'avis. Action, dit-elle.

— Je ne suis pas sûr que c'est du jeu.

— Tu peux me demander n'importe quoi, dit-elle en battant des cils.

Dane serra la mâchoire. Bon Dieu, dans ce cas il avait une longue liste. Il remonta ses mains le long de son mollet, son genou, puis le point brûlant entre ses cuisses, où il caressa sa peau en longs et lents mouvements. Elle s'appuya sur ses coudes et ouvrit son corps à lui, la tête rejetée en arrière. Dane leva sa jambe contre le dossier du canapé avant de se placer au-dessus d'elle. Elle ouvrit les yeux et le vit s'abaisser sur elle jusqu'à sentir son souffle sur elle.

— Je te défie de me dire ce que tu attends vraiment de moi.

Son sexe était dur sous son pantalon, attiré par le corps souple de Lacy.

— Tout, murmura-t-elle en s'arquant contre lui et glissant sa main sous ses vêtements pour le toucher. Tout, Dane. Je veux tout de toi.

Il posa sa bouche sur la sienne et l'embrassa durement, l'enfonçant dans les coussins. Leurs langues s'entrechoquèrent comme si leurs vies en dépendaient. Dane se débarrassa de sa chemise et lui embrassa le menton, le corps en feu. Il lui mordilla la mâchoire avant de lui sucer le cou. Lacy fit glisser son pantalon sur ses hanches, exposant son sexe érigé. Puis elle utilisa ses pieds pour s'en débarrasser entièrement. Dane descendit le long de son corps tout en tirant la robe jusqu'à sa taille. Elle se retrouva alors avec les bras emprisonnés le long de son corps. Dane prit un sein dans sa bouche et le suça jusqu'à ce qu'elle crie. Il passa ensuite à l'autre et fit de même ; son mamelon se dressait sous sa langue, mais il lui en fallait plus. Il souleva son corps nu et dénoua la ceinture de soie autour de sa taille, puis lui retira sa robe avant de la laisser tomber au sol. Son corps était semblable à une sculpture : tout en courbes et seins, plein et arrondi. Elle l'attira à elle et suça son téton avant de le mordre – fort. Dane gémit en grimaçant.

— Tu aimes ?

Il n'arrivait plus à réfléchir et ne pensait plus qu'à lui faire l'amour.

— J'aime tout ce que tu fais, dit-il.

Elle prit l'autre mamelon et le suça en passant ses dents sur sa peau tendre. Puis elle descendit plus bas et le prit dans sa bouche.

Dane prit une inspiration. Seigneur, il sentait qu'il n'allait pas pouvoir tenir. Elle le suça et le lécha tout en utilisant sa main.

— Arrête, Lace, l'exhorta-t-il.

Mais elle continua jusqu'à ce qu'il se déplace et s'allonge sous elle, les yeux fermés, savourant tout le zèle qu'elle mettait. Lacy replia les jambes et s'installa entre les jambes de Dane, puis remonta en passant la langue sur son corps. Elle suça son cou, comme il l'avait fait avec elle, puis l'embrassa sur la bouche. Quand il la sentit tendre la main droite, il ouvrit les yeux. Elle tenait sa robe en soie, qu'elle enroula autour du poignet de Dane avec un regard malicieux. Puis elle lui leva les mains au-dessus de sa tête et les attacha ensemble avec le lien soyeux.

— Lace ?

Dane avait déjà joué à des jeux de bondage, mais il était toujours le dominant. À présent, allongé sous Lacy, il ne savait pas trop à quoi s'attendre, mais s'il y avait bien une femme qu'il autorisait à l'attacher, c'était elle.

Lace haussa les sourcils et l'embrassa à nouveau.

— Oui ?

Trop de choses tournaient dans sa tête, et il n'arrivait pas à les trier assez rapidement pour leur donner un sens.

Baise-moi ? Laisse-moi t'attacher ?

— Action ou Vérité ? dit-elle d'une voix profonde et séductrice.

— Vérité ?

— Depuis combien de temps n'as-tu pas couché avec d'autres femmes ? Précisément ? demanda-t-elle en s'installant sur lui, son érection dressée entre eux comme un défi.

Il ferma les yeux. Il savait exactement combien de temps cela faisait. Il avait cessé d'avoir des aventures trois mois après l'avoir rencontrée. Mais il ne pouvait pas lui dire. Quel genre d'homme comptait le nombre de nuits où il n'avait pas pu assouvir ses désirs charnels en pensant nuit après nuit à la femme qu'il ne pouvait pas avoir ?

— Lace, s'il te plaît.

Elle s'abaissa jusqu'à ce que son mamelon touche sa lèvre.

— Je pourrais te donner un défi, dit-elle. Mais tu es dans une position précaire pour ça.

Elle baissa les yeux sur son érection, puis se glissa le long de son corps et le lécha à nouveau sur toute sa longueur.

— Combien de temps exactement ?

Un soupir de défaite lui échappa.

— Plus d'un an.

— Plus d'un *an* ? répéta-t-elle incrédule en se redressant. Tu peux être honnête avec moi, Dane, dit-elle d'une voix tremblante.

— C'est la vérité. C'est sacrément gênant, mais c'est vrai. Tu te souviens de cette nuit où tu m'as parlé de ton père ? La nuit où tu as pleuré ?

Elle plissa le front.

— Oui.

Dane s'en souvenait comme si c'était hier. Il aurait voulu traverser l'écran de l'ordinateur et la serrer jusqu'à ce que ses larmes sèchent et qu'il soit sûr qu'elle aille bien.

— J'ai su ce soir-là que je ne pourrais être avec personne d'autre. Pas quand mon cœur t'appartenait.

Il détourna les yeux tandis que son érection perdait de sa vigueur, et commença à dénouer ses liens.

— Je suis désolé, Lace, dit-il en prenant ses vêtements. Tu es la dernière personne au monde que j'aurais voulu blesser.

— Dane, dit-elle.

Son cœur se serra pour elle ; pour la douleur dans ses yeux et l'embarras qui lui montait aux joues. Mais surtout, il était triste pour lui-même et l'homme qu'il avait été, même s'il avait changé.

— Je suis désolé d'avoir tué l'ambiance, dit-il, mal à l'aise. Mon histoire se dressera toujours entre nous. C'est la seule chose que je ne puisse pas changer.

Il lui tendit sa robe qu'elle tint contre son corps frissonnant. Dane enfila son pantalon et se dirigea vers les portes vitrées. Il les ferma et les verrouilla, puis prit une couverture sur une chaise et l'enroula autour des épaules de Lacy.

— Tu n'es pas obligée de rester jusqu'à la fin de la semaine, Lace. Rien de ce que je ferai ne changera jamais l'homme que j'ai été.

— Attends, s'il te plaît, dit-elle en l'arrêtant dans son élan. L'autre soir, quand tu as dit que tu avais des femmes partout dans le monde, je pensais que tu en avais fréquenté plus récemment. Plus d'un an, Dane, c'est très long.

— Je suis bien conscient de chaque jour, de chaque seconde et de chaque heure passée.

Le cœur de Dane se brisa dans sa poitrine. Il n'avait pas besoin de se souvenir de toutes ces nuits où il l'avait désirée et avait dû se satisfaire tout seul, ou de toutes ces heures passées à regarder les photos qu'elle lui envoyait par e-mail en se demandant ce que ça ferait de l'embrasser. Il fallait qu'il s'en aille. Loin. Quelque part où il ne verrait pas son visage dans chaque nuage.

— Je ne te juge pas, Dane. J'ai posé cette question en m'attendant à ce que tu me dises quelques mois, peut-être deux ou trois… je ne sais pas. Je me serais sentie mieux. Mais je n'aurais jamais imaginé que ça fasse si longtemps.

— Maintenant, tu sais.

Il ne pouvait pas changer le fait qu'il n'était pas allé la voir depuis qu'ils s'étaient rencontrés, et il ne pouvait pas changer le nombre d'années passées à coucher à droite et à gauche. Tout cela le bouleversait trop pour réfléchir correctement, et il ne voyait pas où elle voulait en venir. Lacy enroula ses bras autour de lui par-derrière avant de poser sa joue contre son dos.

— Merci, dit-elle.

— Pourquoi ?

Il fallait qu'il quitte cet endroit. Il ne voulait pas passer sa vie à se justifier pour ce qu'il avait été.

— De m'aimer assez pour m'avoir été fidèle malgré la distance.

Dane ferma les yeux de soulagement. Son cœur brisé commença à se remettre en place, morceau par morceau. Il avait mal interprété ses paroles, et de le réaliser lui coupa le souffle. Il se retourna et tendit la main, autant pour ne pas flancher que pour ressentir son contact. Tout ce qu'il désirait depuis si longtemps se trouvait là et se réalisait. Il ne trouvait pas les mots pour lui dire à quel point cela comptait pour lui. Au lieu de cela, il regarda l'océan d'amour dans ses yeux et abaissa sa bouche vers la sienne pour l'embrasser jusqu'à ce que son cœur se rassemble. Jusqu'à ce que la douleur à l'idée de l'avoir perdue disparaisse et soit remplacée par le désir de l'aimer et de la refaire sienne.

Il la prit dans ses bras et la porta vers la chambre.

— Tu restes, dit-elle avec un large sourire.

— Bébé, n'oublie pas qu'on doit se réconcilier, dit-il en l'allongeant sur le lit.

Dix secondes plus tard, il sortit en courant et récupéra l'étoffe en soie, puis se précipita dans la chambre et referma la porte derrière lui. Les rires de Lacy se turent derrière la porte fermée.

CHAPITRE DIX-NEUF

Lacy se rendit à la cuisine en fredonnant et prépara du café, des œufs et des toasts. Elle s'était levée pendant que Dane dormait encore et avait cueilli des fleurs sauvages dans le jardin qui étaient à présent disposées dans un vase au centre de la table.

— Petit-déjeuner ? Ce n'était pas au programme, dit Dane en sortant de la chambre, et portant uniquement un caleçon.

Il passa ses bras autour de la taille de Lacy par-derrière et lui embrassa la nuque avant de glisser ses mains sous sa camisole en satin.

— Hier soir non plus, dit Lacy en se tournant pour l'embrasser sur la joue.

Il l'attira contre lui.

— Je pense que je n'ai jamais autant voulu quelque chose que le fait qu'on se remette ensemble. Je ne peux pas changer mon pa...

Lacy couvrit ses lèvres avec son doigt.

— Chut... Je ne me rendais pas compte à quel point ton passé me tracassait, jusqu'à ce que les mots sortent de mes lèvres la nuit dernière et, Dane, je n'aurais pas pu espérer une meilleure réponse. Ne parlons plus de ton passé, d'accord ?

— Ce n'est pas moi qui vais protester, dit-il en lui embrassant le cou.

— Je n'en parlerai plus jamais. C'est fini, et je travaillerai sur ma peur des requins. Mais je pense qu'il y avait autre chose que les requins.

— Autre chose ? répéta-t-il en lui embrassant l'épaule et le cou.

Lacy ferma les yeux, et son corps ronronna à son contact.

— Oui, dit-elle dans un long souffle. Danica a dit... Oh, merde.

Elle se tourna et l'embrassa. Dane lui saisit les fesses et la pressa contre lui. Elle était déjà si mouillée et prête pour lui.

— Mon Dieu, je me sens comme une nymphomane avec toi.

Il fit passer son haut par-dessus sa tête.

— Tant mieux, dit-il en abaissant sa bouche vers son sein.

Elle lui attrapa la tête et l'attira avec force contre elle.

— Que c'est bon ! Plus fort, murmura-t-elle.

Elle sentait les battements de cœur de Dane s'accélérer. Il lui lécha le mamelon avant de prendre ses deux seins dans ses paumes.

— Tu me rends folle, dit-elle en s'attaquant à son caleçon.

— Oh non, pas encore. Je n'ai pas fini de te gâter.

Il lui assena un baiser possessif, puis la souleva et la ramena dans la chambre.

— Tu ne m'as pas gâtée hier soir ? demanda-t-elle alors qu'il l'allongeait sur le lit.

— Sûrement pas. Hier soir, je t'ai dévorée. Il y a une différence.

Debout devant le lit, et contemplant Lacy avec un regard conquérant, Dane avait l'air plus beau et plus viril que jamais. La lumière du soleil pénétrait dans la pièce à travers les rideaux transparents, projetant des rayons sur son ventre nu. Il s'allongea à côté d'elle, et lui caressa le ventre, puis le reste de son corps. Lacy vibrait d'anticipation. Il utilisa ses deux mains et la pressa contre le matelas, caressant tout son corps avec insistance et maîtrise. Ses lèvres suivirent bientôt le chemin tracé par ses mains. Il remonta alors jusqu'à son cou, puis l'embrassa avec passion. Lacy s'agrippa à ses épaules, désireuse de sentir à nouveau ses mains sur elle.

Il descendit le long de son corps et posa ses mains juste au-dessus de son nombril avant de lui embrasser l'intérieur des cuisses. Lacy gémit en arquant ses hanches vers lui. Elle couvrit ses yeux de sa main en tournant la tête d'un côté et de l'autre.

— Que veux-tu, Lace ? murmura-t-il.

Elle posa le dos de sa main sur sa bouche tout en haletant.

— Toi. Je te veux, toi.

Il lécha le repli entre son sexe et sa cuisse.

— C'est ce que tu veux ?

— Oui. Mon Dieu oui.

Il fit de même de l'autre côté, et suça sa peau sensible juste en dessous de ce pli sensuel. Elle souleva ses hanches et saisit ses bras pour essayer de le guider vers son sexe.

— Dis-moi ce que tu veux, murmura Dane.

Lacy ferma les yeux. Lui montrer était une chose ; le dire à voix haute en était une autre.

Il remonta le long de son corps, son torse puissant formant un mur de muscles contre ses seins, et lui lécha la lèvre infé-rieure et ensuite la supérieure. Quand elle leva la tête pour répondre à son baiser, il recula.

— Laisse-moi entrer, Lace.

— Embrasse-moi.

Elle saisit sa tête et l'attira à elle, savourant son goût et l'urgence de son propre désir. Quand elle voulut prendre son sexe dur pour le caresser, il lui prit la main et la plaqua au-dessus de sa tête.

— C'est ton tour, dit-il d'une voix rauque et profonde avant de lui lécher l'intérieur du bras.

— Mon Dieu, dit-elle.

— Tu aimes ?

Emprisonnant toujours sa main, il fit courir sa langue autour de son mamelon tendu.

— Dane.

Elle n'arrivait plus à parler ou à réfléchir en dehors du désir qui palpitait entre ses jambes. Puis sa bouche fut sur son cou et ses dents effleurèrent sa chair. Elle gémit lorsque ses lèvres s'attardèrent, léchant et laissant de légers baisers sur la zone tendre qu'il venait d'aimer si intensément. Ses grandes mains descendirent le long de son corps et agrippèrent ses hanches avant de poser ses lèvres juste au-dessus de ses boucles humides.

— Je ne peux pas te faire plaisir, si tu ne me dis pas ce que tu veux, dit-il en la regardant tout en lui léchant la peau.

Elle se couvrit à nouveau les yeux.

— Dane, supplia-t-elle.

— Tu me fais confiance ?

— Oui.

— Alors, dis-moi, insista-t-il.

Les nerfs de Lacy étaient en feu. Elle ferma les yeux et murmura :

— Lèche-moi.

— C'est ça, bébé.

Il passa un doigt le long de sa moiteur, si doucement qu'elle sentit un éclair brûlant la parcourir.

— Tu es si lisse et belle, dit-il en abaissant sa bouche et faisant glisser sa langue en mouvements lents.

Il la taquina jusqu'à la faire gémir, éperdue de désir, puis stimula du doigt son renflement charnu. Elle ondula ses hanches, désireuse d'en avoir plus et qu'il approfondisse ses caresses. Serrant le drap dans ses poings, elle sentit ses entrailles se gonfler et pulser en attente d'autres caresses intimes.

— Plus fort, murmura-t-elle.

Quand il enfonça sa langue, elle haleta, les muscles de ses cuisses tendues et ses orteils recourbés.

— Oui. Ah, Dane. Oui.

Elle cria lorsque ses longs doigts la pénétrèrent tandis qu'il continuait à passer sa langue sur son sexe gonflé, la portant haut dans les cimes, jusqu'à ce qu'elle s'abandonne à un orgasme irrésistible. Les cris de plaisir qui remplirent la pièce étaient si forts qu'elle remarqua à peine qu'ils venaient de ses propres poumons. Elle ondula contre sa bouche consentante, gémissant alors que de minuscules impulsions se succédaient et que son corps récupérait de cet orgasme glorieux.

Dane remonta le long de son corps et se positionna à l'entrée de son sexe brûlant. Elle haleta alors qu'il prenait sa bouche et la remplissait de sa langue tout en poussant magistralement son large sexe en elle. Une autre onde de plaisir s'empara d'elle. Elle agrippa ses hanches et utilisa toute son énergie pour l'aspirer plus profondément en elle. Elle cria quand il captura son sein dans sa bouche, et elle enroula ses jambes autour de sa taille. Essoufflée, elle laissa sa tête retomber en arrière.

Quand elle ouvrit les yeux, il la regardait avec tant d'amour que cela en remplissait la pièce comme une présence. Ses jambes s'ouvrirent.

— Salut, bébé, dit-il en l'embrassant doucement sur les lèvres.

Elle sourit, prise dans un flou sexuel, incapable de parler. Il abaissa à nouveau sa bouche vers la sienne, et le pouls de Lacy s'accéléra à nouveau. Sa bouche était si chaude, sa langue si puissante, qu'elle sentit un nouveau désir brûlant la traverser. Elle gémit à nouveau dans sa bouche. Elle n'avait jamais été comme ça avec personne. Elle ne savait même pas qu'elle le pouvait.

Il recula après lui avoir léché la lèvre inférieure.

— J'adore te faire l'amour, Lacy Snow, murmura-t-il.

Elle voulut dire quelque chose, mais il s'enfonça en elle au même moment.

— Dane, cria-t-elle.

Il entama un vigoureux va-et-vient, leurs hanches se cognant l'une contre l'autre. Soudain, il enroula son bras autour de sa taille et s'assit avec Lacy le chevauchant. Elle prit instinctivement le relais, ondulant au même rythme que lui, baissant la tête sur son torse pour sucer son mamelon.

Dane inspira en serrant les dents et agrippa ses hanches, l'attirant plus profondément en lui. Elle s'accrocha à ses épaules alors qu'elle le chevauchait avec plus de force que jamais. Elle était incapable de se lasser de lui. Il enroula son bras autour d'elle et d'un mouvement rapide la plaça sur ses mains et ses genoux, devant lui. Puis il la pénétra à nouveau, ses hanches claquant contre ses fesses alors qu'il la martelait avec force. Les cris de Lacy naquirent au plus profond de sa poitrine avant de lui déchirer le corps, transporté de plaisir. Elle cria à nouveau et Dane la rejoignit dans le plaisir.

— Lacy. Oh, Lacy, dit-il en serrant les dents.

Il saisit sa taille et la tint contre lui alors qu'il se libérait en elle.

— Tu as les fossettes les plus sexy en bas de ta colonne vertébrale, chuchota-t-il en posant un doigt sur sa courbe avant de poser la tête sur son dos.

Lacy ferma les yeux, heureuse de l'attention qu'il portait à son corps. Il la rallongea doucement sur le côté et enroula son corps autour du sien. Lacy se blottit contre lui, se demandant comment elle avait pu songer à le quitter.

CHAPITRE VINGT

Il était 15 heures quand Lacy et Dane arrivèrent au centre d'accueil de Salt Pond à Orléans. Lacy ne se souvenait pas d'un moment où elle s'était sentie plus heureuse. Dane avait passé les vingt-quatre dernières heures à l'aider à surmonter ses peurs, à prendre soin de son ami et à lui montrer à quel point il l'aimait. Il s'était frayé un chemin jusque dans son cœur, et alors qu'il lui tendait la main avec un sourire chaleureux, elle réalisa que même si elle n'était jamais capable de surmonter entièrement sa peur des requins, ils pourraient envisager un avenir commun, après tout.

Au centre du hall se trouvait une exposition mettant en vedette la Brave Foundation, avec le modèle réduit d'un grand requin blanc et plusieurs panneaux d'information et de photographies.

— Tout tourne autour de Brave, dit-elle.

— Oui. Nous voulons que la ville comprenne ce que nous faisons.

— En parlant du loup, dit une grande femme derrière le bureau de la réception.

Quand elle sourit à Dane, de profondes rides se creusèrent sur son front et autour de sa bouche. Sa peau avait un aspect de cuir, comme si elle avait passé chaque moment de libre au soleil.

— On regardera ça dans une seconde, dit Dane.

Il se tourna vers la femme de la réception, qui semblait être dans la mi-quarantaine avec de courts cheveux blonds et des yeux verts. À côté d'elle se tenait un grand jeune homme dégingandé aux cheveux bruns et courts qui portait un uniforme de garde forestier. Ses yeux se fixèrent sur Dane.

— Shelley, comment vas-tu ? demanda Dane en poussant Lacy vers le bureau. Voici ma petite amie, Lacy Snow, expliqua-t-il en lui serrant la main.

Petite amie ? Le mot la prit par surprise, puis s'installa en elle comme une seconde peau. *Petite amie.*

— Ravie de vous rencontrer, déclara Lacy.

— Bonjour, Lacy. Ravie de vous rencontrer également. Je parlais justement de toi à Tom, Dane, dit Shelley. Il voulait rencontrer le chasseur de requins.

Dane sourit.

— Si je peux choisir, je préfère chercheur ou tagueur. Chasser peut donner l'impression que je blesse les requins, dit-il en tendant une main à Tom.

Celui-ci redressa les épaules avant de répondre :

— Oui, désolé. Chercheur. C'est compris. C'est un tel plaisir de vous rencontrer. Je regardais l'exposition et... waouh. C'est tout ce que je peux dire. C'est vraiment sympa.

— Oui, c'est plutôt cool. On a tagué un requin de plus de deux mètres l'autre jour. Ça devrait nous fournir de précieuses données. Nous en marquerons d'autres durant la semaine prochaine. C'était un plaisir de vous rencontrer, dit Dane.

— Je ne vais pas vous retenir plus longtemps, dit Tom dont les yeux s'étaient posés sur Lacy. Profitez de l'exposition, Lacy.

— Merci, répondit-elle.

Ils traversèrent la pièce et Lacy lut le grand panneau orange, noir et bleu indiquant BRAVE FOUNDATION, accroché en haut des panneaux d'exposition avec des photographies de Dane et Rob. Les yeux sombres de Dane souriaient dans chacune, et ses bras bronzés et musclés brillaient au soleil. Dans la plupart des photos, il était sur un bateau, penché sur le côté, tenant l'aileron d'un requin ou accroupi au-dessus d'un requin allongé au milieu du bateau. Elle pouvait presque sentir le vent souffler dans ses cheveux ébouriffés.

— Ça date d'il y a neuf ans, dit-elle lisant la légende sous la photo d'un jeune Dane en maillot de bain et débardeur, à la barre d'un bateau.

— C'était une superbe journée. Nous avons marqué trois requins cet après-midi-là à Maui. On voit un bout du bras de Rob, dit-il en pointant le côté à droite de l'image. Il jubilait. Je m'en souviens comme si c'était hier.

Lacy remarqua un fil conducteur dans les photos ; la joie de vivre qui irradiait des yeux de Dane était palpable. Il ne faisait aucun doute que l'homme sur ces photos aimait ce qu'il faisait. Elle regarda Dane qui étudiait les photos à ses côtés, et elle sut qu'il ne pourrait jamais abandonner ce qu'il faisait – et pour la première fois, elle se demanda si elle le pourrait, ou si passer sa vie à voyager sans cesse serait supportable pour elle.

— Excusez-moi, monsieur ?

Lacy et Dane se tournèrent vers la voix de l'enfant.

— Salut, dit Dane. Je m'appelle Dane et voici Lacy.

Tu m'as inclus. Mon Dieu, comme j'aime ça.

— Je m'appelle Ashton et j'ai six ans. Ma mère a dit que vous étiez le monsieur des requins, et je voulais savoir ce que vous voyez à l'écran. Tout ce que je vois, c'est des points rouges.

Les sourcils blonds presque transparents d'Ashton étaient froncés au-dessus de ses surprenants yeux bleus.

Dane jeta un coup d'œil aux parents du petit garçon qui se tenaient derrière lui avec de larges sourires. Il se pencha pour être au niveau des yeux d'Ashton.

— Viens avec moi, mon pote. Je vais te montrer, dit-il en le guidant vers le moniteur. C'est ce que nous appelons un moniteur de diffusion en direct. Nous mettons des étiquettes sur les requins, et si le requin a une étiquette satellite, alors cette étiquette envoie un signal à un satellite très haut dans le ciel, au-delà des nuages, et nous pouvons voir ce que ce signal signifie ici sur le moniteur.

— Pourquoi vous avez besoin d'un satellite ? demanda Ashton.

— Eh bien, tu sais quand tu dois brancher ta télévision pour avoir de l'électricité ? Le satellite c'est un peu pareil pour nos balises. Nous en avons besoin pour lire les signaux. Tu veux savoir ce qu'on suit ? demanda Dane.

Ashton hocha la tête.

— Ces points que tu vois, ce sont des requins, dit-il en désignant l'écran. Ce moniteur nous montre où nagent les requins marqués. Tu vois les différentes couleurs ?

— Oui, dit Ashton.

Ses yeux suivirent le doigt de Dane jusqu'aux points colorés.

— Chaque couleur nous indique depuis combien de temps le requin est apparu à cet endroit. On appelle ça un *ping*.

Ashton éclata de rire. Lacy regarda Dane donner des explications à l'enfant, et elle aurait juré pouvoir sentir son cœur s'ouvrir plus grand à chaque mot qu'il prononçait. *Il ferait un père formidable.*

Dane continua.

— Nous pouvons suivre la température de l'eau et la profondeur où nagent les requins marqués, et nous pouvons même voir leur façon de nager.

C'était comme si parler de requins et enseigner au petit garçon lui venaient naturellement.

— J'ai peur des requins, dit Ashton.

Son père posa une main sur son épaule.

— J'ai une bonne amie qui est comme toi, dit Dane en faisant un clin d'œil à Lacy. Mais si tu essaies de les comprendre, tu te rendras compte qu'ils ne sont pas vraiment si effrayants. Ils essaient juste de vivre dans le monde qui leur a été donné, tout comme nous.

L'esprit de Lacy prit une tournure différente. Elle commença à réfléchir à des moyens d'intégrer le côté éducatif de Brave dans leur programme, en s'adressant aux écoles et même aux aquariums, aux musées de sciences…

— Vous portez une de ces combinaisons de plongée ? Mon père dit que le requin pense que les gens sont des phoques quand ils les portent, et c'est pour ça qu'ils se font mordre, déclara Ashton en regardant son père.

Combien de fois doit-il répondre aux mêmes questions et comment peut-il y répondre inlassablement, sans aucune irritation ?

— On porte des combinaisons de plongée, mais pas pour les raisons que tu crois. Tu vois, Ashton, les requins, ça ne les intéresse pas de manger des humains, mais ils aiment cogner leurs nez sur tout ce qu'ils considèrent comme une proie potentielle.

Du dos de sa main, il tapota légèrement le bras d'Ashton avant de continuer :

— Comme ça. Quand ils font ça, ils émettent des signaux électriques, comme de petits chocs, et la peau humaine rend ces chocs. Tu vas trouver ça difficile à comprendre, mais si la peau d'une personne envoie un certain signal au requin, les chances d'une attaque sont plus grandes. Comme les combinaisons de plongée empêchent la propagation de ces signaux électriques, contrairement à la peau des animaux et des humains, nous les portons pour minimiser ces risques.

Les yeux vitreux, Ashton saisit la main de son père. Celui-ci s'avança.

— C'est peut-être un peu trop pour lui, mais merci, dit-il.

— Aucun problème. Je suis toujours heureux d'expliquer ce que nous faisons. Je suis Dane Braden, dit Dane en lui tendant la main.

— Craig Knoll. Ravi de vous rencontrer.

— Si vous vous arrêtez à cette table, l'un des bénévoles Brave pourra vous donner une brochure éducative. Vous trouverez une liste de livres que vous pouvez lire à Ashton, afin qu'il puisse mieux comprendre les requins et peut-être même l'aider à surmonter sa peur d'eux.

— On le fera, déclara Craig en tendant la main vers la femme à côté de lui. Voici Kathie, ma femme.

Celle-ci s'avança, les joues rouges. Elle avait l'air un peu plus âgée que Lacy, qui devina que cette rougeur était due à l'homme incroyablement beau qui se tenait devant elle. Elle regarda Dane et se dit : *Et il n'est qu'à moi.*

Après avoir regardé un film qui expliquait comment quatre décennies de protection fédérale étaient la cause de l'expansion de la population de phoques, Lacy et Dane quittèrent le centre des visiteurs et se dirigèrent vers Provincetown.

— Donc, s'ils protègent les phoques, est-ce que ça ne fera

pas venir de plus en plus de requins, avec tous ces phoques qui naissent et se déplacent dans la région ? demanda Lacy.

— C'est le problème. Une partie de l'action de Brave consiste à rassembler des données sur les lieux où les requins se déplacent, où ils s'accouplent... ce genre de choses. Il faudrait faire quelque chose, mais la réponse n'est pas de tuer les requins. Nous pensons que la solution serait d'encourager les phoques à migrer ailleurs. Mais comme pour tout, la politique passe en premier, donc les décisions sont lentes à prendre, et pendant ce temps, on voit de plus en plus de requins blancs.

En regardant Lacy, Dane vit les rouages de son esprit se mettre en marche. Il adorait la voir commencer à s'intéresser au processus et au raisonnement entourant ce qu'il faisait.

Il se gara sur le parking de PB. Boulangerie, une petite boulangerie française à Wellfleet.

— Quelle est la prochaine étape ? demanda Lacy. Je n'ai rien vu d'autre sur le programme.

Dane émit un sourire en coin.

— Tu verras. Je dois me dépêcher de récupérer quelque chose. Je reviens tout de suite.

Il laissa Lacy dans la voiture à s'interroger sur ce qu'il faisait, et rentra dans la boutique pour récupérer le panier-repas qu'il avait commandé quand Lacy était aux toilettes. Il s'était senti plus proche d'elle durant cette journée que durant tous ces mois où ils avaient communiqué à distance. C'était comme si leurs cœurs venaient de s'emboîter l'un dans l'autre. Alors que Dane retournait à la voiture, il regarda Lacy assise côté passager. Le cou penché en arrière, les yeux fermés et les lèvres légèrement entrouvertes, elle se reposait contre l'appui-tête. Ils n'avaient pas beaucoup dormi la nuit dernière, et alors qu'il observait son long cou gracieux et ses lèvres dont il ne pouvait se lasser, il se souvint de ses petits gémissements sexy quand il l'avait aimée la nuit précédente. *L'aimer.* Il ne doutait pas qu'il se dirigeait dans cette direction. Merde, il y était probablement déjà. L'idée tourna dans son esprit comme un nuage, s'infiltrant dans chaque faille jusqu'à ce qu'elle ne fasse plus qu'un avec toutes ses pensées. C'était dans tout ce qu'il voyait, dans l'odeur du homard dans le sac qu'il tenait dans les mains, dans la brise qui lui décoiffait les cheveux. Merde, c'était en lui. Il ferma les yeux et se rappela qu'elle n'était revenue que depuis vingt-quatre heures et que lui dire ce qu'il ressentait pourrait la faire fuir en courant.

Le soleil s'était presque couché lorsqu'ils empruntèrent une route étroite, juste avant Pilgrim Lake. Lacy portait une couverture et Dane le paquet qu'il avait récupéré, alors qu'ils marchaient sur la plage paisible. De sa main libre, il attrapa la main de Lacy en voyant le groupe de phoques. Elle plissa les yeux alors qu'ils s'approchaient.

— Quoi... Oh mon Dieu. Ce sont des phoques ? Il doit y en avoir des centaines.

Les yeux écarquillés, elle se tourna vers lui.

— Ils arrivent quand la marée se retire. Je voulais que tu voies le nombre de phoques qu'il peut y avoir à un endroit donné.

Les phoques couvraient chaque parcelle de sable à environ quinze mètres du rivage. La marée commençait déjà à remonter. Dane étendit la couverture et se tint avec Lacy au bord de l'eau.

— Ils sont magnifiques, dit-elle. Je ne les imaginais pas si gros. Ils doivent peser des centaines de kilos. Regarde tout ce qu'il y a.

Dane hocha la tête.

— Et ce n'est qu'une partie des phoques qui se trouve autour de Cape.

— Pas étonnant qu'il n'y ait plus de poisson dans les parages. Ils doivent bien manger, commenta Lacy.

Il lui prit la main et la ramena vers la couverture, puis sortit les verres à vin en plastique, une bouteille de vin, une miche de pain française et une variété de fromages.

— Quand as-tu eu le temps d'organiser ça ?

— Je ne peux pas te dire tous mes secrets, dit-il en remplissant les verres. Je me suis dit qu'il fallait bien que je te nourrisse et, quel meilleur endroit qu'en profitant de la marée qui monte ?

Elle posa sa tête sur son épaule.

— C'est très romantique.

C'était si agréable de l'avoir contre lui. Il aurait pu rester assis pour toujours à côté d'elle sur la plage, et ne plus jamais ressentir aucun manque. Il passa son bras autour de son épaule, et ils regardèrent les phoques disparaître avec la marée montante.

— On ne devinerait jamais qu'ils étaient là, déclara Lacy.

— Je pense que le silence des mammifères fait partie de leur beauté. Nous, les humains, nous sommes bruyants. Tout dans notre vie est bruyant et fait des ravages. Jette un coup d'œil aux alentours après avoir quitté la plage. De nos voitures à nos tondeuses à gazon, nous mettons des choses dans les airs qui ne devraient pas y être, et nous laissons une empreinte si grande que…

Il baissa alors les yeux vers Lacy, qui le regardait avec un sourire tendre.

— Je suis désolé. Je fais à nouveau des discours.

— Tu es passionné, et j'aime ça, dit-elle. Mais je me pose une question, Dane. Pourquoi faut-il que ça soit toi qui œuvres pour quelque chose d'aussi effrayant que les requins ?

Il l'embrassa sur le front.

— Ils ne me font pas peur. Je pourrais mourir en conduisant...

— Je sais, en conduisant dans la rue, dit-elle. Mais pourquoi ? Pourquoi ne pas faire quelque chose de plus tranquille ? Défendre la nature ou quelque chose comme ça.

Dane haussa les épaules.

— Tout le monde a une vocation. Moi, c'est les requins, dit-il avant de lui caresser les cheveux. Tout comme tu es ma vocation, Lace. Je veux être avec toi et je veux te protéger.

Il ne savait pas comment c'était arrivé si vite, mais Lacy possédait une aussi grande part de son cœur que les autres membres de sa famille.

— J'aimerais que tu ne souffres jamais, et je ne veux jamais te blesser.

Le soleil se couchait derrière les dunes, jetant une brume bleu-noir sur l'eau. Il se pencha et l'embrassa, espérant qu'elle sentirait dans ce baiser les trois mots qu'il ne pouvait pas encore prononcer.

Lacy se mit à rire pendant que Dane lui embrassait la nuque et qu'elle essayait de se concentrer pour trouver la bonne clé sur son porte-clés, et ouvrir la porte. La lumière du porche était éteinte et ne voyait rien. Elle le frappa en plaisantant et poussa un soupir feint. Il glissa les mains autour de sa taille et sur son ventre et prit ses seins. Lacy s'appuya contre lui, sentant son cœur battre contre son dos.

— Dane, murmura-t-elle à travers un sourire.

— J'ai attendu toute la journée, dit-il en faisant glisser sa langue le long de son cou.

Il la fit pivoter face à lui et pressa ses hanches contre les siennes, puis la plaqua contre la porte. Avec ses mains de chaque côté de sa tête, il poussa ses cheveux sur le côté.

— J'adore ton visage, dit-il avant de poser ses lèvres sur les siennes.

Lacy laissa tomber les clés et le serra contre elle. Il sentait l'air marin et le goût du vin, un mélange enivrant. Ou alors c'était la bouteille de vin qu'ils avaient partagée. Il remonta ses mains vers le haut de son buste et caressa ses seins, puis embrassa son cou, suçant la zone juste au-dessus de sa clavicule. Lacy sentit une bouffée de chaleur se former entre ses cuisses.

— On devrait entrer, réussit-elle à dire.

— D'accord, murmura-t-il, les mains sur ses hanches.

Pourtant, il ne fit aucun mouvement vers la porte et à la place l'embrassa avec passion en glissant sa main sous la taille de son short. Ses doigts touchèrent ses poils soyeux, puis glissèrent plus profondément.

Lacy haleta alors qu'il enfonçait un doigt en elle, et la taquinait tandis que son autre main explorait la courbe de sa poitrine et que sa bouche la dévorait. Ses baisers suffisaient à eux seuls à la remplir d'un désir charnel à faire trembler son cœur. Elle gémit contre sa bouche, ce qui l'encouragea, et il enfonça sa main plus profondément. Lacy se mit sur la pointe des pieds avec un petit miaulement de désir.

— Jouis pour moi, murmura-t-il contre son cou.

Lacy n'arrivait plus à réfléchir alors qu'il lui suçait le cou et s'attardait sur l'endroit qui lui faisait recourber les orteils. Elle s'agrippa à ses épaules, serrant les muscles et les dents contre l'orgasme rapide et furieux qui la submergea. Son corps fut traversé de petits frissons et de pulsations autour de sa main.

— C'est ça, bébé, dit-il d'une voix profonde qui faillit la faire jouir à nouveau.

Il retira ses doigts et les mit dans sa bouche, puis ferma les yeux en les suçant lentement.

Lacy se jeta presque sur les clés. Elle les étudia aussi vite que possible en haletant, refusant de perdre une seconde. Enfin, elle trouva la bonne et tira Dane à l'intérieur, avant de refermer la porte derrière eux. Le cottage était plongé dans l'obscurité, à l'exception du clair de lune qui traversait les portes vitrées du salon. Dane savait exactement comment faire chanter son corps, et maintenant c'était à son tour d'apprendre à faire de même. Elle le poussa contre la porte d'entrée d'un air déterminé.

— À mon tour, dit-elle d'une voix rauque.

Ses yeux s'acclimatèrent à la pénombre, et elle vit le blanc de ses yeux grandir puis disparaître complètement. Il tendit la main vers elle, mais elle recula et baissa sa propre braguette d'un geste sec en faisant voler le bouton à travers la pièce.

— Lacy, dit Dane dans un profond murmure.

Quand il l'attira contre lui, elle sentit toute sa chaleur contre sa cuisse, et quand il l'embrassa à nouveau, elle se transforma presque en un chaton soumis. Elle recula et d'une main sur son torse, elle le plaqua contre la porte, utilisant l'autre main pour baisser sa fermeture éclair et pousser son short et son boxer jusqu'à ses chevilles. Il s'en débarrassa et elle les repoussa d'un coup de pied.

— Tu sais ce que j'aime, dit-elle. Maintenant, apprends-moi.

Elle déboutonna sa chemise et fit courir ses mains le long de son torse, puis suça ses mamelons. Bientôt, elle sentit sa propre culotte se mouiller.

— Lace, murmura-t-il. Viens ici. Laisse-moi t'aimer.

Elle se redressa, mais lorsqu'elle fut assez proche pour l'embrasser et sentir son souffle chaud mêlé à la saveur du vin, elle descendit et prit ses bourses.

— Je suis une élève passionnée, murmura-t-elle sans reconnaître le son rauque de sa propre voix.

Elle tomba à genoux et le lécha de la base à la pointe en s'appliquant, jusqu'à ce qu'il ne puisse empêcher un gémissement. Elle enroula sa main autour de son sexe, sentant l'épaisse veine semblable à un serpent, et le caressa.

— Dis-moi ce que tu aimes, dit-elle, appréciant le sentiment de toute-puissance qui s'emparait d'elle alors qu'elle le regardait se tordre contre la porte.

Elle le prit dans sa bouche, et l'avala jusqu'à le sentir au fond de sa gorge, puis se retira lentement tout en l'aspirant. Elle le relâcha et remonta jusqu'à son torse en traçant un chemin de baisers, puis lui saisit la nuque et lui donna un profond baiser. Il la prit alors dans ses bras et la souleva. Elle enroula ses jambes autour de sa taille alors qu'il la portait au salon.

— Non. Non, Dane. C'est mon tour. Je veux apprendre à te toucher comme tu aimes.

Elle pouvait à peine croire qu'elle disait cela, mais le désir de lui donner du plaisir était plus fort que le besoin d'être prise par lui. Le sentiment de puissance qu'elle avait ressenti pendant ces quelques secondes avait été euphorisant, et lui donnait envie de le revendiquer.

— Pas besoin. Quelle que soit ta façon de me toucher, j'aime, dit-il en la couchant sur le canapé.

Elle se redressa et lui saisit les hanches avec force.

— Apprends-moi, insista-t-elle.

Elle se mit à genoux en souriant et le lécha depuis la base

avant d'enrouler sa main autour de sa formidable érection et le caresser. Il ferma les yeux, et elle lui prit la main pour la poser sur son propre sexe avant de poser la sienne par-dessus.

— Tu diriges et je suis, dit-elle.

Il rouvrit les yeux. Il était si beau, debout avec sa chemise ouverte, les muscles saillants, visibles de son ventre, et nu de la taille aux pieds. Elle l'encouragea en remuant sa main sur la sienne et en le léchant. Quand il gémit, elle l'avala tout en serrant sa main. Il commença enfin à bouger.

— Serre, dit-il.

Elle s'exécuta, et il inspira.

— Maintenant, caresse.

Elle fit comme il lui demandait, et le laissa la guider avec sa puissante main par-dessus la sienne, lui montrant à quel moment presser, comment bouger, et l'encourageant par des petits gémissements. Elle se laissa tomber sur le sol et lui lécha les bourses.

— Lacy, chuchota-t-il.

— Non ? demanda-t-elle en reculant, inquiète d'avoir fait quelque chose de mal.

Je ne suis vraiment pas douée, songea-t-elle en rougissant.

— Si, répondit-il avec un sourire.

Elle se remit à le lécher pendant qu'il la guidait avec des mouvements plus crispés et plus rapides. Chaque caresse excitait un peu plus Lacy, et l'emplissait de désir.

— Presse plus fort sur le haut, dit-il.

Lacy sourit intérieurement. Elle avait toujours été une élève appliquée, et c'était pareil avec Dane. Elle fit ce qu'il demandait, et il prit une autre inspiration.

— Montre-moi comment te sucer, dit-elle.

Il lui prit la main et l'immobilisa à la base de son sexe alors qu'elle le prenait dans sa bouche et le caressait avec sa langue. Chaque fois qu'elle le retirait de sa bouche, sa main chevauchait la sienne en lui indiquant comment le caresser de haut en bas en suivant la trace de salive qu'elle avait laissée. Il enfonça ses mains dans ses cheveux et l'aida dans ses efforts, la guidant au juste rythme alors que sa langue s'attardait sur le haut de son sexe avant de descendre le long de sa veine saillante. De le sentir lui tirer les cheveux et de l'avoir dans sa bouche, augmenta son désir pour lui. Elle le sentit gonfler sous sa paume, et elle essaya d'accélérer ses mouvements. Il gémit, puis la tira par les cheveux. Ses bras puissants la soulevèrent et la reposèrent sur le canapé. L'instant suivant, il se dressait au-dessus d'elle, son large torse musclé se soulevant à chaque respiration alors qu'il s'enfonçait en elle. Il enfouit sa langue dans sa bouche tout en la chevauchant avec vigueur, avalant ses gémissements alors qu'il plongeait plus profondément, plus fort. Tous les muscles de Lacy étaient tendus et brûlants. Elle sentait la sensation de plaisir monter en elle tandis qu'elle en demandait plus et hurlait de plaisir. Dane se cambra et cria son nom. Son sexe palpitait en elle, et elle enfonça ses ongles dans son dos en levant ses hanches pour accueillir ses coups de reins. Elle aurait voulu que ses exquises pulsations qui la rendaient folle de désir et faisaient taire les voix dans sa tête ne s'arrêtent jamais.

Le corps de Dane frissonna des petites répliques. Ses biceps tremblaient alors qu'il la regardait avec un mélange torride de désir primal et de gratitude.

— Bon sang, Lace. D'où est-ce que ça t'est venu ?

Elle se mordit la lèvre inférieure et sourit. Savoir qu'elle avait causé ces petits frissons de chaleur qui faisaient encore trembler son corps, la remplissait d'assurance.

— Je voulais te donner autant de plaisir que tu m'en donnes.

Il eut un autre tremblement, et il secoua la tête en inspirant.

— Tu es un bon professeur, dit-elle.

— Tu es une élève appliquée, dit-il en l'embrassant.

CHAPITRE VINGT ET UN

Le lendemain matin, Rob était prêt à lever l'ancre, quand Dane et Lacy arrivèrent à la marina. Dane lui tendit une tasse de café chaud à emporter, et remarqua que ses yeux étaient clairs et que sa couleur de peau semblait saine. Il fut soulagé de voir que la force et la confiance de Rob étaient revenues, mais il comptait bien garder un œil sur lui au cas où. Il aida Lacy à monter à bord, puis la serra dans ses bras. Aujourd'hui, ils allaient appâter des requins afin que Lacy en voie un dans l'eau.

— Tu es sûre que tu veux le faire ? Lui chuchota Dane à l'oreille. C'est peut-être dix fois plus difficile que l'aquarium, et tu as eu du mal là-bas.

— Je sais. Mais je le veux. Je le veux vraiment, vraiment.

Il savait que ça serait difficile pour elle, mais Danica avait souligné l'importance pour Lacy de faire face à ses peurs, et apparemment, elle avait dit la même chose à Lacy. Il sentit le rythme rapide de son cœur contre lui, et se demanda si c'était une bonne idée.

— Vous avez dû passer une sacrée soirée tous les deux. Il est rare que j'arrive avant lui, plaisanta Rob.

— Oui, à propos de ça. Tu as l'air d'aller bien, dit Dane. Je suppose que ça va mieux avec Sheila ?

— Beaucoup. Tu avais raison. Nous avions besoin de parler,

et maintenant que nous l'avons fait, tout s'est arrangé. Ça a été trois jours d'enfer que je ne veux plus renouveler. Hé, pourquoi ne dînerions-nous pas tous ensemble ce soir ? Sheila et les enfants adoreraient te voir, Dane, et elle entend parler de Lacy depuis si longtemps qu'elle a l'impression de la connaître.

— Lace ?

Dane et Lacy avaient passé la nuit dans les bras l'un de l'autre, et maintenant, en regardant son sourire satisfait, il savait que le pire était derrière eux.

— Bien sûr. J'aimerais beaucoup, dit-elle.

Lacy ferma la fermeture Éclair de son sweat-shirt sur son maillot de bain, et s'allongea dans l'une des chaises longues. Ils prenaient le bateau de Treat aujourd'hui au lieu du bateau de travail. Dane voulait que Lacy soit à l'aise, et qu'elle puisse se réfugier dans la cabine sous le pont, en cas de malaise.

— C'est bon pour nous, alors, dit Dane à Rob. Je me suis fait du souci, Rob. Je veux que tu saches que si tu as besoin de moi, je suis là. J'irai aux réunions. Je te laisse le bateau, et j'irai à ton motel. Tout ce que tu veux. Je suis là pour toi.

— Je sais, Dane, et j'apprécie. Je suis allé à une réunion hier matin et une autre hier soir. Je me suis dit que la *thérapie par immersion* pourrait être une bonne chose, dit Rob avec un clin d'œil. Je me suis bien débrouillé hier soir. Je leur ai demandé de me trouver un autre lieu de réunion. Je ne voulais aucun rappel de mon échec.

Dane jeta un coup d'œil à Lacy.

— S'il y a une chose que j'ai apprise, Rob, c'est que nous pouvons toujours changer. On commet des erreurs qui nous permettent d'apprendre ; puis on passe à autre chose. Il n'y a pas de point de non-retour.

Le soleil de l'après-midi brillait sur eux quand ils quittèrent le port de Chatham. Il était soulagé de voir que Rob était redevenu lui-même. Il était plein d'énergie, et leur camaraderie était de retour. Dane jura intérieurement de conserver un œil vigilant sur Rob. Quel genre d'ami était-il de ne pas avoir remarqué que la vie de son meilleur ami avait été bouleversée ?

Dane rit d'une blague que Rob avait faite et jeta un coup d'œil à Lacy, allongée sur le transat. Elle était vêtue de deux minuscules pièces de tissu triangulaires qui couvraient ses parties intimes encore si fraîches dans son esprit. Sous sa tête se trouvait le sweat-shirt qu'elle portait plus tôt. Ses boucles épaisses pendaient autour de son visage. La veille au soir, il avait enfoncé ses doigts dans ces boucles quand elle était à genoux, et l'avait guidée pour qu'elle le caresse comme il n'aurait jamais osé lui demander, si elle n'avait pas été celle qui le suppliait pour lui montrer comment lui donner du plaisir. Il n'avait encore jamais rencontré de femme aussi désireuse de donner du plaisir que d'en prendre. Mais là encore, Lacy ne ressemblait à aucune autre femme, et il savait qu'elle serait la dernière femme qu'il inviterait dans son lit.

À présent, en la regardant allongée au soleil, son ventre se soulevant et s'abaissant paisiblement à chaque respiration, la seule chose qu'il désirait, c'était l'aimer. Parler de *désir* semblait trop superficiel pour les émotions qui envahissaient son esprit. Ses sentiments pour Lacy comportaient amour, adoration, inspiration, respect, satisfaction, et *désir* effectivement, mais ce dernier n'était pas la force motrice de ses émotions.

— Quel est le plan pour demain ? demanda Rob.

— Demain ? répéta Dane en tournant son attention vers son ami.

— On est censés plonger en apnée, tu te souviens ? Tu as repoussé la mission de marquage, mais j'ai reçu un message de Carl aujourd'hui, pour me dire que tout sera prêt pour la plongée.

Merde. Il regarda Lacy. Elle était peut-être sereine en étant allongée au soleil sur un bateau de luxe, mais il doutait que ça soit le cas sur un bateau de plongée pendant qu'il serait sous l'eau à la recherche de requins.

— J'avais oublié, mais je serai là, lui assura Dane.

— Super. Alors, c'est quoi le problème avec Lacy ? Est-ce qu'elle est comme tu l'espérais ? Ça a l'air d'être une fille vraiment gentille.

— Le problème ? dit Dane en regardant Rob et secouant la tête. Chaque fois que je pense l'avoir cernée, elle me surprend.

— C'est ça les femmes, répondit Rob.

— Je pense que c'est plus que ça. Je ne sais pas.

Lacy les rejoignit juste à ce moment.

— Est-ce que vous parlez de moi ? demanda-t-elle en passant son bras autour de l'épaule de Dane et l'embrassant sur la joue.

— Pas de toi en particulier… toutes les femmes, répondit Rob.

— C'est encore pire, rétorqua-t-elle avec une moue feinte.

Dane l'attira sur ses genoux.

— Tu as bien profité du soleil ?

— Hmm. C'était formidable, et je ne suis pas du tout anxieuse.

— Mais il n'y a pas de R.E.Q.U.I.N non plus, dit Dane en l'embrassant sur la joue.

— Rob, je suis contente que ça aille mieux entre toi et Shei-la, dit Lacy. J'ai hâte de la rencontrer.

— Et tu rencontreras aussi mes enfants. Ils sont tellement mignons, mais ils vont te harceler. Katie aime tout ce qui touche aux filles – les cheveux, les ongles, le maquillage – et Charlie est plutôt calme, mais si tu parles d'un sujet qu'il lui plaît, il ne te lâchera plus.

— J'adore les enfants. Je suis sûre que nous allons bien nous entendre.

— Alors tu travailles pour World Geographic ? Tu penses pouvoir nous aider à convaincre les gens de financer nos recherches ? C'est un travail difficile, dit Rob. C'est comme demander aux parents de Hansel et Gretel de financer les cours de cuisine de la méchante sorcière.

Dane et ses frères et sœur, en plus d'avoir tous réussi dans leurs métiers, avaient chacun des fonds de placement. Leur père ne les aurait jamais élevés avec une cuillère en or dans la bouche. Il leur avait inculqué des valeurs solides et une éthique de travail et, à ce jour, Dane avait essayé de ne pas puiser dans sa fortune pour subventionner la recherche de Brave. Il était émotionnel-lement et physiquement investi, mais il savait que la seule façon de faire en sorte que le public se soucie des océans et des requins était de l'éduquer et de l'éclairer sur l'importance de leurs actions.

— Je pense que nous trouverons un moyen de rendre ça attrayant. J'ai déjà quelques idées.

— Vraiment ? demanda Dane en haussant un sourcil.

Tu as pensé à autre chose qu'à moi ?

— C'est pour ça que je suis là, dit-elle en s'appuyant contre son torse.

— C'est génial. Je ne sais pas si Dane te l'a dit, mais on se demande si Cape n'est pas devenu un lieu de reproduction pour les requins ces dernières années. Nous cherchons donc les endroits où ils vivent, ce qui, nous l'espérons, nous permettra de récolter suffisamment d'informations pour nous aider à protéger les requins et le public, déclara Rob.

— Je pense qu'on peut aussi utiliser ce point de vue dans votre message, dit Lacy.

Ils parlèrent de Brave et de stratégies marketing durant l'heure suivante. Rob prit finalement Dane à part et dit :

— C'est une femme brillante. Je croyais que tu avais dit qu'elle a peur des requins. Elle semble à l'aise pour en parler.

— Elle en a peur. Parler et voir sont deux choses différentes, dit Dane en souriant.

Rob regarda sa montre.

— Tu préfères qu'on annule l'observation et qu'on rentre ?

— Je vais la laisser décider, déclara Dane.

Ils retournèrent à l'arrière du bateau, où Lacy était assise au soleil. Dane s'installa à côté d'elle et posa sa main sur son genou.

— Lace, si tu es prête, on peut passer à l'étape supérieure pour t'aider avec les requins. Mais si tu ne l'es pas, on peut laisser tomber.

Dane scruta ses yeux et distingua un éclair de peur qu'elle essaya de cacher malgré le clignement rapide de ses cils. Sa jambe se raidit sous sa paume, mais elle hocha la tête.

— Je pense que je veux essayer. Je dois juste me rappeler que je ne serai pas dans l'eau avec eux.

— Tu contrôles ta sécurité lorsque tu es dans le bateau, et je suis là. Je te garderai contre moi, mais nous ne sommes pas obligés de le faire. Il n'y a pas de pistolet sur ta tempe, Lace. Je suis si fier de toi, et ça ne changera pas si tu décides d'annuler. Je ne veux pas que tu ressentes de la pression, lui assura Dane.

— Je sais. Merci.

— Passons en revue ce qui nous attend, dit-il en lui prenant les mains.

Il ne pouvait s'empêcher de craindre que ce soit trop difficile pour elle. Elle n'avait même pas pu s'approcher des requins dans les bassins. Comment allait-elle supporter de les voir depuis un bateau ? Il prit une profonde inspiration et continua.

— Rob jettera un appât dans l'eau, et tu verras. Tu verras du poisson, du sang et une piste à mesure qu'on avancera, d'accord ?

Lacy déglutit et serra ses lèvres. Ses sourcils se froncèrent et Dane sentit la tension raidir ses bras.

— On verra peut-être un requin, Lace. Ce n'est pas sûr. Parfois, ça prend des heures, et d'autres fois… dit-il en haussant les épaules. Ça arrive très rapidement.

Elle hocha de nouveau la tête. Rob posa une main sur son épaule.

— Dane et moi sommes ici, Lacy. Nous ne laisserions rien t'arriver.

Ça, c'est le Rob que je connais et que j'aime.

Elle adressa un sourire forcé à Dane qui ne le trompa pas.

— Je sais. Merci, dit-elle. Allons-y.

Le cœur de Dane cognait si fort contre sa poitrine qu'il était sûr d'être plus nerveux qu'elle. Il se rapprocha et la serra contre lui, un bras autour de son épaule, l'autre couvrant ses deux mains sur ses genoux. Puis il adressa un signe de tête à Rob, et qui se mit au travail. Lacy était raide à côté de lui. Il lui embrassa la tête.

— Je suis là. Il ne va rien t'arriver.

Elle regarda droit devant elle en hochant la tête, mais c'était son silence qui l'inquiétait.

— Lace, regarde-moi, bébé.

Quand il vit la peur dans ses yeux, il dut prendre sur lui pour ne pas faire demi-tour et retourner au rivage, mais c'était le choix de Lacy, et il respectait sa décision.

— Sache que même si tu n'es jamais à l'aise sur un bateau quand je travaille, on peut faire en sorte que cette relation fonctionne. Ça ne m'inquiète pas du tout.

Lacy poussa un soupir. Elle esquissa un sourire nerveux et son regard s'apaisa quelque peu.

— Merci, murmura-t-elle. Mais je veux le faire quand même.

— D'accord, acquiesça-t-il. Mais je voulais que tu le saches.

Quarante-cinq minutes plus tard, Rob fit discrètement signe à Dane, indiquant qu'il avait repéré un requin. Dane jeta un regard par-dessus bord et repéra un requin faisant entre un mètre cinquante et deux mètres de long sous la surface de la piste d'appât.

— Bébé, tu veux toujours le faire ? demanda Dane.

Elle hocha la tête, les yeux écarquillés.

— Il y a un requin ? demanda-t-elle en lui prenant la main.

— Oui. C'est un petit.

Elle s'humecta les lèvres, puis les pressa fermement l'une contre l'autre et hocha la tête.

Dane l'aida à se relever, un bras enroulé autour de son épaule, le corps pressé contre lui. Rob se plaça de son autre côté et posa une main sur le bas de son dos. Puis lui et Dane firent un demi-pas en avant, de sorte que Lacy fut bloquée en toute sécurité entre eux, et légèrement en arrière.

— On est là, Lacy, dit Rob.

Lacy regarda droit dans l'eau, mais Dane savait que ses yeux parcouraient la surface.

— Lace, à ta droite, à environ cinq mètres du bateau, se trouve le requin, dit-il. Je suis avec toi et le requin ne peut pas te faire de mal. Tu es en sécurité.

Elle hocha la tête et baissa les yeux. Dane la regarda inspecter lentement la piste d'appât. Elle prit une inspiration et se colla à lui.

— Tout va bien, dit-il. Il est petit et trop loin pour te faire du mal. Tu es en sécurité.

Elle acquiesça et enfonça ses doigts dans la taille de Dane.

— C'était très bien, Lacy. Je pense que ça suffit. Tu l'as vu. Maintenant, allons nous asseoir et rentrons, dit Dane en faisant signe à Rob.

— Attends, dit Lacy en saisissant le bras de Rob. Attends. Je veux encore regarder. Je dois le faire.

Elle ajouta alors en chuchotant :

— *Je vais bien. Je vais bien. Je vais bien.* Je suis en sécurité. Je suis en contrôle. Un, deux, trois…

Ses épaules crispées étaient presque collées à ses oreilles. Un V profond s'était formé entre ses sourcils. Dane retint son souffle alors qu'elle regardait le requin, chuchotant son mantra et comptant jusqu'à dix dans la brise. Son propre cœur tonnait également.

— Dix. D'accord, dit Lacy en s'accrochant à Dane et reculant de deux pas, avant de balbutier : Tu peux m'amener aux sièges ? On peut partir ?

Dane l'éloigna pendant que Rob les ramenait au rivage. Il retint son souffle jusqu'à ce que Lacy soit installée en toute sécurité sur les sièges arrière, puis s'agenouilla devant elle et posa ses mains sur ses cuisses.

— Ça va ?

Elle hocha la tête et laissa échapper plusieurs respirations bruyantes à travers les lèvres plissées.

— Je vais bien. Je l'ai fait. Je vais bien.

Le tremblement commença alors au niveau de ses jambes et se propagea à tout son corps jusqu'à ce qu'elle tremble comme une feuille dans la brise. Dane enroula une couverture autour d'elle et l'attira sur ses genoux.

— Tu es en sécurité, bébé. Je suis juste là et je suis si fier de toi.

Elle agrippa les extrémités de la couverture et tourna ses yeux humides vers Dane.

— Je ne suis pas sûre de pouvoir un jour être sur un bateau si tu es sous l'eau avec un requin. Je n'ai pas seulement peur pour moi, Dane. Les risques… J'ai peur pour toi. Mais je peux me trouver sur un bateau si tu ne t'occupes pas de requins. Là, je vais bien.

— Lacy, on fera comme tu voudras. On peut faire en sorte que cela fonctionne.

Il l'embrassa sur le front et la serra contre lui, une main enfouie dans ses boucles et l'autre autour de son dos jusqu'à ce que son corps cesse de trembler et que sa propre respiration se calme.

Quand la marina fut en vue, Lacy était redevenue normale. Elle s'était débarrassée de la couverture et se tenait au milieu du pont, les épaules droites et un sourire étincelant sur les lèvres.

— Je l'ai fait, proclama-t-elle la main sur la poitrine. Je n'ai pas eu de crise.

— C'est sûr, Lacy, dit Rob. On est très fiers de toi.

— Tu ne manques jamais de m'étonner, Lace, dit Dane avant de la faire tournoyer en l'embrassant. Prête à quitter cet enfer ?

Lacy lui adressa un sourire coquin.

— Tu diriges et je suis.

Les mêmes mots que tu as utilisés hier soir.

— J'aurais plusieurs choses à étudier avant d'aller dîner.

Les joues rouges de Lacy lui indiquèrent qu'elle pensait la même chose que lui.

CHAPITRE VINGT-DEUX

« Étudier ». Lacy n'arrivait plus à réfléchir depuis que la phrase avait quitté les lèvres de Dane. Lui aussi apprenait vite. Elle réprima un sourire alors que le souvenir de leur nuit passée lui revenait. La jeune femme s'éloigna des hommes afin de penser à autre chose. Si elle n'entendait pas sa voix, elle ne penserait pas aux choses qu'il lui avait dites la veille dans le feu de la passion.

Le chemin du retour fut interminable. Elle était gonflée d'adrénaline après avoir vu le requin. La perspective de toucher Dane faisait tambouriner son cœur. *Dépêche-toi. Dépêche-toi.*

Une fois à la marina, l'accostage lui parut une éternité. Elle rejoignit Dane qui passa un bras autour d'elle et caressa la peau nue de sa taille sous son tee-shirt. Chaque contact faisait vagabonder son esprit vers des endroits sensuels. Chaque minute était d'une lenteur sournoise. Elle ne comprenait pas pourquoi elle était si portée sur le sexe avec Dane, mais elle ne voulait pas y penser. Depuis qu'elle avait découvert qu'il était resté si longtemps sans toucher une femme, son regard avait changé. Plus d'un an… En l'entendant, elle avait failli danser dans la pièce en chantant. C'était au-delà de ce qu'elle aurait pu espérer, et maintenant, alors qu'elle regardait Dane et Rob rire et se taper dans le dos, elle n'avait qu'une envie : l'entraîner dans la cabine et lui montrer qu'il avait eu raison de l'attendre.

Elle regarda Dane et Rob arrimer le bateau. Quand ils eurent fini, elle toucha le bras de Dane. Sa peau était chaude avec le soleil. Elle avait envie de faire courir sa langue sur ses abdominaux musclés et goûter sa peau. Il lui lança un regard avide et empli d'urgence, et le mot *sauvage* vint à l'esprit de Lacy.

Rob rassembla ses affaires et s'apprêta à quitter le bateau.

— Merci pour cette belle course, dit-il en souriant. J'ai adoré tes idées pour Brave, Lacy. J'ai hâte de voir ce que tu proposeras pour la stratégie marketing.

Oh, j'ai quelques stratégies dans ma manche.

— J'ai hâte de rencontrer Sheila.

— On se voit ce soir, confirma Rob en mettant pied sur le quai.

Lacy le regarda monter dans sa voiture et partir. Elle se retourna et heurta le torse de Dane. Il ne lui laissa pas le temps de comprendre ce qui lui arrivait, que sa bouche fut sur la sienne et ses mains pressées sur ses fesses pour la serrer contre lui. Il l'embrassa passionnément avant de la libérer, la respiration haletante.

— Je pensais qu'on ne rentrerait jamais, haleta-t-il en l'entraînant vers la cabine tout en la déshabillant et descendant les marches à tâtons.

— Je sais, dit-elle entre deux baisers avides. Je ne pensais qu'à…

Dane l'embrassa à nouveau.

— *Étudier.*

Dane se débarrassa de son tee-shirt, avant de se concentrer sur le corps de Lacy. Sa peau était chaude. Il caressa ses seins à travers la fine étoffe de son maillot, et ses mamelons se durcirent. Lacy lui saisit la tête et attira sa bouche vers sa poitrine en gémissant.

Dane posa les mains sur ses seins, tout en effleurant son mamelon de sa langue. Lacy lui prit une main et suça deux de ses doigts avant de les guider sous son maillot de bain. Dès l'instant où il la toucha, il lui en fallut plus. Il enfonça ses doigts en elle et utilisa son autre main pour taquiner son mamelon tandis que sa langue faisait des merveilles sur l'autre sein, l'emplissant d'un désir brûlant.

— Lacy, murmura-t-il.

Dane fit descendre son bikini à ses chevilles et la poussa contre le mur en lui écartant les jambes à l'aide de son genou.

— Touche-moi, dit-elle.

Il lui obéit et entama un va-et-vient avec ses doigts, la rendant de plus en plus folle de désir.

— Je vais…

Sa respiration s'accéléra. Dane lui saisit les fesses, et juste avant qu'elle jouisse, il la souleva et s'enfonça en elle – avec force. Elle cria, et son dos claqua contre le mur à chaque coup de reins vigoureux. Lacy se dressa sur la pointe des pieds alors qu'il allait de plus en plus vite, les cuisses tendues contre elle. Il l'embrassa en lui saisissant les joues, et l'immobilisa pour lui administrer un baiser possessif. Il la revendiquait autant qu'il lui pillait la bouche. Leurs corps glissèrent l'un contre l'autre, déclenchant un brasier qui les enflamma et explosa sous forme d'un éclat de lumière derrière les yeux de Lacy, et d'une impulsion électrique entre ses jambes. Dane la rejoignit dans le plaisir, puis continua à la tenir alors qu'il retirait ses lèvres et écartait ses cheveux trempés de sueur de son front.

— Quand es-tu devenue une telle tentatrice ? murmura-t-il.

Lacy se sentit rougir.

— Je ne sais pas, dit-elle le souffle court. J'ai réalisé que ma peur était probablement un mélange de choses...

Elle prit une profonde inspiration pour essayer de reprendre le contrôle de sa respiration.

— ... Et pas seulement les requins. Et quand j'ai lâché prise là-dessus...

Elle expira lentement, les poumons enfin apaisés.

— Et que je t'ai laissé entrer dans mon cœur, tout a changé.

Dane appuya son front contre le sien.

— Tu as déjà mon cœur, Lace. Je veux seulement te protéger.

Lacy se blottit contre lui, la main sur son torse. En sentant son cœur battre contre sa paume, elle réalisa qu'elle était tombée amoureuse de Dane dès leur première rencontre à Nassau. Elle n'avait jamais réalisé qu'elle pourrait avoir besoin de protection, mais alors que les mots quittèrent ses lèvres, elle ne put imaginer une meilleure personne prendre soin d'elle.

CHAPITRE VINGT-TROIS

Après que Dane eut déposé Lacy à son cottage pour qu'elle se prépare pour le dîner, elle prit une douche, s'habilla et lut un mail de son patron qui l'informait de ses missions en cours et la félicitait d'avoir solidifié Brave en tant que client.

Tu n'as aucune idée de la solidité de Brave.

Elle appela Danica pour lui raconter comment les choses se passaient.

— Je suis vraiment la pire sœur de tous les temps. Je suis désolée, dit Lacy lorsque Danica décrocha.

— Je ne sais pas. Kaylie a ses moments, la taquina Danica.

— Je suis désolée de ne pas avoir appelé. Il s'est passé tellement de choses, et je ne sais pas par où commencer, mais je sais que je te le dois, Dan. J'ai pensé à ce que tu as dit à propos du lâcher-prise sur son passé, et c'est comme si à la minute où je l'ai fait, toute ma peur et mon anxiété se sont évanouies.

Lacy mit l'appel sur haut-parleur et commença à appliquer de l'eye-liner sous ses cils.

— C'est ce qui est drôle avec l'anxiété. Tu ne sais jamais vraiment d'où ça vient, dit Danica. Alors, dis-moi ce qui s'est passé.

— Je ne sais pas. J'ai essayé de le séduire, et je dois dire que je n'étais pas très douée, mais bref, de fil en aiguille, il m'a dit qu'il n'avait pas fréquenté de femmes depuis plus d'un an. *Plus d'un an*, Danica. C'est pareil pour moi, mais un homme !

Lacy termina de se maquiller, reprit le téléphone et se rendit au salon, où elle s'assit devant son ordinateur.

— Le cœur est une chose puissante.

— On a fait une balade sur le bateau de Treat pour voir des requins.

— Lacy, qu'est-ce que je t'ai dit sur le fait de trop pousser ses limites ? la réprimanda Danica.

— Je sais, mais tu m'as aussi dit de faire face à mes peurs, et j'allais bien. Tes conseils m'ont vraiment aidée. On a vu un requin qui, selon Dane, était petit, mais qui m'a semblé énorme. Je n'ai pas paniqué. Je n'ai pas aimé ça, mais je n'ai pas perdu toutes mes facultés non plus, donc j'ai l'impression que c'est un grand pas.

— C'est un pas énorme, Lace. Tout ce que tu as à faire c'est de ne pas paniquer sur un bateau et, Lacy, tu sais que même si tu n'arrives pas à surmonter ça, Dane et toi pouvez toujours être ensemble. C'est lui qui est dans l'eau, pas toi, fit remarquer Danica.

— C'est vrai, mais je ne veux pas qu'il s'inquiète pour moi alors qu'il doit se concentrer sur les requins et faire son travail. Compte tenu de ce que j'ai vu jusqu'à présent, il passerait son temps à s'inquiéter pour moi s'il est sous l'eau et moi sur le bateau. Il n'a pas besoin de cette distraction et, en tant que couple, nous n'avons pas besoin de ce stress.

— Tu ne vas pas rompre à nouveau, n'est-ce pas ? demanda Danica.

— Non. Je ne disais pas ça comme ça. Je pense que j'y vois plus clair, et en fait je suis ravie de m'occuper de Brave. Oh, et n'oublie pas que j'ai touché un bébé requin à l'aquarium, tu te souviens ? Au début, ça m'a un peu effrayée, mais ensuite ça allait et je l'ai même touché une seconde fois, dit Lacy en s'asseyant sur le canapé.

— Je n'ai pas oublié. Je suis vraiment fière de toi. Je suis sûre que tu avais une peur bleue. Mais fais attention, Lacy. Tu pourrais encore avoir une crise de panique, alors si tu l'accompagnes quand il part en mission, assure-toi d'avoir un filet de sécurité. Un endroit pour t'évader. Je ne sais pas où... une cabine dans le bateau peut-être ?

— Je le ferai, mais je ne prévois pas de partir en mission avec lui. Merci, Danica, pour tout. Je suis contente que tu aies parlé à Dane, et je suis même un peu contente que tu ne me l'aies pas dit. Tu as probablement raison : ça m'aurait mis une pression supplémentaire.

Pour la millionième fois, Lacy fut reconnaissante d'avoir ses sœurs dans sa vie.

— Tu sais que si je ne le croyais pas digne de toi, ou si je pensais que cela te ferait du mal, je n'aurais jamais parlé avec lui, n'est-ce pas ?

— Je sais. Je te fais confiance. Oh, j'ai failli oublier : on dîne avec Rob et sa femme ce soir. Je l'aime beaucoup.

Lacy se demandait à quoi ressemblait Sheila.

— C'est lui que vous avez récupéré au commissariat ? demanda Danica.

— Oui. Il s'est réinscrit chez les AA et il semble vraiment sincère dans ses efforts. Il s'avère qu'il n'a bu que pendant quelques jours.

— C'est bien. J'espère qu'il pourra rester sur la bonne voie. Mais je me demandais... Dane et toi, avez-vous parlé de ce qui se passera ensuite ? demanda Danica.

— Ensuite ?

Mince. Ensuite ?

— Après Chatham ? Tu as une vie, tu sais, et lui aussi. Vous allez retourner à Skype et aux appels téléphoniques ?

— Mon Dieu, nous n'en avons pas parlé. Oh, Danica, je ne sais pas. Je ne peux pas passer des mois sans le voir, pas alors qu'on est devenus si proches, dit Lacy en se levant et faisant les cent pas. Zut. Je n'ai aucune idée de ce qu'on va faire. Son emploi du temps ne va pas changer.

Elle se laissa retomber sur le canapé et soupira :

— Génial, un autre cauchemar.

— Ce n'est pas un cauchemar, Lacy. Tu dramatises comme Kaylie. Vous trouverez. Ce n'est qu'un… contre temps.

Un contre temps ? Un frisson parcourut Lacy.

— Comment est-ce qu'on trouvera ? Merde, Danica. J'aurais aimé que tu n'en parles pas.

— Désolée, Lacy, mais tu n'as plus que quelques jours avec lui avant de retourner à ta vie. Je préfère toujours savoir où je vais, déclara Danica.

— J'aimais bien mon côté nymphomane. Je n'ai jamais été aussi spontanée. Je n'ai jamais eu l'impression que mon cœur pourrait exploser si je ne touchais pas quelqu'un, et maintenant… Oh, Danica, soupira-t-elle en posant son front sur sa main.

— Lacy chérie, calme-toi. Quand on veut, on peut. Regarde Max et Treat, Josh et Riley. Vous trouverez une solution. Ça peut prendre un certain temps, mais vous trouverez, et tu ne seras pas toujours en sexathlon non plus. Ça va finir par ralentir, et puis, si vous vous voyez à peu près toutes les deux semaines, ça pourrait marcher.

— Merci, sœurette. Peut-être que tu as raison. Je vais avoir matière à réfléchir ce soir, et je ne pourrai même pas boire un verre de vin avec les problèmes de Rob. Il n'y a rien de pire que d'essayer de ne pas avoir une chose étalée devant toi. Quand je suis revenue, c'était comme ça avec Dane. Je le voulais, mais je ne pouvais pas – ou je ne voulais pas – m'autoriser à l'avoir.

— Tu n'as pas besoin de vin, même si ça aide, et maintenant tu peux l'avoir autant que tu veux ton Dane. La seule chose, c'est que tu dois voir plus loin que tes hormones déchaînées et ne pas tomber dans l'illusion que ces interludes romantiques pourraient durer éternellement. Je crois fermement que l'univers intervient quand on en a besoin. Nous devons compter sur nos ressources et notre esprit, mais je suis sûre que vous verrez une sorte de signe et ça vous poussera dans la bonne direction. Appelle-moi si tu as besoin de moi, déclara Danica.

— Merci. Je le ferai. Dis à Kaylie que je suis désolée de ne pas l'avoir appelée ces derniers temps. Je le ferai dès que j'aurai la tête claire. Comment vont les jumeaux ? Ils me manquent.

Lacy se rendit à la fenêtre et contempla la mer en pensant à quel point Trevor et Lexi aimeraient le cottage et la plage.

— Ils sont tellement mignons, et je t'assure que je n'ai jamais vu une meilleure mère que Kaylie. Elle gère la reprise de travail. Je lui dirai que tu penses à elle et on se reverra toutes bientôt. Je t'aime.

— Moi aussi.

Après avoir mis fin à l'appel, Lacy s'assit sur le canapé en réfléchissant à ce que Danica avait dit. *Comment allons-nous faire ?*

CHAPITRE VINGT-QUATRE

Ils dînèrent à la terrasse d'un restaurant familial, afin que les deux enfants de Rob, Charlie et Katie, puissent se dégourdir les jambes en cas de besoin. Charlie ne quitta pas sa chaise de toute la soirée, et s'assit à côté de Rob, les bras croisés. Même à sept ans, il avait le regard maussade d'un adolescent, tandis que Katie arborait un perpétuel sourire et s'accrochait au bras de la chaise de Lacy en battant ses cils épais sur ses grands yeux bruns.

Lacy lui toucha le nez.

— Tu es la petite fille de quatre ans la plus mignonne que j'aie jamais vue.

— Je peux toucher tes cheveux ? demanda Katie.

— Bien sûr que tu peux, ma chérie, répondit Lacy en souriant.

Katie caressa les boucles de Lacy.

— Jolie, dit-elle.

— Je peux toucher tes beaux cheveux ? lui murmura Lacy à l'oreille.

Katie hocha la tête avec un large sourire. Lacy lui caressa les cheveux et ouvrit grand les yeux pour feindre la surprise.

— Oh, Katie. Je n'ai jamais rien touché de si doux. Tu as tellement de chance d'avoir les cheveux de ta maman.

Dane n'avait jamais beaucoup pensé à avoir des enfants,

mais en regardant Lacy et Katie, il songea comme elle était douée avec eux. Elle était patiente, gentille et attentive à tout ce qu'ils disaient. Il imagina brièvement à quoi elle pourrait ressembler en tant que mère.

Katie courut vers sa mère. Elle grimpa sur ses genoux et posa sa tête contre sa poitrine. Sheila lui caressa les cheveux.

— Dis merci, dit-elle en plantant un baiser sur la tête de sa fille.

— Merci, dit Katie.

Charlie qui était assis près de son père, observait Lacy comme un faucon à travers la frange de ses cheveux noirs ondulés.

— Vous savez ce que je pense ? demanda Lacy. Je pense que Charlie sera encore plus beau que son père quand il sera grand.

Elle fit un clin d'œil à Rob, qui sourit et passa son bras autour de Charlie.

Les yeux de l'enfant s'écarquillèrent. Il regarda son père qui hocha la tête et Charlie se redressa, souriant pour la première fois de la soirée.

Dane saisit la main de Lacy et la serra. Il aimait la voir si chaleureuse et attentionnée envers les enfants de Rob. Leur relation évoluait rapidement, mais cela semblait trop naturel pour pouvoir être ralenti. Lacy posa sa main sur ses genoux et Dane fronça les sourcils.

Elle sourit, mais il perçut une hésitation dans son regard. Il se pencha vers elle et chuchota :

— Tout va bien ?

— Parfaitement, dit-elle en acquiesçant de la tête.

Il remarqua pourtant la tension perceptible dans sa voix.

— Lacy, puisque les hommes vont plonger demain, je me disais qu'on pourrait passer la journée ensemble et emmener les enfants à la foire ou quelque chose comme ça ? proposa Sheila en repoussant ses longs cheveux derrière ses épaules. Bien sûr, si ça ne te dérange pas de devoir te trimballer avec des enfants.

— J'adorerais ça, répondit Lacy.

Dane regarda Sheila poser une main sur le bras de Rob, et sentit presque sentir la vague d'amour qui passait entre eux.

— Je voulais aussi vous remercier d'avoir aidé Rob l'autre jour, déclara Sheila. Le mariage peut parfois être difficile, et nous sommes en quelque sorte tombés dans une spirale infernale pendant quelques jours. C'est parfois difficile quand on doit se séparer longtemps. Mais Robby travaille sur son... ses problèmes, et les miens.

Elle sourit à Rob et ajouta :

— Nous avons tous les deux réalisé à quel point nous tenions l'un à l'autre.

Elle se tourna alors vers Dane et Lacy.

— Merci d'avoir été là pour lui.

— Rob est comme un frère pour moi.

Dane regarda son meilleur ami et partenaire de plongée ; un bras semblable à un tronc reposait sur le dossier de la chaise de Charlie, l'autre sur ses genoux. Une barbe d'un jour recouvrait ses joues bronzées. Il paraissait fort et en bonne santé, si différent du Dane qu'il avait récupéré au poste de police.

— J'irai au bout du monde pour lui, déclara Dane. C'est un homme bon, Sheila, et je suis vraiment désolé de ne pas avoir remarqué que ça n'allait pas pour pouvoir vous aider.

— Merci, Dane, dit Rob en rougissant.

— On passe tous par des moments difficiles. On trouvera un compromis pour les horaires, Sheila. Je sais que c'est dur avec les enfants, et j'apprécie que tu permettes à Rob de voyager autant. Je ne sais pas ce que je ferais sans lui, déclara Dane.

— Nous non plus, dit Sheila en tournant un regard chaleureux vers Rob.

Dane et Lacy souhaitèrent bonne nuit à Rob, Sheila et aux enfants, puis ils allèrent faire une promenade sur la plage après leur retour au cottage. La température avait baissé durant la soirée, et ils se blottissaient l'un contre l'autre en marchant sur le sable froid.

— J'aime beaucoup Sheila. J'ai hâte de passer du temps avec elle et les enfants demain, déclara Lacy.

— Ça me fait plaisir. C'est quelqu'un de vraiment gentil et Rob est un homme formidable malgré ses récents problèmes, dit Dane.

— Je sais. Tu n'as pas à essayer de me le vendre. Je l'aime beaucoup, et c'est évident que vous êtes très proches.

— Tu te sentais bien là-bas ? J'ai cru déceler quelque chose... dit Dane en laissant la phrase en suspens.

Lacy passa son bras dans le sien et posa sa tête contre son épaule.

— J'ai eu une conversation avec Danica ce soir. Elle a évoqué des sujets qui sont probablement prématurés, mais maintenant je ne peux pas m'empêcher d'y penser.

— Quels genres de choses ? demanda Dane.

— Comme ce qui se passera quand ce séjour sera terminé, dit Lacy en le regardant.

Dane cessa de marcher et se tourna vers elle. Lacy le regarda avec des yeux écarquillés et inquiets. Il la tenait, sans doute trop fort, mais l'idée de la perdre à nouveau le rendait fou.

— J'y ai pensé aussi, admit-il. Je ne sais pas si c'est prématuré, mais mon esprit a voyagé dans ces endroits-là…

Il haussa les épaules et poursuivit.

— Te voir avec les enfants de Rob m'a fait penser à toutes sortes de choses auxquelles j'ai probablement tort de penser déjà.

— Comme quoi ?

Enfants, mariage, vieillir ensemble. Il ne voulait pas l'effrayer, mais il voulait qu'elle sache à quel point ses sentiments avaient grandi.

— Le même genre de chose. Ce qui vient après. Les enfants.

Lacy lui toucha le torse et sourit.

— Les enfants ? Vraiment ?

Il haussa les épaules.

— Je ne sais pas. Je te regardais avec Katie et Charlie, et pour la toute première fois, mon esprit m'a associé à des enfants et à toi.

— J'adore les enfants, dit Lacy, les yeux brillants. Mon Dieu, tu penses encore plus loin que moi.

Dane l'attira contre lui et l'embrassa doucement sur les lèvres.

— Je ne sais pas ce qu'il y a entre nous, mais je peux nous voir ensemble vieux et gris. Ce que je ne peux pas imaginer, c'est une vie sans toi à mes côtés.

— Moi non plus, dit Lacy. C'est l'entre-deux que je n'arrive pas à imaginer.

— Je ne suis pas sûr de la réponse. Je sais que tu aimes ton travail. Bon sang, tu es venue ici pour sauver ta carrière.

— Je suis venue ici pour être avec toi, déclara Lacy.

— Je ne suis qu'un bonus dans tes petites vacances douillettes au Cape. Oh, et un chemin vers une promotion, la taquina-t-il.

— Tu m'as démasquée. Alors, monsieur Braden, que se passe-t-il une fois que les petites vacances douillettes seront terminées ?

Si seulement je savais.

Ils marchèrent main dans la main. Le bruit des vagues déferlantes comblait le blanc dans leur conversation.

— Nous devrons organiser nos voyages, dit-il. Se voir au moins une fois par mois.

— Une fois par mois ? répéta Lacy en lui lançant un regard inquiet.

— Lace, je voyage tout le temps. Tu le sais. J'aimerais être avec toi chaque seconde, mais à moins que tu démissionnes et que tu voyages avec moi...

Elle se détourna.

Il n'avait jamais osé poser la question, car elle avait toujours insisté sur le fait qu'elle aimait son travail. Mais à présent, il était obligé de demander.

— Tu l'envisagerais ? Venir avec moi ? Il n'y a rien que j'aimerais autant que t'avoir à mes côtés à chaque seconde – je sais que tu ne pourras pas venir pendant que je tague, mais toutes les autres secondes.

Le bras de Lacy se raidit. Elle se mordit la lèvre inférieure, et quand elle se tourna vers Dane, il vit clairement de la tristesse dans ses yeux célestes.

— Ça ira, Lacy. On trouvera une solution, lui assura-t-il, même s'il ne savait absolument pas comment.

— On pourra se voir plus souvent ? Une fois toutes les deux ou trois semaines ? Je peux venir te voir une fois par mois et tu pourras venir me voir.

Son ton suppliant lui fendit le cœur.

— On peut essayer, mais aller à Maui ou même en Floride

le temps d'un week-end va être épuisant si on le fait tout le temps, tout comme se rendre dans le Massachusetts.

— Tu veux me voir plus souvent ? demanda-t-elle.

Dane se laissa tomber sur un genou et lui prit la main.

— Dane ?

Il porta l'autre main de Lacy à sa bouche.

— Lacy Snow, je te veux à mes côtés chaque seconde de chaque jour. Je sais que tu as promis de ne pas tomber amoureuse de moi, alors veux-tu être mon *amie* ?

Il sourit et ajouta :

— Seras-tu ma sex-friend ? Pour toujours ?

Lacy éclata de rire.

— Qu'est-ce que ça signifie ? Comme sur Facebook ?

Dane se releva et épousseta son pantalon.

— Viens avec moi. Tu n'auras jamais à admettre être tombée amoureuse de moi. Vivons ensemble. Sois avec moi. Sois mon *amie-qui-ne-peut-pas-être-amoureuse-de-moi* pour toujours.

Il savait qu'ils avaient tous les deux franchi les limites de l'amitié, mais il avait peur qu'une vraie demande en mariage ne l'effraie. Pourtant, l'espoir montait en lui alors qu'il réfléchissait aux possibilités.

— Nous nous réveillerons ensemble tous les jours, Lace. On passera notre temps libre à visiter les villages ou à lire, ou ce que tu veux. Je me moque de ce que nous ferons. Je te veux juste avec moi. Qu'en dis-tu ?

Le sourire de Lacy s'estompa, emportant avec lui l'espoir de Dane.

La proposition d'amitié de Dane avait sidéré Lacy. Était-il sérieux ? Abandonner son travail et voyager avec lui ? Que ferait-elle toute la journée ? Elle ne pouvait pas prendre le bateau avec lui quand il travaillait. Et toutes ces années à travailler comme une folle pour World Geographic ? Ça comptait pour elle. Cela signifiait énormément. Elle regarda les yeux pleins d'espoir de Dane, son torse qui se soulevait de haut en bas à chaque respiration excitée. Mon Dieu, elle aurait aimé pouvoir sauter dans ses bras et crier : *Oui ! Oui ! Je serai ton amie-qui-ne-peut-pas-être-amoureuse-de-toi* pour toujours ! Mais comment pouvait-elle faire ça ?

— Je ne m'attendais pas à une proposition d'amitié pour toujours, dit-elle.

— Je ne m'attendais pas à te le proposer, avoua-t-il d'un ton taquin en lui touchant la joue. Mais un pacte est un pacte.

— Comme des sœurs de sang, qui se coupent la paume pour mélanger leurs sangs, plaisanta Lacy.

Pourtant, à l'intérieur elle ne riait pas. Elle ne savait pas comment faire fonctionner leur relation vers le futur, même si elle en mourait d'envie.

— Dane, est-ce que tu abandonnerais ta carrière pour moi ?

— Voyons, Lace. J'ai construit une fondation en partant de rien.

— Je sais.

— Pense à la vie que nous aurions ensemble. On pourra aller n'importe où.

— À condition qu'il y ait des requins, souligna-t-elle.

— D'accord, tu as raison, mais, Lace, l'alternative est d'être ensemble à temps partiel.

— Et s'il t'arrivait quelque chose ? Et si j'abandonnais tout et que, je ne sais pas, tu te faisais manger par un requin ?

Lacy réalisa la plausibilité de sa question, et elle serra la mâchoire pour empêcher ce nouveau sujet d'inquiétude de prendre le dessus.

— Lacy, ça n'arrivera pas. Je te l'ai dit, mon travail est moins risqué que de conduire une voiture.

— Mais admettons que ça arrive ! Dans ce cas, j'aurais tout abandonné, et je n'aurais plus de maison, plus de stabilité. Plus de travail.

Plus de Dane. OhmonDieuohmonDieuohmonDieu.

Il posa son front contre le sien, comme il l'avait fait quand ils avaient fait l'amour. Son murmure était une caresse pour son cœur tambourinant qui s'envolait vers une falaise qu'elle voulait désespérément éviter.

— Je fais attention, Lace. Je ne laisserai rien m'arriver. Rob ne laissera rien m'arriver.

Elle ne voulait plus y penser. Sheila lui avait clairement expliqué ce que faisait une relation à temps partiel à une famille. Mais Rob et Sheila se battaient pour que ça marche, alors peut-être qu'il y avait de l'espoir. Lacy se demanda si elle pourrait ou devait abandonner son travail. Elle avait besoin de temps pour réfléchir, mais son esprit tournait en rond.

— Ne t'inquiète pas, Lace. On trouvera. Je sais à quel point ton travail est important pour toi et je sais à quel point Fred te respecte. Je ne veux pas compromettre ton bonheur ou ta carrière, mais je ne veux pas te perdre non plus. Nous trouverons une solution, répéta-t-il en l'embrassant sur le front. Rentrons au cottage et dormons dans les bras l'un de l'autre. Pas de sexe, pas de discussions profondes. Soyons juste ensemble.

Lacy avait l'impression d'être piégée dans une bulle de questions sans réponse, avec un avenir inatteignable.

Si seulement on pouvait trouver un moyen et faire éclater cette bulle pour pouvoir enfin saisir notre avenir et nous y accrocher fermement.

CHAPITRE VINGT-CINQ

Malgré les questions sans réponses qui tournaient dans son esprit et son cœur, une fois au cottage, Lacy s'était endormie dans les bras de Dane comme il l'avait suggéré, et étonnamment, elle avait dormi toute la nuit.

Plus tard, Dane se réveilla en sueur. Il se redressa d'un coup, imité par Lacy.

— Qu'est-ce qu'il y a ? demanda-t-elle.

Elle le regarda parcourir des yeux la pièce.

— Juste un mauvais rêve. Je suis désolé. Je ne voulais pas t'effrayer, dit-il.

— Tu veux en parler ?

Il se leva et prit une serviette dans la salle de bain.

— C'était ma mère. Elle était avec moi, comme sur toutes les photos chez mon père. Elle me poussait dans le dos, expliqua-t-il en se rinçant le visage avant de revenir dans la chambre. Bon sang, je n'avais pas rêvé d'elle depuis des années.

— Peut-être qu'elle te manque parce que tu pensais à notre avenir et à avoir des enfants, suggéra Lacy.

Il sourit et lui toucha la joue.

— Peut-être.

— Tu ferais mieux de te préparer. Le réveil va sonner dans cinq minutes. Moi aussi je veux me préparer de bonne heure.

J'aimerais faire un tour dans ce magasin de jouets en ville et acheter quelques trucs pour Katie et Charlie avant de les rencontrer, expliqua-t-elle en se dirigeant vers la salle de bain. Je suis impatience de passer la journée avec eux. Je pense qu'on va bien s'amuser. Qu'est-ce que tu prévois de faire une fois que tu auras terminé ? Tu veux m'appeler ?

Il enroula ses bras autour d'elle par-derrière et l'embrassa sur la nuque.

— Oui, je veux t'appeler. J'adore parler à mon *amie*.

— Alors j'espère que je suis *la seule amie* avec qui tu parles, le taquina Lacy.

— Je pensais qu'on pourrait aller au concert à Nauset Beach ce soir, dit-il en la tournant dans ses bras pour l'embrasser sur les lèvres.

— Pourquoi pas ? On pourrait demander à Rob et à Sheila de venir ? Les enfants adorent la plage et la plupart du temps, ils aiment la musique. Je parie qu'ils s'éclateraient. Enfin, s'ils ne s'épuisent pas à la foire.

— Mon Dieu, je… t'aime bien, dit-il.

— Attention à ne pas rompre notre promesse.

Le pacte était devenu une blague, mais Lacy sentait que c'était aussi un moyen pour eux de contourner leurs vrais sentiments, et même si elle adorait plaisanter, au fond elle mourrait d'envie de l'entendre dire les trois mots qui lui chatouillaient sa langue chaque fois qu'elle était dans ses bras.

Katie tenait la main de Lacy d'une main, et de l'autre serrait l'ours en peluche que cette dernière lui avait apporté, alors qu'ils avançaient dans la Barnstable Country Fair. À chaque pas, elle sautillait en faisant rebondir ses nattes. Charlie marchait à côté de Sheila, les bras pendus le long du corps et les lèvres boudeuses.

— Je veux monter dans les grandes montagnes russes, râla-t-il.

— Tu es un peu trop petit. Tu dois être aussi grand que l'ours en bois, lui rappela Sheila.

Charlie avait juste quelques centimètres de moins que la taille requise, et il ne faisait que rouspéter depuis.

— Et la mini-ferme ? demanda Lacy.

— Les animaux c'est pour les bébés, déclara Charlie.

Avec sa peau pâle et ses taches de rousseur sur son nez, il ressemblait à Alfalfa dans *Les Chenapans*. Elle avait eu du mal à lui trouver un jouet, car il était trop vieux pour les animaux en peluche et elle n'était pas sûre de ce qu'il aimait, mais il semblait apprécier le camion Matchbox qu'elle lui avait acheté, et qu'il serrait dans son poing.

— Les bébés ? J'adore les animaux et je ne suis pas un bébé, déclara Lacy.

— Charlie, sois gentil.

Sheila portait un short bleu marine et un débardeur coloré. Ses longs cheveux flottaient librement dans son dos, et après avoir réprimandé Charlie, elle articula : « désolée » à Lacy.

Lacy articula en retour : « c'est bon ».

— Animaux ! Animaux ! cria Katie.

— Sheila, pourquoi n'emmènerais-tu pas Katie pendant que je resterais ici avec Charlie, proposa Lacy.

— Les animaux c'est pour les bébés, mais je suis assez grand pour surveiller Katie, dit Charlie en levant le menton vers Sheila et prenant la main de Katie. Je vais l'emmener.

Sheila passa la petite ferme en revue, qui était séparée en une zone réservée aux enfants et une zone pour adultes et enfants.

— Excellente idée, Charlie. Pourquoi ne pas l'emmener là ? Je te fais confiance. Tu lui tiens la main et tu restes tout le temps avec elle. Je vais rester ici et regarder. Katie, donne-moi ton ours.

Elles regardèrent les enfants s'éloigner. Charlie serrait si fort la main de Katie que son bras paraissait rigide, et Katie le regardait avec adoration. Lacy s'appuya contre la clôture tandis que Sheila secouait la tête.

— Est-ce que je suis une mère horrible de le laisser l'emmener seul ?

— Quoi ? Non. Tu es une super mère. Ça se voit, lui assura Lacy. Il a besoin de se sentir important, et le laisser s'occuper d'elle lui donne ce sentiment.

— Même si je l'ai un peu trompé et qu'il l'a emmenée dans la zone réservée aux enfants ?

— Regarde-les.

Elles regardèrent les enfants caresser un chevreau. Katie éclata de rire quand la chèvre la toucha avec son nez, et Charlie s'interposa entre l'animal et elle avant de lui demander si elle allait bien.

— Ils sont heureux, et il se sent valorisé et adulte. Je dirais que c'est une réussite. Bon, j'avoue que si tu étais partie fumer une cigarette et boire une bière en les laissant là-bas... tu aurais pu te considérer comme une horrible mère.

Sheila soupira.

— Merci, Lacy. Je suis juste distraite, je suppose.

— Avec tout ce que Rob et toi avez traversé, je pense que tu ne serais pas humaine si tu n'étais pas un peu distraite.

— Peut-être, dit Sheila en faisant signe aux enfants. Est-ce que Rob vous a expliqué pourquoi j'avais besoin d'une pause ?

Lacy qui se demandait justement pourquoi ils s'étaient ré-
conciliés si vite et secoua la tête.

— Parce que depuis quatorze ans, je m'inquiète. Dès qu'il
part en mer, je me demande ce qui va lui arriver. Je ne
m'inquiète pas qu'il me trompe ou ce genre de bêtises pour
lesquelles les gens s'angoissent habituellement, mais pour la
mort qui plane sur nos têtes chaque fois que mon mari part
travailler, expliqua Sheila avant de s'essuyer les yeux et se
tourner vers Lacy.

Merde.

— Tu ne t'inquiètes pas pour Dane ? demanda-t-elle.

— Bien sûr, mais il m'a assuré qu'il était prudent. Il dit qu'il
y a...

— Plus de chance d'être renversé par une voiture que d'être
mordu par un requin. Je l'ai entendu un million de fois.
Pendant toutes ces années, Rob a fait ce qu'il aimait faire, et au
diable ce que ça faisait aux gens qui l'aimaient.

— Sheila, Rob n'est pas comme ça. En plus, tu savais ce
qu'il faisait quand tu l'as épousé, n'est-ce pas ?

— Oui. Avant Brave, il travaillait pour une autre entreprise.
Elle a fait faillite, et parfois j'aimerais que Brave fasse de même,
dit-elle en regardant Lacy avec tristesse. Je sais à quel point ça
semble horrible. Tu sais ce que fait Dane. Tu connais les
risques. Est-ce que ça t'empêche d'être avec lui ?

Lacy secoua la tête.

— Je ne suis pas sûre que quelque chose pourrait
m'empêcher d'être avec lui.

— C'est ça le problème, déclara Sheila. Je ferais n'importe
quoi pour être avec Rob. C'est mon Superman. J'ai toujours des
papillons quand je le vois, mais maintenant je m'inquiète pour

les enfants qui ont davantage besoin de lui. Tu as de la chance, Dane est beaucoup plus jeune que Rob. Il a encore de bons réflexes. Il est fort et concentré. Depuis quelque temps, Rob ralentit. Il est fatigué. Il a eu une longue carrière à faire ce qu'il aimait. J'aimerais qu'il fasse autre chose maintenant. Quelque chose de moins dangereux.

— Il vous aime les enfants et toi, Sheila.

Sheila hocha la tête.

— Oui. Il nous adore, et hier soir il m'a dit que j'avais raison. Je pense que nous avions besoin de temps pour nous vider la tête et voir les choses plus clairement. On a réalisé qu'on ne pouvait pas vivre l'un sans l'autre, et Rob s'est rendu compte qu'il était temps de changer. Il donnera son préavis d'un mois après la plongée d'aujourd'hui.

— Vraiment ? Dane sera dévasté.

— Sûrement, et je me sens mal, mais il est temps, déclara Sheila.

— Tu vois, le fait qu'il ait pris cette décision te prouve que vous vous aimez vraiment.

Aucun de nous n'est prêt à abandonner quoi que ce soit. Est-ce que ça veut dire qu'on ne s'aime pas vraiment ?

Elle repoussa cette pensée.

— Je suis tellement heureuse pour vous.

Lacy serra Sheila dans ses bras et chassa ses inquiétudes. C'étaient les problèmes de Sheila, et non les siens. Lacy n'avait pas passé des mois à s'inquiéter pour la vie de Dane. Elle avait été trop occupée à l'attendre, à rêver de lui et à désirer entendre sa voix – et à se plonger dans le travail pour ne pas s'inquiéter pour des femmes finalement inexistantes.

CHAPITRE VINGT-SIX

Dane et Rob enfilèrent leurs combinaisons de plongée comme si c'était de secondes peaux. Dane avait l'esprit parfaitement clair alors qu'il se préparait pour cette forme de plongées qu'il préférait – la plongée en apnée. Les bulles des régulateurs avaient tendance à effrayer les requins, mais avec la plongée en apnée, il n'y avait pas de bouteilles d'oxygène et pas de bulles. Dane et Rob avaient passé des années à se perfectionner, jusqu'à pouvoir retenir leurs souffles pendant près de cinq minutes. Dane pouvait retenir son souffle encore plus longtemps, et pousser jusqu'à cinq et demi lors de ses meilleurs jours. Aujourd'hui, ils étaient accompagnés de trois membres d'une équipe de plongée locale, un pour surveiller le bateau et deux pour les assister.

— Au fait, j'allais attendre et te parler après la plongée, mais je dois te dire quelque chose, déclara Rob.

Sa combinaison couvrait son torse massif, et lorsqu'il croisait les bras, l'accessoire semblait avoir été peint sur ses biceps musclés.

— Bien sûr. Vas-y.

Dane s'assit sur le pont et posa ses bras sur ses genoux.

— Tu sais que ça fait deux ans que Sheila me demande d'arrêter de plonger, commença Rob.

— Oui, je sais. Tu as dit que c'était réglé.

Merde.

— Oui, eh bien, dit Rob en passant sa main dans ses épais cheveux bruns et baissant les yeux. Le truc, c'est qu'elle s'inquiète pour les enfants. Elle dit que Charlie a du mal et qu'elle ne supportait plus de s'inquiéter chaque fois que je vais travailler. C'est pour ça qu'elle avait besoin d'une pause, Dane. Elle dit que c'est trop dur. Elle s'inquiète, et avec les enfants qui grandissent et qui ont besoin de moi…

Il haussa les épaules.

— Où veux-tu en venir, Rob ?

— Elle n'est revenue que parce que je lui avais promis d'arrêter. Je suis vieux, Dane. Tu le sais.

— Conneries. Les tagueurs le font jusqu'à l'âge de soixante-dix ans. C'est toi qui m'as dit ça. Tu as dit que tu taguerais tant que tu pourrais baiser, et je sais que tu peux encore baiser, Rob.

Dane détourna le regard. Il était bien conscient des préoccupations de Sheila et de la façon dont elles s'étaient amplifiées au cours des deux dernières années, mais il n'aurait jamais cru que Rob abandonnerait. Il pensait qu'il avait encore au moins dix ans avec lui.

— J'y ai pensé des centaines de fois. Je ne vois pas d'autre moyen. Elle m'a quitté, Dane. Elle a tout remballé et est partie. Elle a pris mes enfants. Tu as vu ce que ça m'a fait. Ça m'a rendu fou. Je ne peux pas me permettre de revivre ça, et c'est exactement ce qui se passera si je perds ma famille. Si elle partait pour de bon, je me remettrais à boire en un rien de temps, expliqua Rob en soutenant le regard de Dane. On a fait une bonne course.

— On a fait… Rob, tu t'entends ? Merde, dit Dane en se levant et en faisant les cent pas. Peut-être que tu aurais dû attendre pour me le dire. Comment veux-tu qu'on soit détendus en bas avec cette merde qui plane sur nos têtes ?

— Cette *merde* est ma vie, Dane, s'exclama Rob en se levant et plantant ses mains sur ses larges hanches.

Dane le regarda et secoua la tête, puis poussa un soupir frustré.

— Je suis désolé. Je comprends. Je ne veux pas que tu perdes ta famille, tu le sais. Mais merde, Rob, je ne veux pas te perdre non plus. Tu es mon partenaire. Nous sommes comme les deux faces d'une pièce de monnaie. Nous nous équilibrons ensemble.

Il passa son bras autour des épaules de Rob et demanda :

— C'est vraiment la seule option ?

Dane avait l'impression que sa jambe gauche lui avait été arrachée, mais si Rob avait été Rex, Treat ou l'un de ses frères et sœur, il aurait soutenu sa décision de choisir sa famille... et Dieu savait que Rob était tout aussi important aux yeux de Dane. Il prit une profonde inspiration et expira lentement.

— Alors je suppose que c'est notre dernière mission de plongée ensemble ?

Rob haussa les épaules.

— Comme je l'ai dit, je ne vois pas d'autre solution, dit-il en se passant la main sur le visage. Mec, s'il y avait un autre moyen...

Dane perçut son ton défaitiste dans sa voix basse.

— C'est bon, Rob. Ça fait chier, mais tu as raison. La famille passe en premier.

Son esprit dériva vers Lacy, et il avait beau retourner cela dans tous les sens, il savait que s'ils avaient eu une famille qui menaçait de le quitter, il aurait probablement fait la même chose.

— Merde, faut-il que ce soit tout ou rien ?

— Comment ça ? demanda Rob.

— J'aurai encore besoin de quelqu'un pour faire tourner l'affaire et travailler au sol. Pas besoin d'aller en mer, de taguer ou de plonger. Est-ce que Sheila serait d'accord avec ça ?

Dane espérait que Rob accepterait l'offre. Perdre complètement Rob serait trop difficile à supporter pour Dane. Ce serait vraiment comme perdre un de ses frères et sœur.

— Pas sûr. Je ne vois pas pourquoi, mais, Dane, tu devras lever plus de fonds. Il faudrait embaucher un autre plongeur et le former. Tu ne pourras probablement pas absorber les dépenses supplémentaires.

Rob était au courant du fonds en fiducie de Dane, et il savait aussi ce que Dane ressentait à l'idée d'y puiser. Mais s'agissant de Rob, Dane se fichait de cela. Il y arriverait.

— Qu'est-ce que mon père dit toujours ?

— La famille ne connaît pas de frontières, dit Rob en souriant.

— C'est vrai. Et toi et Sheila êtes une famille. Si Sheila est d'accord, c'est bon pour moi. On fera en sorte que tu rentres à la maison la plupart du temps. J'ai besoin de toi, moi aussi. Comme une couverture de sécurité, dit Dane en le poussant du coude.

Rob fit semblant de boxer le ventre de Dane.

— Poule mouillée, dit-il en riant. Merci mec.

— Et si on prenait une demi-heure pour se détendre avant de plonger ? suggéra Dane.

Avec la plongée en apnée, le plongeur devait être dans un état calme et équilibré. Si Dane ou Rob étaient agités, cela compromettrait le plongeon.

— D'accord. Je pensais la même chose, dit Rob.

Trente minutes plus tard, Dane respirait mieux et Rob plaisantait avec l'un des autres plongeurs, ce qui finit d'apaiser Dane. Il fit le point sur ses propres émotions, ferma les yeux et prit une profonde inspiration en pesant ses frustrations. Rob faisait ce qu'il avait à faire. Il l'aimait, et la dernière chose qu'il souhaitait, c'était qu'il plonge dans la boisson pour de bon. *Il fait le bon choix.* Dane ouvrit les yeux, plus calme et confiant.

Il tapota le dos de Rob.

— Ça va aller pour ce plongeon ? Tu veux qu'on le reporte ?

— Je vais bien, lui assura Rob. Allons-y.

Pendant que les deux autres plongeurs enfilaient leurs gants, leurs bottes et leurs combinaisons et préparaient leurs fusils à harpon et leurs lunettes, Dane et Rob se glissèrent dans l'eau trouble, sachant qu'après leur descente, les autres plongeurs resteraient à la surface pour battre des mains et taper du pied afin d'attirer les requins. Si ça ne marchait pas, ils jetteraient un peu d'appât dans l'eau.

Dane et Rob descendirent tout droit à plus de douze mètres, où ils atteignirent une flottabilité neutre. L'océan cessa de les pousser vers la surface et commença à les tirer vers le sol. Les bras le long du corps, ils coulèrent sans effort au fond de l'océan. Rob nageait à la droite de Dane. Ils croisèrent les jambes et attendirent sur le fond sablonneux. À peine une minute après, Dane vit la silhouette sombre d'un requin approcher. Il monta lentement, sachant que Rob ferait de même. Le requin était à six mètres, trois, et se rapprochait rapidement.

Cette saleté mesurait dans les trois mètres. Dane chercha Rob, et dans les profondeurs obscures, il distingua une silhouette plus loin qui montait parallèlement à lui. Ils montèrent de manière synchronisée, jusqu'à une profondeur d'environ sept mètres. Le requin tourna vers Rob et Dane vit que celui-ci changeait de direction et montait à un angle différent vers le bateau. Tout près de Dane, le requin remonta vers la surface puis disparut de sa vue. *Deux minutes.* Dane repéra les pieds du plongeur qui donnait des coups à la surface. Il inspecta la zone à la recherche de Rob et du contour familier de ses jambes puissantes, son corps remontant à la surface, mais Rob n'était nulle part en vue. Il tourna à sa gauche, puis à sa droite, souhaitant que l'eau soit plus claire. Son champ de vision était trop trouble. Il plissa les yeux, essayant de distinguer la silhouette de Rob, quand le requin surgit dans l'obscurité et passa devant Dane. Ce dernier se poussa vers la droite, puis se retourna et chercha à nouveau Rob – et le repéra flottant sans vie, les bras tendus sur les côtés, le cou pendant mollement en avant. La peur le poussa à l'action. Il nagea plus vite qu'il ne l'avait jamais fait pour atteindre Rob, le cœur tambourinant. Les procédures d'urgence lui vinrent en mémoire et il saisit son ami sous ses aisselles et donna des coups de pied désespérés pour remonter à la surface. *Bon sang. Bouge. Bouge. Tiens bon, mec ! Tiens bon !* Ses poumons le brûlaient. Ses muscles étaient en feu malgré l'eau froide alors qu'il luttait contre le poids inerte de Rob. Chaque mètre lui semblait comme un kilomètre alors qu'il poussait ses poumons au-delà de leurs limites et priait pour que la vie de Rob soit épargnée. Il distingua enfin les autres plongeurs, mais il ne pensait qu'à sortir Rob de l'eau. Les plongeurs descendirent à quelques mètres de la surface. Ils saisirent Rob et tirèrent son corps sans vie sur le bateau. Dane remonta à la surface, et remplit ses poumons. *Rob. Sauvez Rob.* Ignorant le vertige qui menaçait de le faire tomber dans les pommes, il se hissa sur le bateau. Chaque respiration brûlait plus que la précédente.

— Qu'est-ce qui s'est passé, merde ?

Il se pencha sur la bouche de Rob, écoutant le son de respiration. *Pas de souffle.* Il serra le poing et l'écrasa contre le torse de Rob. Il tremblait de peur et ses poumons brûlaient toujours, mais il ne s'en rendit même pas compte.

— Allez. Allez ! Envoyez un signalement par radio. Regagnez la terre !

Il chercha un pouls. *Pas de pouls.* Dane administra un autre coup sur le torse de Rob. Son visage de Rob était couleur de cendre, ses lèvres teintées de bleu.

— Il a été touché à la tête par la queue du requin, cria l'un des gars.

Dane cherche un pouls. *Mon Dieu, non.* Les joues ruisselantes de larmes, Dane canalisa toute sa peur et ses muscles dans un troisième coup au torse.

— Allez, salaud ! s'écria-t-il en saisissant le poignet de Rob. Pouls faible. Amenez une putain de couverture.

Il se pencha sur le visage de Rob et écouta le son de sa respiration. Quelqu'un couvrit les jambes de Rob avec de lourdes couvertures.

— Il ne respire pas, cria Dane.

Il n'entendait rien avec le rugissement du moteur alors qu'ils approchaient du rivage. Il pencha la tête de Rob en arrière et lui pinça le nez avant de poser sa bouche de la sienne et souffler désespérément dans les poumons de son ami. Il approcha son oreille de sa bouche.

— Allez. Allez, dit-il en serrant les dents.

Il souffla à nouveau dans la bouche de Rob, insufflant la vie dans ses poumons, puis écouta sa respiration.

— Merde.

Encore une fois, il pencha la tête de Rob en arrière, pinça son nez et souffla dans sa bouche, jusqu'à se vider les poumons. De l'eau coulait du coin de la bouche de Rob.

— Oh, mon Dieu, merci.

Il se pencha et écouta à nouveau. La respiration superficielle de Rob fut comme de la musique à ses oreilles. Son pouls était irrégulier. Dane tira les couvertures sur le torse de Rob, puis commença les compressions thoraciques à une seconde d'intervalle. *Seize, dix-sept, dix-huit…* Lorsqu'il atteignit trente ans, il respira à nouveau pour Rob. Il devait aider le sang à circuler dans le corps de son ami. Ses bras tremblaient alors qu'il administrait trente autres compressions, puis insufflait de l'air dans les poumons de Rob.

Dane était toujours penché sur Rob, comptant les compressions, lorsque l'équipe de secours monta à bord.

— Dix-neuf, vingt…

— On s'en occupe, dit quelqu'un.

Dane continua.

— Vingt-neuf, trente.

Il se pencha pour respirer pour Rob et une main forte le tira en arrière. Dane se dégagea.

— Je dois l'aider. Sa respiration est superficielle. Son pouls est faible.

Deux hommes forts retinrent Dane alors qu'il se tordait et se battait pour atteindre Rob.

— Lâchez-moi. Je dois l'aider.

Les hommes emmenaient déjà Rob sur une civière.

— Dane ! hurla une voix grave et profonde.

Dane secoua la tête, sortant de son état de choc.

— Venez avec nous. Nous devons également vous examiner, déclara l'homme.

— Je dois être auprès de Rob, cria Dane qui remarquait enfin l'uniforme de l'ambulancier.

— Je suis ambulancier et je vous emmène. Vous avez très bien agi. On s'occupe de lui, dit l'ambulancier en guidant Dane vers l'ambulance.

CHAPITRE VINGT-SEPT

Lacy tenait Kate contre sa poitrine alors qu'elle, Sheila et Charlie franchissaient les portes des urgences. Le corps tremblant, elle refusait toujours de comprendre l'appel de Treat. *Dane est à l'hôpital.* Treat était un grand donateur de l'hôpital, et ils l'avaient appelé tout de suite. *Dane va bien, mais l'état de Rob est incertain. Ils ont eu un accident de plongée. Pas de sang, mais Rob est inconscient.*

— Mon mari, Robert Mann, a été amené ici. Accident de plongée, déclara Sheila à travers ses larmes, à la femme derrière le bureau d'inscription.

— Et Dane Braden, ils étaient ensemble, ajouta Lacy avec Katie accrochée à elle.

Katie ne faisait que pleurer depuis l'appel de Treat, et même si Lacy était sûre qu'elle ne comprenait pas ce qui se passait, elle avait paniqué en voyant la réaction de Sheila et Lacy. Elles avaient préparé les enfants et s'étaient précipitées à l'hôpital.

Une grande infirmière afro-américaine contourna le bureau.

— Madame Mann, venez avec moi. Malheureusement, votre fils devra attendre ici. Votre amie peut-elle le surveiller ?

Sheila lança un regard impuissant vers Lacy. Ses yeux bruns étaient rouges et gonflés, et son maquillage coulait sur ses joues. Charlie se tenait à côté de sa mère, aussi maussade que durant la journée. Lacy, elle, pouvait à peine respirer.

— Vas-y. Je les garde. Vas-y, dit-elle.

Dane. Oh, mon Dieu, s'il te plaît, va bien.

— Viens ici, mon chéri, dit-elle en tendant la main à Charlie.

Charlie lui prit la main.

— Votre nom ? demanda la femme de la réception.

Lacy envisagea de mentir. *Sœur. Épouse ?* Enfin, elle cracha son nom.

— Lacy Snow. Est-ce qu'il va bien ?

La femme parcourut un presse-papiers.

— Oui, vous pouvez y aller. Il nous a donné votre nom. Il va bien. Il était sous le choc, expliqua la femme en levant un doigt vers Lacy, avant de dire quelque chose à un infirmier derrière elle. Mike peut vous emmener le voir si vous avez quelqu'un pour garder les enfants.

— Merci.

Les enfants. Bon sang. Elle se tourna vers la réception.

— Je n'ai personne pour les surveiller, dit-elle les lèvres tremblantes.

La femme secoua sa tête.

— Je suis désolée. Nous ne pouvons pas les laisser entrer.

Merde merde ! Lacy parcourut les solutions possibles. Elle ne connaissait personne à Chatham. Personne à qui elle pourrait laisser les enfants de quelqu'un d'autre.

— Et l'homme avec qui il était ? demanda-t-elle. Comment va-t-il ? Rob Mann ?

— Je suis désolée, mais nous ne pouvons divulguer les informations qu'aux membres de la famille ou à ceux qui figurent sur le formulaire de décharge, déclara la femme.

Lacy gémit. Elle fit rebondir Katie sur sa hanche en essayant de la calmer pendant que son propre esprit tournait en rond.

— Pouvez-vous informer Dane Braden que je suis ici, mais que j'ai les enfants de Rob et que je ne peux pas venir avec eux ? Je déteste qu'il soit seul. J'ai besoin qu'il sache que je suis là.

— Nous pouvons le faire.

— Merci.

Tiraillée entre un sentiment de soulagement à l'idée que Dane aille bien, et son inquiétude pour Rob, Lacy emmena les enfants à une petite table dans le coin de la pièce, où il y avait des jouets et des livres de coloriage. Elle installa Katie sur une chaise à côté de Charlie et elle s'assit les bras croisés. Lacy regarda les portes menant aux chambres en pensant à Rob. *S'il vous plaît, faites qu'il va bien.* Katie agrippa son ours et prit un livre de coloriage avec sa main libre.

— Est-ce que mon père s'est fait mordre par un requin ? demanda Charlie.

— Non, chéri, non. Il n'a pas été mordu par un requin. *Mais il aurait pu l'être.*

— Quand est-ce qu'on pourra le voir ?

— Je ne sais pas, chéri. Ils nous diront quand vous pourrez.

Lacy aurait aimé que Danica ou Kaylie soient là, ou quelqu'un qui puisse l'aider. Elle considéra ses options. *Maman ? Et si Sheila avait déjà appelé quelqu'un ?*

— Madame Snow ?

Lacy se retourna.

— Oui, je suis Lacy Snow.

L'infirmier de tout à l'heure l'emmena plus loin et dit doucement :

— Monsieur Braden a demandé à sortir. Vous le verrez donc dans quelques minutes. Il m'a demandé de vous le faire savoir.

— Merci. Merci beaucoup.

Quel soulagement ! Il va bien.

Lacy reporta son attention sur les enfants.

— Lace ?

— Dane !

Elle se retourna et se jeta dans les bras de Dane.

— Oh, mon Dieu, tu vas bien. J'étais si inquiète. Est-ce que ça va ? Treat ne m'a pas dit grand-chose.

Dane regarda les enfants.

— Salut les gosses. Je vais juste parler à Lacy pendant une minute.

L'estomac de Lacy fit un plongeon.

— Que s'est-il passé ? Oh mon Dieu, Dane. Qu'est-il arrivé à Rob ?

Les yeux de Dane se remplirent de larmes. Il secoua la tête.

— Je… je n'aurais pas dû le laisser plonger.

— Dane, regarde-moi. Que s'est-il passé ?

OhmonDieuohmonDieuohmonDieu.

— Nous faisions de la plongée en apnées, et il a été touché à la tête. Méchamment. Il a perdu connaissance.

— Perdu connaissance ? Il l'était où il l'est maintenant ?

Lacy regarda à nouveau les portes des urgences.

Il est là-bas. Sheila est là-bas. Seule.

— Était. Il respire. Mais il ne respirait plus. Il n'avait pas de pouls. Je l'ai aidé. Il respire maintenant, mais il n'a toujours pas repris connaissance, expliqua Dane.

Elle chercha le regard de Dane. Il était sans expression, comme s'il était perdu ou hébété.

— Mais tu vas bien ? demanda-t-elle en faisant courir ses mains de haut en bas sur ses bras.

Il acquiesça.

— Oui.

— Sheila est seule. Elle a besoin de quelqu'un. Dane, je dois y aller. S'il te plaît, tu peux leur demander de me laisser y aller ? Elle doit avoir tellement peur.

— Sans problème. Treat est un grand donateur. Ils ont vite fait le lien quand ils m'ont admis et l'ont appelé. Je lui ai dit de t'appeler. Ils te laisseront rejoindre Sheila, dit-il en regardant les enfants. Je suis désolé, Lace.

— Désolé ? J'ai pourtant l'impression que tu l'as aidé. Ce n'est pas ta faute, dit-elle. C'est...

Les risques du métier. Elle ne pouvait pas le dire à voix haute. Son travail était bien plus dangereux que de traverser la rue.

— Tu peux surveiller les enfants ? Tu vas assez bien ?

— Oui, je vais bien, dit-il. Je vais parler à l'infirmière pour que tu puisses entrer.

CHAPITRE VINGT-HUIT

Lacy ne se souvenait pas de la dernière fois où elle était allée dans une chambre d'hôpital. Elle se tenait sur le seuil de la chambre de Rob. L'odeur antiseptique imprégnait ses sens, lorsqu'elle aperçut Rob allongé, la tête en arrière, un épais tube blanc dans la gorge et un moniteur attaché sur sa poitrine avec des fils reliés à une machine à son chevet. Un autre moniteur était attaché à son index et une intraveineuse sortait de son bras. Sheila était assise de l'autre côté du lit et lui tenait la main. Des larmes coulaient sur ses joues. Lacy fit un pas dans la pièce, la peur au ventre.

— Sheila, murmura-t-elle.

Sheila se retourna. Ses yeux étaient humides et gonflés, et son nez fin et retroussé était rose d'avoir pleuré. Ses cheveux étaient en désordre, sa chemise sortait de son short et pendait maladroitement d'un côté.

Lacy l'embrassa.

— Je suis tellement désolée, dit-elle à travers ses larmes.

— Où sont les enfants ? réussit-elle à articuler en serrant un mouchoir dans ses mains tremblantes.

— Dane est avec eux.

Sheila hocha la tête.

— Il va bien ?

— Je crois. Qu'ont-ils dit à propos de Rob ?

De nouveaux sanglots jaillirent de sa poitrine.

— Il… Ils ont dit que s'il se réveillait bientôt, il aurait moins de chance d'avoir des séquelles.

Des séquelles. Il était censé démissionner aujourd'hui, et maintenant il risque d'avoir des séquelles.

— Si… ? Ils pensent que… ? demanda-t-elle en essuyant ses larmes.

— Je ne sais pas. Ils l'ignorent. D'après Dane, un requin de plus de deux mètres lui a heurté la tête et l'a assommé. Un putain de requin, gémit Sheila en se couvrant le visage en sanglotant. C'est pour ça…

Un requin. C'est réel. Cela pourrait arriver à Dane. Ou pire.

— Qu'est-ce que je vais faire ? Je ne peux pas vivre sans Rob. Les enfants ont besoin de lui. Qu'est-ce que je vais faire s'il ne se réveille pas ?

Sheila se leva et toucha la joue de Rob.

— Il est ma vie.

Lacy rejoignit à nouveau Sheila. Celle-ci ne s'effondra pas dans ses bras cette fois. Elle prit Lacy par les épaules, le regard empli de peur et de venin. Ses lèvres fines se retroussèrent en signe de colère.

— Lacy, ça pourrait être Dane et toi. C'est de ça que j'avais peur.

Non. Je ne veux pas l'entendre. S'il te plaît, arrête. Stopstopstop.

— Chérie, je sais que tu l'aimes, mais penses-y. C'est réel, Lacy. Réel.

— Je suis désolée, Sheila. Je suis tellement désolée, dit Lacy tandis qu'elles tombèrent dans les bras l'une de l'autre. Qu'est-ce que je peux faire ? Qui dois-je appeler ? On peut rester avec les enfants aussi longtemps que tu en as besoin.

— J'ai appelé mes parents. Ils sont en route. Je sais que Dane va se sentir coupable, et le médecin a dit qu'il a sauvé la vie de Rob. S'il te plaît, dis-lui merci pour moi. S'il te plaît, dis-lui que je ne lui en veux pas. Je connais Dane, et il s'en voudra.

Sheila reprit la main de Rob.

— Je le ferai.

— Qu'as-tu dit aux enfants ? demanda Sheila.

— Rien. Je ne savais pas ce que tu voulais que je leur dise. Ils sont si gentils et très inquiets. Tu veux que je reste avec Rob pendant que tu vas les voir ? demanda Lacy.

— Tu crois ? Je ne veux pas le quitter, dit Sheila dont le regard passa de Rob à Lacy.

Ses yeux s'écarquillèrent et Lacy vit qu'elle attendait une réponse.

— Je ne sais pas. Je ne suis pas maman, mais je pense qu'ils aimeraient savoir que tu vas bien et avoir des nouvelles de leur père.

— Et si ça les inquiète encore plus, et que je doive les quitter à nouveau ? demanda-t-elle.

— J'aimerais pouvoir te répondre.

Lacy lui prit le bras afin de lui faire savoir qu'elle n'était pas seule.

— Je peux leur dire ce que tu veux, si tu préfères.

— Non, je dois le faire. Tu veux bien rester avec Rob ? Je ne veux pas qu'il soit seul, dit Sheila en se levant et se dirigeant vers la porte. Je reviens dans quelques minutes.

— Bien sûr.

Elle resta seule, avec la machine qui bipait de manière stressante à une cadence constante – un rappel macabre de l'état de Rob. Lacy se dirigea vers l'autre côté du lit et remarqua les bandages couvrant le côté gauche de son visage. *Un requin de plus de deux mètres lui a heurté la tête.* Elle toucha sa cuisse en se demandant si sa joue avait la même apparence sous le bandage. Un éclair de douleur lui traversa la jambe alors qu'elle se souvenait avoir été heurtée par le requin.

Elle repensa à l'expression fière de Rob quand il regardait Charlie, et à son amour pour Sheila et Katie. Il était si énergique hier soir. À présent, sa peau était terne, presque pâteuse, comme si elle avait perdu son élasticité. *Comment est-ce possible du jour au lendemain ?* Un sentiment de colère s'éveilla au plus profond d'elle. *Un requin lui a heurté la tête.*

C'était son choix. Personne ne l'avait forcé à plonger. Il avait choisi ce mode de vie. Dane aussi avait choisi ce style de vie. « Pendant toutes ces années, Rob a fait ce qu'il aimait faire, et au diable ce que cela faisait aux gens qui l'aimaient. » *Elle pouvait tout aussi bien remplacer Rob par Dane. Au diable ce que ça faisait aux gens qui l'aimaient.* Ses mains se mirent à trembler. « Est-ce que tu abandonnerais ta carrière pour moi ? » Pourquoi n'avait-elle pas entendu sa réponse ? « Voyons, Lace ». Il avait dit ça comme si elle posait une question idiote, mais ce n'était pas une question idiote. *Et maintenant. Maintenant ?* Elle regardait Rob et ressentit un sentiment de nostalgie pour l'homme qu'il avait été la veille.

Quand Sheila revint, Lacy tremblait de la tête aux pieds.

— Je me sens un peu mieux après avoir parlé aux enfants, dit-elle. Mes parents devraient être là dans une demi-heure. Il a remué ?

Lacy nota à peine ses paroles. Des larmes coulaient sur ses joues et elle avait mal au ventre.

— Lace ?

Lacy ne répondit pas. Elle en était incapable. Et si ça avait été Dane ? Et si c'était Dane demain ou l'année prochaine ?

— Lacy ? Chérie, tu vas bien ? Tu veux que j'appelle l'infirmière ?

Elle sentit le bras de Sheila autour de son épaule, elle entendit sa voix, mais elle ne comprenait pas les mots qu'elle disait.

— Qu'est-ce que tu vas faire ? murmura-t-elle d'un ton plat et sec, sans réfléchir.

— Je vais rester ici jusqu'à ce que Rob se réveille. Et s'il ne se réveille pas, je resterai encore. Je ne peux pas le perdre, Lacy. Je dois me dire qu'il va se rétablir, expliqua Sheila en touchant le bras de Lacy. Chérie, ça va ?

Lacy réussit à hocher la tête.

— Dane a dit que Rob l'avait informé qu'il comptait démissionner, et qu'il lui avait proposé de conduire le bateau et de faire d'autres choses, sans plonger ni marquer. Je pense que Dane est toujours sous le choc. Il souffre.

Lacy secoua la tête.

— Lacy ?

— Hein ? dit-elle.

Sheila regarda Rob avant de se tourner vers son amie.

— Lacy, pourquoi n'irais-tu pas rejoindre Dane ? Il a besoin de toi.

CHAPITRE VINGT-NEUF

Après que les parents de Sheila furent venus chercher les enfants pour les emmener dans le Connecticut, et que Sheila ait assuré à Dane et Lacy qu'elle irait bien auprès de Rob, Lacy ramena Dane à la marina. Tous les deux gardèrent le silence. Une fois arrivés au bateau de Treat, Lacy suivit Dane jusqu'à la cabine, serrant ses clés et incapable de penser à autre chose que l'accident. Elle n'arrivait pas à chasser l'image de Rob de son esprit, et les paroles de Sheila lui martelaient l'esprit en boucle jusqu'à ce qu'elle ait l'impression qu'ils venaient d'elle. « Pendant toutes ces années, Rob a fait ce qu'il aimait faire, et au diable ce que cela faisait aux gens qui l'aimaient ».

— Lacy, on doit parler.

À part ses yeux emplis de tristesse, Dane semblait impassible. Sa bouche était légèrement ouverte et son front plissé. Il semblait encore sous le choc. Quant à Lacy, elle était incapable de se concentrer ou de réfléchir.

Dane se laissa tomber sur un banc. Il ne lui prit pas la main, ne la tint pas contre lui. Il ne la regarda pas dans les yeux comme il le faisait toujours, mais croisa les mains sur ses genoux.

— Mon travail est risqué.

— Il l'est, dit-elle, à la manière d'un robot.

— Quand j'ai tenu le corps sans vie de Rob dans mes bras…

Des larmes jaillirent de ses yeux.

— Seigneur, j'étais sûr de l'avoir perdu.

Voir Dane pleurer fit également monter les larmes de Lacy.

— Il pourrait ne pas se réveiller, continua Dane en fixant le sol. Sheila et les enfants pourraient le perdre ce soir. Lacy, il a démissionné avant qu'on plonge. Il voulait arrêter, et maintenant… maintenant, il ne se réveillera peut-être plus jamais.

— Oui.

L'esprit de Lacy était impuissant. Elle n'arrivait plus à former de pensées cohérentes. Elle sentait la réalité la regarder en face : cela aurait pu être Dane. Leur conversation lui revint en mémoire. « Et s'il t'arrivait quelque chose ? Et si j'abandonnais tout et que, je ne sais pas, tu te faisais manger par un requin ? ». Il lui avait répondu avec tant de désinvolture, comme si les risques associés à son travail n'existaient pas. « Lacy, ça n'arrivera pas ». Elle s'appuya au mur pour ne pas s'effondrer.

— Je ne peux pas te faire ça, Lacy. Je ne peux pas te demander de rester avec moi en sachant ce qui pourrait m'arriver, déclara Dane. Je ne peux pas continuer en sachant que tu pourrais vivre ce que vit Sheila, dit-il d'une voix froide et dure.

— Je sais, dit Lacy en se remettant à pleurer.

Elle serra ses clés si fort, qu'elles lui transpercèrent la peau.

— J'ai promis de ne pas tomber amoureux de toi, continua Dane en secouant la tête.

Il leva un regard froid vers elle, et quand il parla, ce fut d'un ton brûlant et agressif.

— J'ai menti. Je t'aime, Lacy. Mais je t'aime trop pour te laisser rester avec moi.

— Je comprends.

Elle ne sentait plus son visage. Ses lèvres étaient engourdies.

— Tu devrais y aller. C'est trop dur de te voir en sachant que nous ne devons pas être ensemble, dit-il en détournant les yeux, les poings serrés le long du corps et les dents serrées. Pars, Lace. S'il te plaît, pars. Tu mérites de vivre avec un homme qui rentrera à la maison tous les soirs en un seul morceau… vivant. S'il te plaît, pars.

Quelqu'un d'autre contrôlait ses jambes : cela devait forcément être le cas puisqu'elles montèrent les marches. *Non ! Retournes-y !* Puis elle se mit à courir. Courir plus vite que jamais. Ensuite, elle était dans la voiture et elle conduisait. Elle ne se souvenait d'aucun virage ni des feux rouges. *Comment suis-je arrivée ici ?* Elle était devant le perron du cottage et ouvrait la porte. *Le cottage que Dane m'a loué.* Elle ne se souvenait pas d'avoir fait couler un bain ou d'y être restée jusqu'à ce que ses doigts et ses orteils soient fripés. Elle ne se souvint pas d'avoir entendu le téléphone sonner et l'avoir ignoré… plusieurs fois.

Lorsqu'elle ouvrit les yeux le lendemain matin, quand les rayons du soleil filtrèrent à travers les rideaux, elle avait l'impression de ne jamais avoir été aussi perdue. Elle enfouit sa tête sous l'oreiller et ferma les yeux. Peut-être qu'elle pourrait rester ici pour toujours, là au milieu de nulle part, dans cet état gris mi-éveillé et mi-endormi. Peut-être que si elle essayait assez fort, elle pourrait vraiment disparaître. Non, elle ne pouvait pas faire ça. *Rob est dans le coma. Sheila a besoin de moi.* Elle devait se rendre à l'hôpital. Elle essaya de se lever, mais son corps ne répondait pas. Pourquoi était-elle aussi épuisée ? *Dane. Dane va venir. Peu importe ce dont j'ai besoin, il viendra pour moi.* Elle s'effondra contre le matelas avec le poids d'un homme mort. Dane ne répondrait pas à ses appels. Dane était parti. C'était terminé. Elle ferma les yeux et sombra à nouveau dans le sommeil.

Dane se réveilla en sursaut. Ses yeux parcoururent la cabine et son pouls s'accélérant. *Putain de rêve.* Il regarda la pièce vide à côté de lui, là où Lacy aurait dû se trouver. La journée de veille lui revint par bribes. *Rob. Oh mon Dieu, Rob.* Sa pensée suivante fut pour Lacy, et la réalité le frappa comme une brique au visage. Il l'avait quittée. Il avait dû la protéger.

J'ai fait ce qu'il fallait faire.

Sa poitrine le brûlait.

Si j'ai fait ce qu'il fallait, pourquoi ai-je l'impression que quelqu'un a retourné mon corps et m'a jeté au sol ? Il aurait voulu rester dans sa cabine et ne plus jamais affronter le monde. Il aurait voulu partir au loin, là où il pourrait disparaître et se vautrer dans son désespoir.

Il se traîna hors du lit et alla à la salle de bain. Une fois sous la douche, il passa ses mains dans ses cheveux en pensant à son appel à l'hôpital la nuit dernière. *Aucun changement.* Rob avait été transféré aux soins intensifs et il était soigné de manière prophylactique pour une pneumonie par inhalation.

La sensation du poids de Rob dans ses bras était gravée dans sa mémoire. La sensation de la poitrine immobile de son ami sous ses mains lui revint, suivie de la vague de peur qui l'avait déchirée. Dane serra les poings, se rappelant les coups qu'il avait donnés à la poitrine de Rob. Ses poumons le brûlaient comme la veille. Il se serait introduit dans le corps de Rob pour actionner son cœur à mains nues s'il l'avait pu. Il pensa à Lacy se précipitant dans ses bras à l'hôpital et, plus tard, quittant le bateau en courant. Un flot d'images lui revinrent en même temps : Lacy nue sous son corps, Rob riant sur le pont du bateau, le putain de requin remontant à la surface. Dane se couvrit le visage en essayant d'empêcher ses larmes de couler. Il ne reconnut pas le grondement dans sa poitrine. Il n'entendit pas les cris désespérés qui s'échappèrent de ses poumons, et ne sentit pas ses jambes se plier quand il tomba à genoux sur le sol de la douche et enfouit son visage dans ses mains. Il ne ressentit pas la terreur qui le traversa à l'idée de perdre Rob et Lacy. Une douleur lancinante transperça son cœur. *Enfin.* Une douleur qu'il reconnut. La même douleur déchirante que le jour où sa mère était morte. Il cria à nouveau, cette fois avec détermination. Les mots qui vinrent furent incompréhensibles, mais ça n'avait pas d'importance. Il devait repousser cette douleur continuelle avant qu'elle le dévore vivant.

CHAPITRE TRENTE

Le téléphone de Dane n'avait pas cessé de sonner de toute la matinée. Pendant qu'il se garait sur le parking de l'hôpital, il se remit à sonner. *Treat.* Il n'avait pas la force de lui parler maintenant. Il ne pouvait s'occuper de Blake, Savannah, Hugh, Rex, ou aucun des autres dont il avait reçu des appels. Chaque fois que le téléphone sonnait, il regardait pour voir si c'était Lacy – souhaitant à moitié que ce soit elle, même s'il savait qu'il n'aurait pas répondu. *J'ai fait ce qu'il fallait. Elle pourrait être assise près de mon lit à l'hôpital en ce moment.* La pensée le vida de toute énergie. Sa famille devrait attendre. Il avait à peine le courage de faire ce qu'il avait à faire et rendre visite à Rob.

Il laissa le téléphone dans la voiture et entra à reculons dans l'hôpital. Une fois devant les portes, il s'arrêta pour reprendre ses esprits. Il se passa la main sur le visage, puis dans ses cheveux, et pensa à Katie et Charlie, qui étaient en ce moment avec leurs grands-parents, probablement pétrifiés par la situation. *Mon Dieu, s'il te plaît, fais que Rob aille bien. Prends-moi. Il a une famille. S'il te plaît. Prends-moi.*

Il se dirigea vers les soins intensifs et s'arrêta devant la porte de la chambre de son ami pour prendre une profonde inspiration. *Ressaisis-toi.* La porte semblait trop lourde alors qu'il la poussait et entrait. La vue du corps inerte de Rob sous les draps stériles, le tube toujours enfoncé dans sa gorge, et Sheila endormie sur une chaise en lui serrant la main, fut trop pour lui. Les larmes menacèrent à nouveau de couler, et il lutta pour les retenir. Pour le bien de Sheila. Sa poitrine se soulevait à chaque sanglot retenu.

La porte se referma derrière lui et Sheila leva la tête en sursaut, ses yeux pleins d'espoir se tournant vers Rob avant de réaliser qu'il s'agissait de Dane.

— Dane, murmura-t-elle.

Il se dirigea vers elle, les bras grands ouverts. Elle s'effondra contre lui et ouvrit les vannes de ses larmes.

— Je suis tellement désolé, Sheila. J'aurais aimé que ce soit moi.

— Je sais. Ce n'était pas ta faute, Dane. Ce sont les risques du métier. Je le sais. Rob le sait.

Des larmes coulaient sur les joues de Dane alors qu'il la tenait, étranglé par la culpabilité.

— Qu'est-ce que… que disent les médecins ?

Sheila retourna à sa chaise et Dane serra l'autre main inerte de Rob, le cœur serré. *C'est vrai. C'est réel. Oh mon Dieu. Rob.*

— Ils ont bon espoir. Ils disent qu'il faut attendre, déclara Sheila en caressant et embrassant la joue de Rob. Je ne peux pas le perdre, Dane, ajouta-t-elle avant de s'adresser à son mari : Ne me quitte pas. Ne nous quitte pas, Katie Charlie et moi.

Une larme coula sur la joue de Dane. *Ne me quitte pas.*

— J'ai fait tout ce que j'ai pu. À la seconde où j'ai compris ce qui s'était passé, je l'ai sorti de l'eau. Si seulement j'avais été plus près de lui. Si seulement ça avait été moi à l'arrière du requin.

— Arrête, murmura Sheila.

— Sheila, je ferais n'importe quoi pour que ce soit moi. Rob

doit vivre. Merde, Sheila, j'ai détruit ta famille. Tes enfants...
Ils ont besoin de leur père.

— Arrête, répéta-t-elle.

— Il a démissionné. Je n'aurais pas dû le laisser descendre. Il
était probablement distrait. J'aurais dû l'en empêcher.

— Arrête, Dane. S'il te plaît, arrête. Tu ne peux pas changer
ce qui s'est passé. Tu ne peux pas tout arranger. Tout ce qu'on
peut faire, c'est prier pour qu'il se rétablisse. Et sinon...

Elle se détourna, les épaules basses et secouées de sanglots.

Dane aurait voulu pouvoir soulager la douleur de Sheila.
C'était forcément de sa faute. Peut-être avait-il été trop distrait
par Lacy dernièrement pour voir ce qui se passait autour de lui ?
C'est peut-être pour cela qu'il n'avait pas vu que Rob traversait
une période difficile ? Cherchant à prendre sur lui une partie du
fardeau et s'attribuer le blâme pour tout ce qui s'était passé entre
eux ces derniers temps, Dane déclara :

— J'ai rompu avec Lacy.

Elle se tourna vers lui en secouant la tête.

— Peut-être que si je ne pensais pas à elle tout le temps,
j'aurais vu que toi et Rob aviez des problèmes.

Sheila renifla à travers ses larmes.

— Non, Dane. Rob ne voulait pas que tu le saches. Il ne
voulait pas abandonner. Ne romps pas avec Lacy à cause de ça.
Ce n'est pas de ta faute, et dans ton cœur tu le sais.

Il ferma les yeux face aux larmes qui coulaient sur ses joues.
Il savait que c'était égoïste de continuer à parler de lui, mais il
ne pouvait pas s'en empêcher.

— C'est réel. Je ne peux pas lui faire ça. Et si ça m'arrivait
dans un an, ou un mois, ou dix ans ? Je ne peux lui faire ça. Elle
mérite une vie normale.

— Oh, Dane. Oui, ça pourrait t'arriver aussi.

Pendant un instant, le temps sembla s'être arrêté, à l'exception du maudit bip de la machine. Dane avait l'impression d'avoir été projeté contre un mur. *Oui, ça pourrait t'arriver aussi.*

— Je suis tellement désolée, déclara Sheila. Elle t'aime.

Dane secoua la tête. *Arrête de penser à Lacy. C'est terminé. Concentre-toi sur Sheila et Rob.* Il s'essuya les yeux avec son coude.

— Dis-moi ce qu'il te faut, et tu l'auras. Ne t'inquiète pas pour l'argent. Je prends tout à ma charge. Rob a toujours su que je le ferais si jamais quelque chose devait lui arriver, mais en quoi puis-je t'aider ? Les enfants ? Autre chose ?

Il se souvint de l'époque où sa mère était tombée malade. Quand l'avenir sur son état de santé était incertain, et qu'il n'y avait aucun mot pour soigner le désespoir qui les rongeait quand ils attendaient de voir si le corps de l'être aimé pourrait guérir. Mais savoir qu'il était là et prêt à l'aider de toutes les manières possibles, pouvait la réconforter.

Elle secoua la tête.

— Je veux juste Rob. C'est mon meilleur ami, Dane. Il est ma vie.

Dane se pencha et embrassa le front de Rob, puis prit sa joue saine dans sa paume et chuchota :

— Tu vas t'en sortir. Tu es l'homme le plus fort que je connaisse. Ta course n'est pas encore terminée. Je t'aime, mec.

— Il sait que tu le sais, dit Sheila.

Je n'en suis pas si sûr.

CHAPITRE TRENTE ET UN

Arrêtez de taper à la porte !

Lacy était allongée sur le lit et fixait le plafond. Elle était dans cette position depuis des heures en pensant à Sheila et aux enfants, et inquiète pour Rob. Elle se demanda si Rob avait eu une dernière pensée lorsqu'il avait été fouetté par la queue du requin, ou s'il était passé de l'excitation de voir ce satané monstre à l'inconscience. Puis son esprit revint à Dane. *Il revient toujours à lui.* Elle se demanda un instant si c'était lui qui frappait à la porte, mais cette pensée disparut aussitôt. Elle avait vu dans ses yeux que c'était terminé.

Elle se recroquevilla en position fœtale, priant pour que celui qui frappait s'en aille. Comment pourrait-elle bouger avec un cœur brisé ? La réalité concernant les dangers du métier de Dane la frappa en pleine figure, tout comme cela avait frappé Dane comme un train à grande vitesse. *Il a dit ce que je pensais, mais que j'étais trop faible pour admettre. Nous prenons la bonne décision.* Cela ne voulait pas dire qu'elle n'avait pas l'impression d'avoir été renversée par un camion.

Les coups s'arrêtèrent et Lacy se retourna de l'autre côté et fixa les rideaux. Comment le soleil pouvait-il être au rendez-vous alors que Sheila était assise dans une chambre d'hôpital à se demander si son mari allait vivre ou mourir ? *Oh mon Dieu. Rob pourrait mourir.*

— Lacy, ouvre cette putain de porte.

Kaylie ? Lacy se figea.

— Lacy, c'est nous. Ouvre la porte s'il te plaît. Lacy, tu vas bien ?

Danica frappa de nouveau à la fenêtre.

Lacy se redressa et voulut traverser la fenêtre pour se jeter dans les bras de ses sœurs, mais elle voulait aussi se vautrer dans sa douleur et sa tristesse. Elle voulait ressentir la douleur de perdre Dane, ne serait-ce que pour réaliser que c'était vrai.

— Lacy, c'est nous, dit Kaylie. Ouvre la porte s'il te plaît. Bon sang, si tu as fait quelque chose de stupide comme une overdose, je te tuerai.

J'aimerais presque que tu le fasses.

— Kaylie ! la réprimanda Danica.

Lacy se leva du lit et regarda à travers les rideaux les visages inquiets de ses sœurs. Elles se regardaient en chuchotant quelque chose que Lacy ne pouvait pas entendre et ne la remarquèrent pas. Lacy lâcha les rideaux. Elle alla à la porte et les entendit se disputer sur le fait d'appeler la police. Elle descendit du perron et trébucha. Ses jambes étaient comme du plomb, et elle s'agrippa au mur du cottage pour ne pas tomber tandis qu'elle se rendait à la cour arrière.

— Oh mon Dieu. Lacy, chérie, ça va ? s'exclama Danica en la prenant dans ses bras et la serrant contre elle. J'étais si inquiète.

— Pourquoi est-ce que tu ne réponds pas au téléphone ? demanda Kaylie. Nous appelons depuis hier soir.

Lacy ne pouvait pas parler. Elle ferma les yeux, espérant que d'une manière ou d'une autre le corps de Danica absorberait le sien et qu'elle disparaîtrait.

— Rentrons, dit Danica.

Lacy sentit ses sœurs la guider à l'intérieur et vers le canapé.

— Lacy, tu dois me parler, dit Danica en s'accroupissant devant elle et la regardant dans les yeux. Regarde-moi, Lace.

Lacy leva les yeux.

— Bien. Tu dois me parler, chérie. Max a appelé et nous a dit ce qui s'était passé. Personne ne pouvait vous joindre, ni Dane ni toi. Nous étions malades d'inquiétude. S'il te plaît, parle-moi. S'il te plaît, Lacy, insista Danica.

— Rob est inconscient, murmura Lacy. Hier matin, il allait bien. Maintenant, il pourrait mourir.

— Nous le savons, chérie, dit Danica.

— Dane a dit qu'il ne pouvait pas me faire vivre ce que Sheila traversait.

La voix de Lacy était plate, sans émotion, et c'était ce qu'elle ressentait, comme si quelqu'un lui avait volé sa capacité à ressentir les choses. Elle était engourdie, une morte-vivante.

Kaylie lui écarta les cheveux de son visage.

— Nous ne le savions pas. Oh, Lacy, je suis vraiment désolée.

Lacy secoua la tête.

— C'est mieux. Il pourrait mourir en faisant ce qu'il fait. Pourquoi en passer par là ? dit-elle en secouant à nouveau la tête. Il faut juste que je vive ma vie, que je fasse mon travail et que j'avance.

— Oh, Lacy, dit Danica en la serrant à nouveau dans ses bras. Que pouvons-nous faire ?

— Emmenez-moi voir Sheila. Elle a besoin de moi.

— On peut te faire faire un brin de toilette avant ? demanda Kaylie.

Danica lui lança un regard noir.

— Quoi ? demanda Kaylie. Si elle n'était pas aussi boulever-sée, elle ne voudrait pas aller à l'hôpital dans cet état. Je vais t'aider à te préparer.

Elle lui prit la main, et la mit sur pieds.

— Viens. On va juste te coiffer, te maquiller un peu, mettre des vêtements propres. Ça ne prendra qu'une minute.

Danica les rejoignit dans la salle de bain.

— Ton téléphone a sonné et je l'ai trouvé derrière les oreil-lers du canapé. Tu as vingt-sept appels manqués. Vingt viennent de nous, trois de Max et deux d'un numéro inconnu. Deux viennent de ton patron. Tu veux que je le rappelle ?

Kaylie avait lavé le visage de Lacy et coiffé ses cheveux. À présent, elle appliquait du cache-cernes sous ses yeux gonflés. Lacy haussa les épaules. *Dane n'a pas appelé.* Ses paroles lui revinrent, provoquant une douleur si vive au creux de son estomac qu'elle gémit. « S'il te plaît, pars ».

Danica s'accroupit à nouveau près d'elle.

— Lacy, qu'y a-t-il ?

Elle secoua la tête et le correcteur fraîchement appliqué, coula avec ses larmes.

— Laisse-moi m'en occuper, dit Kaylie en prenant un gant de toilette et essuyant le maquillage de son visage. Tu sais quoi, Lace ? Tu n'as pas besoin de maquillage. Allons-y…

Kaylie regarda Danica qui secouait la tête afin de lui faire comprendre silencieusement d'arrêter d'essayer.

— Viens ici, dit Danica en aidant Lacy à se lever et la ser-rant à nouveau dans ses bras. On peut y arriver, Lacy. Ensemble, on peut tout traverser. Dis-moi de quoi tu as besoin.

— Sheila. J'ai besoin de la voir, expliqua Lacy.

— D'accord, alors on va t'habiller et on y va, répondit Da-nica en l'emmenant dans la chambre.

Kaylie attrapa un short et un tee-shirt et aida Lacy à les enfiler.

Lacy suivit docilement les ordres de ses sœurs – *passe tes pieds dans ces sandales. Allons à la voiture.* Le trajet jusqu'à l'hôpital fut un paysage flou. *Allons à l'intérieur. Il est aux soins intensifs.* L'ascenseur bourdonnait sous ses pieds. Les portes s'ouvrirent.

Ses sœurs lui prirent les mains : elles étaient chaudes et petites. Protectrices. L'odeur de l'antiseptique des soins intensifs accéléra ses battements de cœur. Le souvenir de Rob allongé dans son lit avec un tube dans la bouche, des choses attachées à sa poitrine et d'autres tubes sortant de son bras la figèrent sur place.

— Lacy ? dit Danica en lui serrant la main. Ça va, chérie. On peut attendre. Quand tu seras prête, tu me le feras savoir.

Prête ?

— J'ai envoyé un SMS à Max, et Treat s'est arrangé pour qu'ils te laissent entrer aux soins intensifs, alors tu prends ton temps. Il n'y a pas de pression, déclara Danica.

— C'est sa chambre.

Lacy serra les mains de Danica et Kaylie en fixant l'entrée de la chambre de Rob, à trois portes de là où elles se tenaient. Une infirmière et deux personnes en blouse se précipitèrent devant elles et entrèrent dans la chambre.

Kaylie et Danica échangèrent un regard inquiet.

— Kaylie, pourquoi n'emmènerais-tu pas Lacy s'asseoir dans la salle d'attente pour que j'aille parler à l'infirmière, proposa Danica.

— Il est mort ? Oh mon Dieu. Il est mort ? s'écria Lacy. Il est mort ?

Kaylie fixait le couloir avec de grands yeux.

— Kaylie, lança Danica. Emmène-la dans la salle d'attente.

— Non, dit Lacy en se précipitant vers la chambre de Rob. Non. Non. Il ne peut pas mourir. Je dois aider Sheila. Non. Elle courait, suivie de Danica et Kaylie, les larmes coulant de ses joues en pensant aux visages tristes de Charlie et Katie.

Sheila et une infirmière sortirent de la chambre à l'arrivée de Lacy.

— Nous le saurons bientôt. Laissez le médecin travailler. Il est très bon. Laissez-le faire, déclara l'infirmière.

Sheila remarqua Lacy.

— Lacy. Oh mon Dieu…

— Est-ce qu'il…

Elle ne pouvait pas dire le mot.

— Il est réveillé. Il s'est réveillé, s'écria Sheila en serrant Lacy dans ses bras. Je lui tenais la main et je lui parlais et j'ai senti ses doigts bouger. Je pensais que c'était dans ma tête, mais je l'ai senti à nouveau, puis ses paupières ont bougé.

— Il est vivant ? demanda Lacy.

— Vivant et éveillé, Lacy, répondit Sheila en la serrant à nouveau dans ses bras. Le médecin est avec lui. Oh, mon Dieu, il est réveillé, cria-t-elle.

Elles passèrent quarante-cinq minutes avec Sheila, et pendant ce temps, Lacy retrouva ses esprits. Les médecins déclarèrent que Rob ne semblait pas avoir de séquelles, mais que sa respiration était superficielle et qu'il devait toujours être soigné de manière prophylactique pour une pneumonie par inhalation. Il devrait rester à l'hôpital et aurait besoin du tube respiratoire jusqu'à ce que ses poumons se rétablissent. Il était légèrement sous sédatif quand elles partirent, mais elles le virent tout de même écrire un mot à Sheila disant : *Je suis vraiment désolé.*

Danica, Kaylie et Lacy retournèrent au cottage, mais le mot de Rob la hantait. *Était-il désolé d'être reparti plonger ? Désolé d'avoir été blessé ? Ou désolé de ne pas avoir écouté Sheila quand elle lui demandait de changer de carrière ?*

Kaylie était dans la cuisine en train de préparer le déjeuner. « La nourriture aide toujours mes enfants quand ils sont contrariés », avait-elle dit. Quant à Danica, elle regardait Lacy comme si elle était sur le point de sauter d'un pont.

— Vous n'étiez pas obligées de venir ici, mais je suis contente que vous l'ayez fait, dit Lacy.

— Quand Max a appelé et nous a dit ce qui s'était passé, je me suis inquiétée, mais je savais que tu appellerais si tu avais besoin de nous. Mais quand on n'a pas pu te joindre et que Max a dit que personne ne pouvait joindre Dane, j'ai stressé, déclara Danica.

— Peut-être que Dane est rentré chez lui, murmura Lacy.

Ça faisait mal de dire son nom, et savoir qu'il avait peut-être quitté l'État la submergea d'une autre vague de tristesse. Elle remonta ses pieds sous elle sur le canapé. Le canapé où elle avait essayé de séduire Dane. *Arrête ça.* Elle déglutit pour faire disparaître la boule dans sa gorge.

— Blake a appelé chez son père et il n'y est pas, déclara Danica.

— Non. Je voulais dire sa maison. Il vit sur un bateau en Floride quand il ne voyage pas, dit Lacy.

Kaylie apporta une assiette avec des sandwichs au fromage grillé, et la posa sur la table basse.

— De la bouffe réconfortante, dit-elle.

Merci, Kaylie, répondit Lacy.

— Lacy, je ne veux pas paraître ignorante, mais d'après Danica, Dane et toi preniez la direction du grand amour. En quoi l'accident de Rob a changé ça ? demanda Kaylie avant de mordre dans un sandwich. Je t'assure que le fromage grillé remonte le moral.

— Je ne pense pas que quelque chose puisse aider, déclara Lacy. On avançait sur ce chemin, ou peut-être qu'on en prenait tout juste la direction, mais l'accident de Rob a tout changé. Après ma discussion avec Danica… Oh, mon Dieu, comme ça fait si mal.

Des larmes coulèrent de ses yeux.

— Je l'aime tellement que j'ai mal partout : de mes yeux à mon ventre en passant par mes putains de pieds. J'ai mal partout. Il me manque tellement.

Danica l'attira contre elle.

— Je suis désolée.

Lacy prit une profonde inspiration et continua :

— On a essayé de trouver un moyen de faire fonctionner cette relation. Il voulait que je voyage avec lui.

Elle sourit à travers ses larmes au souvenir de sa proposition d'amitié. Mais ce sourire s'estompa alors que des souvenirs plus récents envahirent son esprit.

— Puis Rob a eu son accident et j'ai réalisé – il a réalisé –, nous avons tous les deux réalisé que je pouvais tout abandonner pour le suivre, et qu'il pourrait lui arriver quelque chose comme ça. Ou pire, il pourrait se faire tuer. Rob a eu de la chance.

— Mais, Lacy, les accidents peuvent arriver à n'importe qui, lui rappela Danica. Regarde le partenaire de Blake. Il est mort dans un accident de ski. On peut avoir un accident en traversant la rue.

— Je sais, mais quand même ! Je ne peux pas changer ma vie pour lui, même si je l'aime, en sachant que je pourrais le perdre à tout moment quand il part travailler. Sheila m'a dit à quel point c'était difficile d'être mariée à quelqu'un qui exerce ce métier. Elle s'inquiétait chaque jour, et ensuite ça a été le tour de ses enfants. Vous savez que quand on aime quelqu'un, on l'aime un peu plus chaque jour – et je l'aime déjà tellement.

— Je sais, dit Kaylie. C'est écrit sur tout ton visage.

— Comment sortir avec quelqu'un en sachant que je serai morte d'inquiétude ? Ça me semble malsain et injuste, et... je ne sais pas. Danica, tu n'as rien de réconfortant à me dire ?

S'il te plaît, dis-moi quoi faire.

Danica soupira.

— Lacy, chérie, je ne peux pas te dire quoi faire. Vos préoccupations sont légitimes : tu t'inquiéteras probablement tous les jours. Chaque travail comporte des risques. Certes, son métier est plus risqué que la plupart des métiers, mais quand même. Les femmes épousent tous les jours des policiers et des pompiers.

— Voir Sheila pleurer son mari alors qu'il était allongé dans son lit d'hôpital...

— Je sais que c'était difficile, mais il a survécu, Lacy. Il va bien, dit Danica.

— *Cette fois.* Je ne pense pas pouvoir vivre ça.

Et Dane ne le veut pas.

— Surtout maintenant que je sais à quel point son travail est dangereux, dit-elle en touchant sa cuisse. Il m'a demandé de partir, ajouta-t-elle dans un murmure.

— Il... Vous étiez tous les deux sous le choc. Je suis sûre qu'il ne le pensait pas, déclara Danica.

— Peut-être que tu devrais aller lui parler, Lace, suggéra Kaylie.

— Je ne peux pas. Si je le revois, je verrai Rob, et ensuite je verrai Sheila effondrée qui se demande comment elle va survivre... et les petits visages des enfants. Vous auriez dû voir comme ils avaient peur quand on est arrivées à l'hôpital.

— Tout le monde finit un jour ou l'autre par vivre des moments difficiles à l'hôpital, philosopha Danica.

— Et les enfants sont résilients. Ses enfants ne s'en souviendront même pas dans deux ans. Ce sera comme un mauvais rêve, ajouta Kaylie.

— Peut-être, mais Sheila si, et moi aussi. Si je revois Dane, je le supplierai de me reprendre, et que se passera-t-il la prochaine fois que ce sera lui dans ce lit d'hôpital ?

Elle essuya ses larmes.

— Vous pensez que je devrais tout lâcher pour un homme que je pourrais perdre, parce qu'il a la mauvaise idée de vouloir sauver des requins ?

— Lacy, calme-toi, dit Danica.

Kaylie la regarda avec sévérité.

— On ne dit pas à une femme qui est contrariée de se calmer, dit-elle en posant sa main sur l'épaule de Lacy. Chérie, l'amour apporte son lot de soucis, quel que soit le métier qu'on exerce. C'est effrayant et parfois dévorant, mais si tu l'aimes autant, tu ne penses pas que ça vaut la peine ?

Lacy ne pouvait plus penser à rien à part sa douleur. *En valoir la peine ?* Comment perdre la personne qu'on aime pouvait-elle en valoir la peine ?

Elle regarda ses sœurs, et pour la première fois depuis l'accident, elle fut certaine d'une chose.

— Je veux aller à la maison.

CHAPITRE TRENTE-DEUX

Dane débonla aux soins intensifs vingt minutes après avoir reçu le message de Sheila. Il n'aurait pas dû éteindre son téléphone, mais les appels incessants de sa famille le rendaient fou. Il n'avait allumé le téléphone qu'une minute, pour appeler l'hôpital, quand ses messages étaient arrivés. Sept de sa famille et un de Sheila. Il entra dans la chambre de Rob, à bout de souffle et pas du tout préparé à voir le tube toujours dans la gorge de son meilleur ami.

— Je croyais… ? Dit-il en cherchant ses mots.

— Il a besoin du tube jusqu'à ce que ses poumons se rétablissent, expliqua Sheila.

Rob leva ses yeux somnolents vers Dane, qui se mit à pleurer. Il se pencha, et enserra les épaules épaisses de Rob en faisant attention de ne pas toucher les tubes et les fils qui lui sortaient du corps, et posa son visage contre la joue saine de Rob. Il avait besoin de sentir Rob contre lui, et il voulait pouvoir donner tout ce qui lui restait de force.

— Tu m'as man… commença Dane d'une voix emplie de sanglots. Tu m'as foutu la trouille.

Rob désigna un carnet dans les mains de Sheila. Elle le lui tendit, et Rob tâtonna pour saisir le stylo, puis le fit lentement glisser sur le papier. Sa main tremblait lorsqu'il passait le bloc-notes à Dane.

— *Ils l'ont tagué ?*

Dane rit et essuya une larme sur sa joue.

— Espèce de taré. Tu m'as fait peur. Non, ils ne l'ont pas tagué. On était trop occupés à sauver ton cul, dit Dane en s'essuyant les yeux. Je suis désolé. Je n'aurais pas dû te laisser descendre. C'était égoïste et stupide.

Rob écrivit de nouveau quelque chose sur le bloc-notes et le tendit à Dane.

— *Tu n'aurais pas pu m'arrêter.*

— Je suis encore plus jeune que toi. J'aurais pu t'arrêter, déclara Dane.

Mais il savait qu'il n'aurait pas pu arrêter Rob, pas plus que Rob n'aurait pu l'arrêter si les rôles avaient été inversés.

— Mais ça n'a plus d'importance. Je suis heureux que tu t'en sortes. J'ai couvert tes soins. Dis-moi de quoi tu as besoin. Tu sais que je suis là.

Rob hocha la tête.

— Sheila, commença Dane avant de se taire, incapable de continuer.

Elle fit le tour du lit et l'embrassa.

— Vous avez fait une bonne course, murmura-t-elle.

Leur dernier plongeon ensemble hanterait Dane pour toujours.

— J'ai abandonné cette mission et la suivante. Maintenant que Rob va mieux, je vais ramener le bateau de Treat à Wellfleet, puis je vais prendre un peu de recul, expliqua Dane.

— Où iras-tu ? demanda Sheila.

Dane haussa les épaules. Il avait quitté Lacy pour pouvoir poursuivre sa carrière sans risquer de lui faire du mal, mais savoir qu'elle ne faisait plus partie de sa vie avait anéanti sa passion, et entravé sa capacité à fonctionner.

— La Floride pour commencer, pour retrouver mon bateau. Après ça, je ne suis pas sûr.

Rob tira sa manche et désigna le cahier. Dane le lui tendit et Rob écrivit :

— *Lacy ?*

Dane passa une main sur son visage, rassemblant la force de dire à voix haute la douloureuse vérité. Mais il en fut incapable, alors il secoua la tête.

— *À cause de moi ?* écrivit Rob.

— Non, Rob. C'est à cause de moi.

C'est mon choix de carrière. Mon risque. Mon besoin égoïste de faire ce que je veux faire et mon désir de la protéger de la douleur, peu importe à quel point ça me fait mal.

CHAPITRE TRENTE-TROIS

De retour à World Geographic, Lacy passa ses journées comme une automate. Fred l'informa que Dane avait suspendu leur mission, et Lacy lui expliqua qu'elle refuserait dorénavant de prendre en charge celle-ci. Elle resta en contact avec Sheila et apprit que Rob rentrait chez lui dans quelques jours. Les enfants étaient ravis et Sheila encore plus, même si elle s'inquiétait des conséquences de ce changement de carrière pour la famille. Elle ne voulait pas que Rob reprenne la mer, mais elle savait qu'il ne serait jamais heureux d'exercer un métier de bureau. Lacy n'avait jamais envisagé les choses sous cet angle : l'amour de Rob pour la mer, tout comme l'amour de Dane pour son métier. Entendre Sheila parler de la mer comme si c'était une maîtresse lui fit comprendre pourquoi Dane ne pourrait jamais abandonner sa carrière. Si la mer était l'amante de Rob, elle était la pierre angulaire de Dane.

Elle eut beaucoup de temps pour réfléchir durant la semaine qui suivit l'accident. Une fois ses peurs et inquiétudes au sujet de Rob atténuées, ce fut la perte de Dane qui prit le dessus. Elle s'était remise au travail, et même en ce moment, alors qu'elle essayait d'élaborer un plan stratégique pour un client et imaginer un concept marketing pour un autre, son esprit revenait, à travers cet épais brouillard de douleur, aux souvenirs des moments partagés avec Dane.

IL ne l'avait pas appelée et elle ne l'avait pas contacté, même si tous les soirs avant de se coucher, elle allumait Skype et plaçait son téléphone portable près de son lit, juste au cas où. Elle avait envie d'entendre sa voix, mais chaque fois qu'elle pensait à l'appeler, elle se souvenait de Sheila au chevet de Rob, entre la vie et la mort. C'était suffisant pour l'empêcher de composer son numéro.

— Je peux te voir une minute, Lacy ? demanda Fred depuis la porte de son bureau.

— Oui bien sûr. Entre.

Fred referma la porte derrière lui et s'assit en face de son bureau.

— Lacy, tu étais là quand Rob a eu son accident ?

— Non. Je n'étais pas sur le bateau avec eux, si c'est ce que tu veux dire, dit-elle.

Il hocha la tête avant de poursuivre :

— Et tu t'es vraiment rapprochée de lui pendant que tu étais là-bas ?

Lacy plissa les yeux.

— Rob ? Pas vraiment proches, mais nous sommes devenus amis. On a dîné ensemble. J'ai passé du temps avec sa femme et ses enfants. En fait, oui, j'imagine qu'on peut dire qu'on était proches.

— Est-ce que tu as besoin de temps off ? Je sais que tu avais dit ne pas vouloir de congés, mais j'ai remarqué que ton travail n'était pas à la hauteur de tes capacités.

Lacy vit l'inquiétude dans le regard sérieux de Fred. Son attitude, quand il se pencha en avant en évoquant la qualité de son travail, montrait qu'il ne savait pas quoi en penser.

Oui. Je voudrais toute une vie de temps off. Je veux disparaître et ne plus jamais avoir à penser. Ou ressentir. Ou vivre.

— Je suis désolée, Fred. Je sais que mon travail n'a pas été à la hauteur, et je te promets de faire mieux, mais je ne veux pas d'un congé. J'ai besoin de garder l'esprit occupé.

— Je m'inquiète pour toi, Lacy. Tu es sûre de ne pas vouloir rendre visite à tes sœurs ou te détendre un peu ? Tasha peut gérer tes comptes pendant quelques jours, déclara Fred.

Avant d'aller à Chatham, l'idée que Tasha la remplace le temps d'un congé l'aurait fait tomber de son siège. À présent, supplier Fred de la laisser faire un travail médiocre pour ne pas penser à Dane lui parut ridicule. Peut-être qu'elle devrait prendre quelques jours de congé. Chaque fois qu'elle passait devant le bureau de Fred, elle se souvenait du jour où elle y avait trouvé Dane. Peut-être qu'elle devrait aller rendre visite à Kaylie et les enfants et passer du temps avec eux ? Ou peut-être qu'elle devait arrêter de travailler et rester à la maison pour se vautrer dans sa solitude ? En tout cas, voir Fred la regarder avec pitié n'était pas la réponse, même si ça impliquerait que Tasha obtienne la promotion qu'elle avait tant désirée.

Ça m'est égal. La sincérité de cette pensée la surprit.

Il fallait qu'elle chasse le chaos de son esprit. Elle jeta un coup d'œil à l'horloge.

— J'apprécie vraiment ta sollicitude, Fred. J'y penserai pendant le déjeuner. On peut en parler cet après-midi ?

Lacy s'était promis de ne pas penser à Dane pendant le déjeuner. Elle prendrait un Pepsi Light froid, un magazine *People*, et s'installerait au café en bas de la rue et se détendrait un moment.

— Rien ne va. Voilà à quoi ressemble ma vie en ce moment.

Lacy tenait le portable entre son épaule et son oreille alors qu'elle quittait le parking du bureau.

— Je sais que c'est ce que tu ressens, Lace, mais si tu prends un peu de recul, tu verras que tu as une belle vie, déclara Danica.

— Oh, je sais. J'ai une famille formidable, un bon travail que j'ai peut-être mis en péril, et j'ai un endroit agréable où vivre. Je pense que je suis juste fatiguée et stressée. Je vais prendre un magazine people et me détendre pendant une heure. Et je ne penserai pas à Dane. Merde… attends.

Lacy freina brusquement et laissa tomber le téléphone sur ses genoux.

— Connard, cria-t-elle à la voiture qui lui avait fait une queue de poisson.

Elle baissa les yeux une fraction de seconde pour récupérer son téléphone et appuya sur l'accélérateur pour traverser l'intersection. Lacy ne vit pas la Honda Civic venir vers elle, et elle n'entendit pas le cri de Danica dans le téléphone lorsque le bruit du métal contre le métal lui fit perdre le contrôle de la voiture et que son téléphone vola dans les airs.

CHAPITRE TRENTE-QUATRE

C'était une soirée typique à la Nouvelle-Angleterre. Dane était assis sur la terrasse du cottage de Treat. Il avait finalement décidé de ne pas retourner en Floride. Il voulait pouvoir rendre visite à Rob pendant sa convalescence et être là pour Sheila. Ils allaient beaucoup mieux tous les deux. Rob reprenait des forces chaque jour, et il était capable de parler sans la machine, même si son état restait sérieux. Sheila et lui avaient hâte de rentrer chez eux en Floride, et ils étaient reconnaissants de la générosité de Dane, car il payait le séjour à l'hôtel de Sheila, ainsi que toutes les factures médicales que l'assurance ne couvrait pas. Il avait proposé à Rob un travail au sein de Brave sur le bateau ou au bureau – le choix lui appartenait – et autant la vie de son ami se recollait, autant Dane avait l'impression que la sienne se décollait.

Chaque fois qu'il songeait à retourner à son bateau, il pensait à Lacy. Il savait qu'il la verrait dans la cabine et la sentirait dans le lit à côté de lui. Il était resté chez Treat pour éviter de retourner dans la cabine de ce bateau, car les souvenirs étaient trop frais, ses émotions trop vives. Il avait fait ce qu'il fallait. Du moins, il le pensait. Qui était-il pour lui demander de vivre une vie de risques et d'inquiétudes alors qu'elle s'était tellement démenée pour surmonter ses propres peurs ? Il l'aimait trop pour permettre cela. Alors qu'il regardait le soleil se coucher sur la baie, il savait qu'une des raisons pour lesquelles il était resté dans le Massachusetts c'était que le fait de partir physiquement finaliserait leur rupture. Aussi idiot que cela puisse paraître, être dans le même état qu'elle, lui donnait l'impression d'être plus proche d'elle.

Son portable sonna. *Papa.* Sa famille lui en voulait d'avoir ignoré leurs appels après l'accident de Rob, mais ils avaient fini par comprendre son besoin d'être seul. Il décrocha.

— Salut papa.

— Comment vas-tu, fils ?

La voix de Hal s'enroula autour de Dane.

Seul. Triste. Et l'impression que monter sur un bateau pourrait me faire trop mal.

— Pas mal. Et toi ?

— Plutôt bien. J'étais à la grange cet après-midi avec Hope. Elle va bien. Elle est forte. Rex prend bien soin d'elle.

Lorsque sa mère était tombée malade, son père lui avait acheté Hope – une jument – et il la traitait à présent comme si la mère de Dane vivait en elle. Bien que cela l'ait toujours dérangé, il savait que cela apportait du réconfort à son père, et il en était reconnaissant.

— C'est bien, papa.

— Dane, qu'est-ce que tu fais chez Treat ? Pourquoi n'es-tu pas revenu à la maison ? demanda son père.

— La maison ?

Son père ne poussait jamais aucun de ses enfants à lui rendre visite, et sa question inquiéta Dane.

— Il y a un problème ?

— La maison, Dane. Ta maison. Sur ton bateau.

Dane soupira.

— Je vais le faire, papa. J'avais juste besoin d'un peu de temps pour m'assurer que Rob allait bien.

Et pour être sûr que j'étais prêt.

— D'accord. Qu'est-ce que tu as fait la semaine dernière ?

— Tu sais, sortir en bateau – le mensonge avait un goût amer sur sa langue –, essayer de surmonter l'accident de Rob.

— Sur le bateau de Treat ? demanda son père.

Dane secoua la tête. Il savait que son père ne le croyait pas. Bon sang, il suffirait que Treat appelle l'hôtel pour qu'il sache qu'il n'avait même pas fait le trajet de retour en bateau : il avait payé pour le faire ramener.

— Papa.

— Il y a quelque chose que tu veux me dire, fils ?

Dane imagina le visage inquiet de son père assis dans son fauteuil inclinable en cuir préféré, et vêtu d'une chemise en flanelle et d'un jean Levi's.

— Pas vraiment, déclara Dane.

— Que prévois-tu de faire ?

— Je ne sais pas, papa. Je suppose que je finirai par retourner en Floride et que je me remettrai au boulot. En ce moment, j'essaie de me souvenir à quoi tout ça sert, admit Dane.

— Comment ça ? Le sauvetage de requins ?

Il savait qu'il ne pourrait échapper à l'interrogatoire de son père. Lorsque Hal Braden avait quelque chose à dire, il le faisait. Dane se demanda où il voulait en venir, et décida qu'il valait mieux en finir et aller droit au but.

— La vie, papa. Le travail, l'amour, la mort. J'essaie de comprendre le but de tout ça.

Il ferma les yeux et attendit que la sagesse de son père l'éclaire. Devant son silence, il demanda :

— Papa ?

— Oui, je suis là.

— Tu m'as posé une question et j'ai répondu. Tu n'as rien à dire ?

— J'attendais que tu me donnes la réponse. Je n'ai jamais su que la vie, le travail, l'amour ou la mort avaient un sens.

Dane posa ses pieds sur la rambarde.

— Bien, alors je ne suis pas le seul avec ce dilemme.

— Fils, tu n'es jamais seul dans quoi que ce soit. Tu le sais. Tes frères et sœur s'inquiètent pour toi. Max a dû pratiquement attacher Treat pour l'empêcher de te courir après ces derniers jours. Il a dit que tu ne devais pas être seul, mais ta mère...

Il prit une profonde inspiration.

— Je pensais que tu avais besoin de temps pour réfléchir.

Voir son père éviter de mentionner ce que pensait sa mère décédée fit sourire Dane. Lui et ses frères et sœur étaient habitués aux messages que leur père recevait de l'au-delà. Dane ne savait pas s'il y croyait ou pas, mais si c'était elle qui lui avait permis de vivre cette semaine d'amour avec Lacy la semaine dernière, il lui en était reconnaissant.

— Merci papa. Je pense qu'il me faudra au moins un an, mais comme ce n'est pas raisonnable, je vais prendre ce que je peux, dit Dane.

— Il paraît que Rob va bien.

Dane pouvait toujours faire confiance aux commérages Braden pour faire circuler les nouvelles rapidement.

— Oui. Il rentre bientôt chez lui.

— Heureux de l'entendre. J'ai toujours aimé Rob et Sheila. Et Lacy Snow ?

Dane se leva et fit les cent pas. Il savait que la question allait venir, mais elle le frappa tout de même comme un coup de poing dans le ventre.

— Elle est repartie chez elle. Tu sais, le travail et tout ça.

— Fils, sais-tu ce que ton cœur veut ?

— Oui, papa, mais parfois ce n'est pas ce qui compte, déclara Dane.

— Ah non ? Merde, j'aurais aimé que tu sois là pour me le dire quand j'étais adolescent et que je me battais pour pouvoir sortir avec ta mère. Tu aurais pu m'épargner des semaines de maux de tête, et en y repensant, un œil au beurre noir aussi.

Dane se rassit et posa ses coudes sur ses genoux.

— Un œil au beurre noir ?

— Parfois, l'amour fait mal, fils. Il n'y a pas moyen d'y échapper. Mais ça valait chacune des douloureuses secondes, et je recommencerais si je pouvais la reprendre dans mes bras, répondit son père.

— Je sais que maman te manque.

— Chaque minute de chaque jour, mais c'est parce qu'elle m'a été volée. Je ne l'aurais jamais quittée. Comme je l'ai dit, j'aurais fait n'importe quoi pour être avec elle.

Dane se rassit et regarda les vagues déferler contre le rivage. Son père savait ce qu'il avait fait. *Merci Treat.*

— J'ai fait ce qu'il fallait, papa, et je pense que c'est une des raisons pour lesquelles je ne me suis jamais permis d'être trop proche de qui que ce soit. Je ne suis jamais certain de revenir après une mission. Penses-y. Pense à mon travail.

— Tu m'as dit que c'était plus sûr que de conduire une voiture et, mon fils, quand tu me dis ça, même si je pense que c'est des foutaises, je l'accepte, parce que tu ne mentirais pas à ton père.

Dane ferma à nouveau les yeux en essayant vainement d'échapper à la vérité.

— Statistiquement, c'est plus sûr. Mais maintenant...

— Maintenant, tu penses autrement ? demanda son père.

— Maintenant, je le vois sous un autre angle. Voir la famille de Rob retenir son souffle alors qu'il oscillait entre la vie et la mort, a changé ma vision des choses, papa. Je ne veux pas être la cause de ce genre de douleur.

— Tu es un homme intelligent, Dane, et c'est moi qui ai dû retenir mon souffle. Merde, j'ai passé des années à retenir mon souffle.

Maman.

— Tu sais, si j'avais pu aimer quelqu'un d'autre, peut-être que je l'aurais fait. Si j'avais pu avoir un mode d'emploi... C'est ce qui craint le plus. Il n'y a pas de mode d'emploi pour ce genre de choses qui arrivent à ta mère ou à Rob. Ça arrive et c'est tout. Si nous pouvions avoir un mode d'emploi et l'éviter, ça serait formidable. Alors j'aurais pu... je ne sais pas... divorcer d'elle ? Sheila aurait pu fuir la douleur ? Vrai, fils ? C'est ça la réponse ? termina Hal d'une voix plus forte.

— Ce n'est pas ce que je voulais dire.

— C'est exactement ce que tu voulais dire. Pourquoi aimer quelqu'un si quelque chose peut t'arriver et que tu peux la faire souffrir ?

— Merde, papa.

Pourquoi faut-il toujours que tu soulèves l'évidence ?

— J'ai pris ma décision.

— Je sais. Mais pourras-tu vivre avec ? demanda son père.

Dane ne répondit pas.

— Dane, nous naissons tous avec une date d'expiration. On ne sait pas quand notre tour viendra. Mais je peux te dire une chose, et je t'assure que c'est vrai : aimer ta mère était la meilleure chose qui me soit jamais arrivée à part vous, les enfants. Et elle, c'était peut-être même une meilleure chose que vous, parce que sans elle, vous ne seriez pas en vie. Et même si on a vécu de trop nombreux séjours à l'hôpital à retenir nos souffles, cette femme a suffisamment rempli mon cœur pour me retenir toute une vie. Merde, elle a rempli mon cœur à le faire déborder. Comment penses-tu que j'ai trouvé la force de continuer et vous élever, bande d'idiots ?

Dane sourit. Son père les appelait ainsi quand ils étaient petits et qu'ils faisaient des bêtises, comme essayer de descendre du toit de la grange en luge. Les larmes se remirent à couler. Il était tellement seul et triste sans Lacy. Il pleurait tous les jours depuis qu'il l'avait quittée, et il commençait à s'habituer aux émotions brutales qui le tourmentaient.

Il rassembla son courage, malgré le désir qui déchirait son âme.

— Tu te souviens quand maman est morte ?

— C'est un moment que je n'oublierai jamais.

La voix solennelle de son père le ramena au souvenir du décès de sa mère et des premières semaines d'adaptation à une maison où, lorsqu'il criait : « maman », personne ne répondait.

— Ça faisait si mal.

Dane sanglota silencieusement dans la nuit. Il essuya ses larmes et souhaita que son père soit là pour l'envelopper dans ses bras forts comme il l'avait fait à l'époque.

— Je sais, fils, dit doucement son père. Tu avais besoin de temps seul à ce moment-là aussi. Tu te souviens t'être enfui ?

— Oui, murmura Dane à travers ses larmes.

— Ça a toujours été ta façon de faire. Rentrer dans ta coquille jusqu'à ce que tu penses pouvoir en sortir en toute sécurité. Je suis désolé, Dane. Tu sais que ta mère voudrait que je te pousse dans un sens ou l'autre, mais je ne vais pas le faire.

Dane passa sa main sur son visage, se souvenant du rêve

qu'il avait fait de sa mère, où elle le poussait vers l'avant.

— J'aimerais que la vie soit plus facile et j'aimerais que l'amour comporte des garanties. Mais parfois, la seule bonne réponse est celle qui comporte le plus de risques. C'est celle qui te fait peur, mais qui ne te laisse pas partir.

— Je l'aime tellement, papa. Je n'ai jamais aimé personne comme j'aime Lacy. Elle est toujours dans mon esprit. Je peux la sentir à côté de moi quand elle n'est pas là, et je peux entendre sa voix au milieu de la nuit. Papa, est-ce que je perds la tête ?

— Non, tu ne perds pas la tête. Tu es amoureux, et l'amour fait des choses étranges à un homme. Je pense que tu as ta réponse.

— J'ai l'impression que rentrer à la maison sans elle me tuera. Je ne peux même pas quitter l'État, avoua Dane.

Son père prit une profonde inspiration, et quand il parla, la force était revenue dans sa voix.

— Heureusement, la femme que tu aimes est toujours sur terre. Tu as un choix à faire, fils. Ton cœur peut-il vivre sans elle ?

— Il n'y a rien en moi qui puisse vivre sans elle.

CHAPITRE TRENTE-CINQ

Lacy s'assit sur son lit d'hôpital, le bras gauche bandé et la tête douloureuse. Elle avait l'impression d'avoir été projetée contre un mur de briques, et n'en revenait toujours pas de la rapidité avec laquelle l'accident s'était produit. *Tout comme Rob.* Lacy tenait le téléphone de l'hôpital contre son oreille.

— J'ai appelé ta compagnie d'assurance : ils s'arrangent pour te procurer une voiture et le rapport de police a été faxé. Lacy, j'aimerais pouvoir être là avec toi. Tu es sûre que tu ne veux pas que je prenne un vol pour rester un jour ou deux ? demanda Danica.

— Merci de les avoir appelés, mais ce n'est pas nécessaire que tu viennes. Je vais bien, j'ai juste mal. Cette voiture est sortie de nulle part. Je ne l'ai jamais vue venir.

Tout comme le requin.

— D'après le policier, le conducteur a brûlé un feu rouge, et tu as eu de la chance d'avoir fait un tête à queue au lieu d'un tonneau.

Lacy essaya de se concentrer sur les paroles de Danica, mais ses pensées étaient piégées dans un tunnel. *C'est arrivé si vite. Je ne l'ai pas vu venir. Tout comme le requin.* Les paroles de Danica lui revinrent en mémoire. « Je suis sûre que vous verrez une sorte de signe et ça vous poussera dans la bonne direction ». Elle revit Dane sourire. « Moins risqué que de conduire une voiture ».

— J'aurais pu mourir.

— Je suppose que oui, répondit Danica.

— Juste comme ça, et puis après ? dit Lacy en parcourant la pièce vide du regard. Et puis, quoi ?

Elle se leva du lit et prit son sac de sa main libre.

— Et si j'étais morte, Danica ?

— Lace, tu me fais peur.

— Je vais te dire ce qui se serait passé. Je serais morte en me sentant triste et seule et sans la seule personne avec qui je veux être. Sans l'homme que j'aime, déclara Lacy.

Sans Dane.

Le rideau s'écarta et une jeune infirmière entra.

— Excusez-moi, mais vous pourriez faire moins de bruit ?

— Est-ce que je dois signer quelque chose pour pouvoir partir ? demanda Lacy.

L'infirmière vérifia son dossier.

— Oui, je pense que le médecin a demandé que vous puissiez sortir.

— Super. Merci.

— Lacy, tu veux que je t'appelle un taxi ? demanda Danica. Pourquoi es-tu dans cet état ? Et pourquoi es-tu si pressée ?

— J'ai besoin d'un taxi Danica, mais je n'ai pas mon portable. Tu m'appelles du travail ?

— Oui.

— Bien. Tu peux envoyer un SMS à Dane et lui demander où il est ?

Ça peut arriver à n'importe qui. N'importe quand. Dans n'importe quel métier.

— Bien sûr, mais j'ai besoin de son numéro. Pourquoi ?

demanda Danica.

Lacy lui donna son numéro de mémoire, et réalisa qu'elle avait mémorisé à peu près tout sur Dane. Elle ferma les yeux et se souvint de son odeur.

— Tu as dit que l'univers m'enverrait un signe. Je ne pense pas qu'il puisse y avoir de signes plus clairs.

— Attends. Je viens de recevoir son SMS.

Le rythme cardiaque de Lacy s'accéléra tandis qu'elle attendait.

— Il dit qu'il était toujours au Cape. Il reste au cottage de Treat à Wellfleet, déclara Danica. Il veut savoir pourquoi j'ai posé la question. Est-ce que je lui parle de ton accident ?

— Non. Ne lui parle pas de l'accident. Invente quelque chose. Dis-lui que Blake part en Floride et que tu voulais l'inviter à dîner.

Elle fixa le sol avant de poursuivre :

— Il y a toujours des risques dans la vie. Je le comprends maintenant, et je ne vais pas arrêter d'aimer quelqu'un à cause de ça. Je ne peux pas. Je ne peux tout simplement pas.

Lacy parlait plus à elle-même qu'à Danica.

— Je ne vais pas rester là à m'apitoyer sur mon sort parce que le métier de Dane est risqué. Mon accident le prouve largement. Zut, il me faut un téléphone. Et réfléchir à un plan.

— Lacy, qu'est-ce que tu vas faire ?

— Ce que j'aurais dû faire il y a une semaine, dit Lacy en essuyant ses larmes.

CHAPITRE TRENTE-SIX

Une heure après avoir parlé à son père, Dane fit ses valises et quitta Cape. Il était resté là suffisamment longtemps. Il ne pouvait pas continuer à fuir ses sentiments éternellement. Il avait fait passer sa carrière en premier jusque-là, et il était temps à présent de changer ses priorités.

Il prit son portable pour appeler Lacy, mais le reposa sur la console centrale. Il ne l'avait pas contactée depuis qu'il lui avait demandé de partir. *Elle ne décrochera sûrement pas.* Il envisagea de demander à Danica d'intervenir, mais il lui avait déjà demandé une faveur avec les conseils thérapeutiques, et il se sentait mal de ne pas être en Floride pour rencontrer Blake.

Une fois sorti de Cape et sur l'autoroute, il s'arrêta à la première sortie, prit un Coca Light et envoya un SMS à Lacy.

Je suis un con. On peut parler ? Tu me manques.

Il revint sur l'autoroute, régla son GPS et continua à conduire.

Rien ne se passait comme Lacy l'avait espéré. Le taxi avait mis une éternité à arriver à l'hôpital, l'employé à Sprint était plus mou que de la mélasse, et faire attendre le taxi lui avait coûté une fortune, même si elle était contente d'avoir un téléphone de remplacement. Une fois l'appareil chargé, elle mettrait son plan à exécution. Heureusement, l'employé de la société de location de voitures avait été plus rapide que celui-ci de Sprint. À 18 h, elle était chez elle et chargeait son nouveau téléphone.

Elle choisit trois tenues et les jeta dans un sac à dos, puis se dirigea vers la salle de bain pour prendre une douche rapide. Elle ne voulait pas perdre de temps, mais elle ne pouvait pas faire sa grande entrée avec du sang séché sur les bras. Après avoir retiré ses vêtements sales, elle se regarda dans le miroir et en eut le souffle coupé. Ses cheveux semblaient avoir été pris dans une soufflerie ; tout en frisottis. Son front était strié de saleté et de sang, sa poitrine et ses bras présentaient déjà des marques noires et bleues. Si on y ajoutait les poches sous les yeux après une semaine de nuits sans sommeil, elle pourrait sûrement effrayer les enfants. Elle était tellement pressée de faire ses courses pour aller voir Dane, que la douche ne lui avait même pas traversé l'esprit.

Son portable bourdonna comme s'il était sous stéroïdes. *Il est enfin chargé.* Elle se précipita vers la table de chevet et regarda les messages arriver les uns après les autres. Elle les fit défiler, soulagée que l'incompétent employé de Sprint ait pu transférer ses contacts depuis son téléphone cassé. Danica, Fred, Danica, Kaylie, Danica, Danica, Kaylie, Kaylie, Fred, Dane, Danica, Danica, Dane, Dane. *Dane ?* Elle remonta ses messages et regarda son numéro. Son pouls s'accéléra en lisant son message.

— *Je suis un con. On peut parler ? Tu me manques.*

Lacy se laissa tomber sur le lit. *Je lui manque. Je lui manque !*

Une demi-heure plus tard :

— *Lace, je suis désolé. Ça fait une semaine que je ne dors plus.*

Et toi ?

La lèvre tremblante, elle secoua la tête. Elle vérifia l'heure à laquelle le SMS suivant était arrivé : quarante minutes après le dernier.

— *Je ne renoncerai pas à nous. Je sais que tu es furieuse et blessée, mais je t'aime plus que les requins.*

Lacy éclata de rire. Elle commença à lui répondre :

— *Désolée, mon téléphone est tombé en panne. Tu me manques aussi. Je ne suis pas fu…*

Un coup à la porte interrompit son texto. Elle regarda par la fenêtre et vit la voiture de Dane garée dans la rue. Lacy leva la main et toucha ses cheveux. Elle se précipita vers le miroir et essaya rapidement de se coiffer. *Merde merde.* Elle avait la chair de poule et son cœur tambourinait. Elle quitta sa chambre, ses cheveux, sa douleur, et l'accident oubliés, et tendit une main tremblante vers la poignée de porte. En l'ouvrant, elle entendit la voix de Dane.

Il était devant la porte, le regard triste, et derrière cette tristesse, elle vit de l'espoir et une quantité incommensurable d'amour.

— Je suis là, Lace.

Entendre sa voix après si longtemps fit flancher ses genoux, et elle chercha à tâtons la poignée de porte pour s'y accrocher.

— Moi aussi. Je suis ici et je ne vais nulle part, déclara-t-elle.

Elle n'en revenait pas qu'il soit là : la semaine lui avait paru durer un an. Soudain, elle était de retour à l'époque où ils se parlaient tous les soirs. Le sentiment d'excitation ne s'était pas estompé. Au contraire, il était encore plus fort, comme en témoignait son incapacité à empêcher ses mains de trembler.

— Tu me manques, dit Dane en faisant un pas en avant. Je suis vraiment désolé, Lace. Je sais que tu n'es pas obligée de me pardonner, mais je n'étais pas moi-même, bébé. J'étais perdu avec ce qui était arrivé à Rob et ce que Sheila traversait, et l'idée que tu te retrouves à sa place m'était insupportable.

Elle voulait tomber dans ses bras, mais elle n'arrivait pas à bouger.

— Je sais, réussit-elle à articuler. Je n'aurais pas dû partir. J'aurais dû me battre pour nous, mais j'étais sous le choc aussi.

Elle prit une profonde inspiration avant d'ajouter :

— Dane, j'ai menti aussi.

Les yeux de Dane s'emplirent de douleur. Il fronça les sourcils et secoua la tête.

— Je suis tombée amoureuse de toi également.

Il ferma les yeux et sourit, et quand il les rouvrit, son regard était humide. Il ouvrit les bras et Lacy s'écrasa contre son torse. Elle respira son odeur, et eut l'impression d'être rentrée à la maison. Sa poitrine lui faisait mal, mais elle n'osait pas bouger. Elle ne voulait plus jamais s'éloigner de lui.

— Je t'aime, Lace. J'ai fait beaucoup d'erreurs, mais c'est fini.

Il recula et la regarda avant de prendre ses joues dans ses paumes. Ses yeux fouillèrent son visage, comme s'il venait seulement de remarquer ses bleus.

— Bébé, que s'est-il passé ? demanda-t-il en l'embrassant sur le front.

Son cœur de Lace s'envola.

— Tu m'aimes ?

— Plus que je ne peux l'exprimer. Oui. Je t'aime, j'aime tout de toi ; de tes cheveux frisés à la tache de naissance sur le talon de ton pied gauche.

— Tu as remarqué ? demanda-t-elle.

Dieu, comme je t'aime.

— La première fois que tu as porté des tongs. C'est adorable.

— Tu m'aimes.

Il m'aime, il m'aime vraiment.

— C'était une chose de te l'entendre dire quand tu me demandais de partir, mais c'en est une autre de l'entendre maintenant, dit-elle. Dis-le encore.

Il plongea dans son regard, et avant que les mots ne sortent, elle sentit son amour l'entourer comme un manteau.

— Lacy Snow, je t'aime, maintenant et à jamais. Je t'adore.

— Oh, Dane. Je t'aime aussi.

Elle l'embrassa et grimaça quand il la serra trop fort.

— Dis-moi ce qui s'est passé, dit-il.

— Une voiture a percuté la mienne quand je quittais le travail cet après-midi.

— Pourquoi ne m'as-tu pas appelé ? Est-ce que ça va ? Rentrons à l'intérieur, dit-il en posant une main sur le creux de ses reins. J'aurais aimé que tu m'appelles. Je déteste l'idée de te savoir effrayée et blessée, sans moi.

— Je vais bien. D'ailleurs, c'est à l'hôpital que j'ai réalisé à quel point je voulais être avec toi. Je n'arrive toujours pas à croire que tu sois là. J'allais prendre une douche et venir te rejoindre. Oh non, la douche. Je l'ai laissée couler.

Elle se précipita dans sa chambre.

— J'ai passé un an et demi à me demander ce que cela ferait d'être dans ton appartement. C'est une sensation agréable, Lace.

Il la suivit dans la chambre.

— Tu venais vraiment me voir ? demanda-t-il en désignant le sac à dos.

Lacy sortit de la salle de bain vêtue d'un peignoir.

— Oui, je venais vraiment te voir, dit-elle en passant ses

bras autour de son cou. Et j'ai passé tous ces mois à me demander ce que ça ferait de t'avoir dans ma chambre. Et tu sais quoi ? C'est une sensation agréable.

Elle l'embrassa avec douceur avant de continuer :

— J'ai réalisé, quand cette voiture m'a percutée, que tu avais raison. Je conduisais tranquillement quand *BAM*. C'est arrivé si vite. Je n'ai même pas eu le temps de réfléchir, et puis ça a été clair.

Dane s'assit sur le lit et l'installa sur ses genoux. Elle passa son doigt sur sa sombre et séduisante barbe d'un jour.

— Peu importe si nous passons un jour, une semaine ou un an ensemble, Dane. Je veux avoir tout ce qu'il est possible d'avoir. Tout. Chaque seconde effrayante et risquée.

— Oh, Lace, moi aussi.

Il approcha ses lèvres des siennes et l'embrassa doucement.

— J'ai peur de te faire mal, dit-il.

— Je vais bien, c'est juste sensible. Je n'arrive toujours pas à croire que tu es là. Cette dernière semaine a été comme un cauchemar.

— Plus de cauchemars, Lace. Jamais.

— J'y vois plus clair. Je connais les risques d'être avec toi, et je sais ce que ça fait de ne pas être avec toi. À choisir, je préfère tous les risques.

— J'ai eu deux heures pour réfléchir en venant ici, et je veux que tu saches que je ne m'attends pas à ce que tu abandonnes ton travail. Je concilierai mon emploi du temps avec le tien, et si tu veux qu'on se voie toutes les deux semaines, on y arrivera. Mon travail compte, Lace, mais sans toi, rien n'a de sens.

— J'ai eu beaucoup de temps pour réfléchir aussi. Je ne veux pas qu'on se voie toutes les deux semaines. Après avoir passé chaque jour avec toi et avoir été séparés, je sais la sensation que cela fait, et je ne veux plus le revivre. Je veux…

— Que demandes-tu ?

— Je ne demande rien, Dane. J'offre. Si ta proposition d'amitié tient toujours, je veux bien l'accepter, dit-elle en souriant.

Il plongea dans son regard, et elle vit qu'il cherchait une garantie.

— J'en suis certaine, Dane. Je veux être ta sex friend.

Je veux être tellement plus.

Dane la serra contre lui.

— Aïe, aïe, aïe.

— Pardon ! Oh, Lace, tu viens de faire de moi l'homme le plus heureux du monde. Mais je veux plus qu'une sex friend. Tu ne peux pas au moins être ma petite amie ?

Lacy vit, à l'étincelle de malice dans son regard, qu'il la taquinait. Elle embrassa ses lèvres.

— Je pense que je peux le faire.

— J'ai failli oublier, dit-il avant de la soulever et la poser sur le lit à côté de lui. Je reviens tout de suite.

Lacy l'entendit sortir par la porte d'entrée, et revenir une minute plus tard. Il s'assit à côté d'elle.

— Quand on était à Wellfleet, il m'est venu à l'esprit que tu es vraiment ma lumière brillante, Lacy. Je t'aime et je voulais te donner quelque chose pour que tu te souviennes toujours de notre première nuit ensemble.

— Tu penses que je pourrais oublier notre première nuit ensemble ?

Il lui tendit une enveloppe dans laquelle se trouvait un certificat de l'International Star Registry. Elle lut le document en passant son doigt sur l'étoile dorée en en-tête.

Ses yeux se remplirent de larmes.

— Tu as donné mon nom à une étoile ?

— L'étoile Lacy.

— C'est la chose la plus romantique et la plus réfléchie qu'on ait jamais faite pour moi. Oh, Dane, j'adore ça.

Lacy se pencha trop vite pour l'embrasser, et grimaça à nouveau.

Dane prit son visage entre ses mains et posa un doux et tendre baiser sur ses lèvres.

— Tu as besoin d'un bain chaud et de quelqu'un qui t'aime jusqu'à ce que tu ailles mieux. Je vais te faire couler un bain ; tu seras détendue en un rien de temps.

Elle le vit entrer dans la salle de bain. *Dans ma salle de bain.* Elle avait rêvé de lui dans son appartement pendant des mois, et maintenant qu'il était là, elle réalisa qu'elle n'aurait jamais pu imaginer à quel point c'était agréable.

Lacy avait posé sa tête contre le torse de Dane. Des bulles les entouraient comme des nuages tombés du ciel dans la baignoire. Dane ferma les yeux, savourant la sensation de son poids et de sa peau soyeuse, contre lui.

— Je pourrais rester allongée ici toute la nuit, chuchota Lacy.

— Mmm, dit Dane en se blottissant contre son cou. Je me fiche de l'endroit où on dort, tant qu'on est ensemble.

— Merci d'être venu.

Dane leva la tête et rassembla ses cheveux pour les poser sur son autre épaule. Il embrassa alors sa peau luisante.

— Lace, j'ai essayé d'adopter le bon comportement. Je voulais te protéger, mais je n'ai jamais voulu ne plus être avec toi. Toute cette histoire d'être amoureux est nouvelle pour moi, et je ferai probablement des erreurs, mais il y en a deux que je ne ferai jamais : je ne serai jamais infidèle et je ne te demanderai plus jamais de partir.

Il prit de l'eau dans ses mains et la versa sur ses épaules. L'eau dégringola sur la courbe de ses seins et disparut dans les bulles.

— Je sais, dit-elle en traçant des cercles sur sa cuisse. J'apprends également sur toi, moi et nous. Je savais qu'on était proches après Nassau, mais c'était surtout à travers Internet. Ça... ajouta-t-elle en posant la main sur la cuisse de Dane. Être ici avec toi, passer ces jours ensemble à Cape, c'est comme si tu t'étais glissé dans ma poitrine et que tu avais coulé dans mon cœur. Et quand on s'est quittés, j'ai eu l'impression que tu avais laissé ce grand trou douloureux en moi. Je ne peux pas imaginer la vie sans toi.

Dane enroula ses bras autour de sa taille et posa sa tête sur son dos.

— Tu n'auras jamais à le faire.

Il faisait attention à ne pas la serrer trop fort ou à ne pas bouger trop brusquement. Il s'inquiétait qu'elle ait mal, mais chaque once de son être voulait l'aimer. Ses mains remontèrent sur son ventre jusqu'à effleurer ses seins. Elle posa sa tête contre lui et ferma les yeux. Dane prit doucement ses seins et caressa ses mamelons tendus avec ses pouces. Lacy prit une profonde inspiration, et ce petit son, ce feu vert, fit dresser son sexe. Il passa une main le long de son ventre jusqu'aux replis entre ses cuisses et le cœur de sa féminité. Lacy se cambra dans sa main, et Dane la caressa, trouvant la zone sensible et gonflée qui, il le savait, lui ferait perdre la tête. Il la caressa avec amour, doucement au début. Elle gémit et tourna la tête sur le côté, laissant la peau laiteuse de son cou exposée pour qu'il puisse l'embrasser. Lacy saisit sa main sous l'eau et poussa ses doigts en elle, tandis que Dane lui mordait doucement le cou. Il fit courir sa langue sur sa peau en sentant son corps trembler contre lui.

— Dane, murmura-t-elle.

Ses jambes se resserrèrent, sa main attrapa son poignet, et quand elle essaya de dire à nouveau son nom, ça ressembla à une supplication.

— Dane !

Il attira son visage vers lui et l'embrassa avec fougue et passion. Il inspira l'air de ses poumons alors que l'orgasme la parcourut, avalant ses gémissements, et sentant la poussée avide de ses hanches contre sa main. Il continua jusqu'à ce que ses cuisses se détendent et qu'elle lâche un souffle satisfait. Un petit cri empli de déception s'échappa de ses lèvres lorsqu'il retira ses doigts d'elle. Son propre désir d'elle augmentait de seconde en seconde, mais il se retint.

— J'essaie d'être doux. Je ne veux pas te faire de mal.

Elle lui embrassa le biceps.

— Tu n'as pas à l'être. Quand nous sommes ensemble, tout le reste disparaît.

Elle embrassa son menton, puis déplaça son corps, exposant son érection avide. Il gémit quand elle enroula ses doigts fins autour de lui. C'était si agréable. Elle se serra contre lui et le caressa tout en embrassant son cou, traçant un chemin de baisers entre son torse et ses mamelons. La sensation de ses dents effleurant sa peau sensible et la force de sa main enflammèrent le désir déjà vorace de Dane. Ses mains trouvèrent sa taille, et il la souleva en un mouvement rapide et doux. Elle attrapa ses épaules alors qu'il se glissait entre ses replis gonflés. Les yeux bleus de Lacy étaient sombres et avides alors qu'elle le chevauchait. Elle abaissa sa bouche vers la sienne, et Dane la caressa de sa langue, le désir attisé de seconde en seconde par le délicieux baiser de Lacy. Il rompit leurs baisers, désireux de plonger dans son regard envoûtant quand il jouirait. Elle sourit et ses yeux s'écarquillèrent, puis se rétrécirent alors qu'elle tendait la main derrière elle pour saisir ses bourses. Dane rejeta la tête en arrière en serrant les dents, et se laissa emporter par l'orgasme tandis que Lacy maintenait son rythme sensuel.

— Mon Dieu, Lace. C'est si bon d'être en toi.

Elle prit ses joues dans ses mains et abaissa sa bouche vers la sienne, en continuant à aller et venir sur lui, avant de s'arrêter doucement après un dernier coup de langue sur sa lèvre inférieure.

— T'avoir en moi n'est pas si mal non plus, dit-elle avant de l'embrasser à nouveau.

Dane enroula ses bras autour d'elle et la serra doucement contre lui.

— Je t'aime, Lacy Snow, et je ne te laisserai plus jamais partir.

CHAPITRE TRENTE-SEPT

Quatre semaines plus tard...

Dane s'allongea, le portable à la main. Le lit tanguait avec la douce caresse de l'océan Atlantique. Sa peau bronzée entre les boutons ouverts de sa chemise brillait à la lumière vacillante de la bougie sur la table de chevet. Il lut le message. *Lacy demande FaceTime.* L'excitation à l'idée de la voir n'avait pas diminué d'un iota. Au contraire, il grandissait à chaque appel et à chaque clin d'œil. Il accepta la demande et se trouva face à ses yeux bleus emplis de désir et encadrés de boucles capricieuses. Elle n'avait jamais été aussi jolie.

— Voilà ma jolie sex friend.

— D'une simple pression sur un bouton, le taquina-t-elle. Tu me manques.

— À quel point ?

Lacy regarda derrière elle, puis de nouveau le téléphone.

— Je ne peux pas te montrer pour le moment, mais je pense que tu as assez d'imagination.

— Mmm. Oui, je pense que oui, ton corps nu sous...

— Chut, dit-elle en jetant à nouveau un regard derrière elle et soupirant. Quand vas-tu venir ?

— Tu n'es pas là. Comment vais-je faire ?

— Espèce de cochon, plaisanta-t-elle. Sérieusement, je n'en

peux plus de t'attendre. Dépêche-toi.

Elle lui souffla un baiser, et Dane vit une main masculine couvrir la bretelle spaghetti sur son épaule nue.

— Je dois y aller.

L'écran devint vide.

Une douleur de nostalgie envahit sa poitrine. Chaque minute loin de Lacy semblait une éternité. Il se leva et regarda le certificat encadré à côté du lit de l'International Star Registry. *L'étoile Lacy.* Dane ignorait qu'on pouvait nommer des étoiles, mais on pouvait compter sur Treat, le maître du romantisme, pour vous l'apprendre. *Dieu, comme je l'aime, et j'ai tellement de chance qu'elle m'aime.* Dane repoussa sa jalousie et alla au placard. Avant d'atteindre sa veste, il fit courir ses doigts sur les vêtements de Lacy. Ils avaient dû apporter quelques modifications à la configuration du placard pour s'adapter à ses vêtements, et maintenant Dane ne se souvenait plus à quoi ressemblait le placard avant qu'elle n'emménage. C'était comme si elle avait toujours été là, ou peut-être qu'il avait toujours attendu qu'elle entre dans sa vie. Il posa sa veste sur le lit et alla se brosser les dents. Voir sa brosse à dents à côté de la sienne lui procurait toujours une sensation de chaleur.

Il traversa la cuisine et tendit la main pour toucher le poisson en métal sur le mur, se souvenant du doux visage de Lacy quand elle avait dit qu'elle pouvait presque les sentir respirer. Par contre, il aurait aimé pouvoir oublier la façon dont cette nuit s'était terminée. Il s'était lentement rendu compte qu'ils y étaient parvenus. *Nous y sommes parvenus.* Ils étaient retournés à Wellfleet et avaient acheté la sculpture et tous ces petits poissons en fuite comme un moyen de se rappeler que peu importe les obstacles, leur amour triompherait toujours.

Sur le pont, il la repéra avec Rob et Sheila, chacun tenant un verre d'eau. Dane était ravi que Rob se soit complètement remis de son accident et qu'il remonte la pente. Il assisterait encore longtemps aux réunions des AA et Dane était fier de lui. Lacy se tenait là aussi, un verre dans une main, et rejetant la tête en arrière. Son rire féminin emplit l'air de la nuit. Son père s'approcha d'elle par-derrière et posa son bras sur son épaule, comme si elle avait toujours fait partie de la famille. Savannah et Hugh s'approchèrent de lui.

— Je ne sais pas comment tu l'as convaincue de quitter son travail et de monter sur un bateau, dit Savannah.

— Elle n'a pas vraiment quitté son emploi. Elle travaille toujours pour World Geographic. Elle travaille juste à distance. Ce qui est formidable, c'est que Fred lui a donné la promotion qu'elle voulait, alors elle décide des entreprises avec lesquelles elle travaille, expliqua Dane.

Savannah passa un bras autour de la taille de Dane.

— Je suis tellement jalouse. Tous mes frères trouvent leurs âmes sœurs, et j'erre en me demandant quand mon heure viendra.

— Hé, je ne suis pas près de tomber dans le piège du couple, déclara Hugh avant de lever son verre en direction de Lacy. C'est quelqu'un de bien, Dane, et mon vieux, elle est folle de toi. Ce doit être ce truc de chasse au requin que les femmes adorent.

— Je pense que c'est la dernière chose qu'elle aime chez moi, répondit Dane en buvant une gorgée de la boisson de Savannah. Savannah, je vais te répondre la même chose que papa m'a dite. Tu sauras que tu as trouvé la bonne personne quand ton cœur ne pourra plus vivre sans elle.

— Eh bien, mon cœur a soif, et New York ressemble à un désert d'hommes secs et égoïstes, dit Savannah en récupérant son verre. Ne m'en veux pas. J'ai juste besoin de vacances.

— Et Connor Dean ? demanda Hugh.

— Je t'en prie, dit-elle en levant les yeux au ciel.

— Si vous voulez bien m'excuser, je sais que Rob et Sheila commenceront bientôt leurs vœux de renouvellement, et je veux avoir une minute avec Lacy.

Dane se dirigea vers Lacy.

— Cette robe est vraiment un péché, dit Dane, passant sa main le long de la courbe de sa hanche.

— Tiens-toi bien, dit-elle en gloussant et rougissant.

— Fils, as-tu remarqué que ta douce amie se trouble dès que tu t'approches ? Le taquina son père.

Dane embrassa la joue de Lacy.

— J'espère que cela ne changera jamais.

Son père ôta son bras de l'épaule de Lacy et leva son verre.

— Avant que Rob et Sheila ne commencent leur cérémonie, je veux juste dire que vous faites tous partie de nos vies depuis dix ans – une bonne partie de nos vies et une énorme partie de celle de Dane – et j'espère que cela continuera pendant les années à venir.

— Merci, Hal. En fait, dit Rob en prenant la main de Sheila. Nous avons pris une décision. Nous allons accepter l'offre de Dane, et je resterai avec Brave. Je dirigerai le bateau pour Dane lorsqu'il sera dans la région, ou partira pour quelques jours seulement, et lorsqu'il sera absent plus longtemps, je dirigerai le bureau. Brave compte trop pour que je l'abandonne et, Dane, comment pourrais-je quitter le frère que ma mère n'a jamais pu me donner ?

Dane leva son verre.

— Et la course continue. Je t'aime, mon frère.

Puis il chuchota à l'oreille de Lacy :

— Et notre course vient juste de commencer.

Envie de plus de Braden ?
Tombez sous le charme de Jack et Savannah dans
Un amour si puissant

CHAPITRE UN

Le bruit du moteur du petit avion de brousse retentit aux oreilles de Savannah Braden alors qu'ils dépassaient la lisière d'une forêt aux couleurs vives et entamaient leur descente rapide vers les montagnes du Colorado. Le mois de septembre ne pouvait pas être plus beau, avec les feuillages flamboyants rouges, orange, jaunes et verts qui ne tardèrent pas à se dessiner. L'avion vira à droite, puis coupa à gauche à vive allure, déplaçant Savannah et les cinq autres passagers dans leurs sièges. Savannah s'accrocha à l'accoudoir et regarda par le hublot : la piste d'atterrissage en terre battue se dessinait. *Trop courte !* Elle qui avait volé toute sa vie n'avait jamais vu de piste d'atterrissage aussi courte. *Super. Je vais mourir avant même d'avoir pu me vider la tête.* Elle n'avait pas vu le visage du pilote avant le décollage et, maintenant, tout ce qu'elle distinguait, c'était une nuque et des cheveux bruns ondulés, le gros casque sur ses oreilles et un t-shirt noir tendu sur des épaules musclées. À quoi ressemblait l'homme qui allait la tuer et comment imaginait-il atterrir sur une piste de la taille d'un sparadrap ?

Le couple assis en face d'elle semblait bien trop calme, dans leurs vêtements de chanvre et leurs bottes éraflées. Ils s'étaient présentés comme Elizabeth et Lou Merriman, en voyage avec leur fils de six ans, Aiden. Ils semblaient assez agréables, mais Savannah ne pouvait s'empêcher de fixer les dreadlocks brun rougeâtre qui pendaient sur leurs épaules, comme si ce n'étaient pas des cheveux, mais les tronçons épais et touffus de la corde rugueuse que son père utilisait dans son ranch de Weston, Colorado.

— Excusez-moi…

— Oh, désolée, dit Savannah en desserrant ses doigts cramponnés à l'accoudoir qui la séparait du jeune homme taciturne assis à côté d'elle.

Les épaules voûtées, le bonnet descendu sur son front, il ne lui avait pas dit deux mots de tout le vol. Fuyait-il, lui aussi, la civilisation après avoir renoncé au sexe opposé ?

Les émotions de Savannah s'étaient atrophiées depuis qu'elle avait surpris une nouvelle fois son petit ami par intermittence, le célèbre Connor Dean, au lit avec une autre. Ses yeux la picotèrent au souvenir de la soirée qui avait signé la fin houleuse de leur relation. *Une fin définitive.* Suivant les préconisations d'un article qu'elle avait lu sur la façon de reprendre sa vie en main après une rupture, elle avait posé un congé ce vendredi pour participer à ces fichus quatre jours de survie, que l'article présentait comme « la meilleure façon de reprendre confiance et de redéfinir les priorités de sa vie ! » Le timing était parfait. Il était hors de question qu'elle retourne auprès de Connor et, pour se tenir à cette résolution, elle devait quitter Manhattan car Connor était juste assez charmant pour lui faire oublier qu'elle méritait mieux qu'un type qui se comportait encore comme un sportif de lycée, toujours à la recherche du prochain bon coup.

L'avion entama une descente rapide. Savannah resserra sa ceinture de sécurité sur ses hanches et ferma les yeux. Elle sentit son estomac se soulever et se tordre alors que les moteurs grondaient douloureusement. Enfin, les roues de l'avion entrèrent en contact avec la terre et les freins hurlèrent, la projetant en avant, avant de la plaquer contre le siège.

— Merde !

Les yeux de Savannah s'ouvrirent. Tout le monde la regardait : le couple écolo et leur jeune fils et, bien sûr, son voisin mal luné. Tout le monde sauf Josie, la jeune femme assise de l'autre côté de l'allée, derrière Elizabeth et Lou. Elle aussi avait les yeux fermés et serrait les poings sur l'accoudoir. *J'aurais dû m'asseoir à côté d'elle.*

— Désolée, balbutia Savannah avec une grimace.

Elle regarda par la fenêtre : la piste d'atterrissage était à une bonne quinzaine de mètres derrière eux, mais au moins, ils étaient en vie.

Peut-être que c'était une erreur.

Le moteur se tut. Les autres passagers se levèrent et s'étirèrent. Elizabeth et Lou récupérèrent Aiden, souriant comme s'ils ne venaient pas de voir leur vie défiler devant leurs yeux. *Qu'est-ce qui ne va pas chez eux ?*

— On a réussi ! cria Josie.

Le type au bonnet secoua la tête et Savannah pria pour ne pas s'évanouir tant son cœur s'était emballé.

Le pilote se dévissa le cou pour jeter un coup d'œil par-dessus son épaule et retira son casque. Avant qu'il ne se détourne à nouveau et qu'elle ne se retrouve à fixer son épaisse chevelure, Savannah eut un bref aperçu du visage le plus beau, le plus buriné et les yeux les plus perçants qu'elle ait jamais vus.

Un frisson la parcourut.

Peut-être que ce n'était pas une erreur, après tout.

Une seconde plus tard, elle prit conscience que c'était l'homme qu'elle avait entrevu à l'aéroport lorsqu'elle s'était précipitée pour attraper l'avion, quand elle était tombée sur les fesses, non sans envoyer valser ses sacs à travers le couloir. Froid, distant, et bien trop beau pour être honnête.

Je suis foutue.

Pour lire la suite, achetez *Un amour si puissant*

Remerciements

Il faut toute une communauté pour porter un livre, et j'aimerais remercier mes lecteurs d'avoir cru en moi, ainsi que les nombreux blogueurs et influenceurs qui ont été présents à chaque étape pour m'encourager et parler de mes livres auprès de leurs communautés littéraires.

Un merci tout spécial à Charles « Bud » Dougherty, pour avoir partagé ses connaissances maritimes avec moi. Toutes les erreurs et les libertés créatives viennent de moi et non de Bud. Bud, merci de m'avoir offert ton temps si généreusement. Denise Collier, tu es toujours prête à aider, pas seulement moi, mais aussi les autres. Merci d'avoir partagé avec moi ton expérience de la plongée. J'ai appris beaucoup sur cette activité que je ne serais jamais assez courageuse pour tenter. Keri Nola, tes conseils avec l'aspect psychologique des peurs de Lacy m'ont été d'une aide précieuse. Merci.

Kristen Weber et Penina Lopez, vous êtes la patience incarnée, et franchement, vous avez les yeux les plus acérés que je connaisse. Merci de m'avoir orientée dans la bonne direction en peaufinant mon travail. Jenna, Juliette, Elaini, Lynn, Marlene et Justinn, Lessa Owen, vous êtes ceux qui examinez mes manuscrits en dernier, et je suis sûre que mes lecteurs vous apprécient autant que moi. Merci pour votre temps et votre souci du détail.

À ma famille, comme toujours. J'apprécie beaucoup votre patience et votre compréhension de mes horaires de travail complètement dingues et de mes drôles de conversations avec des gens qui n'existent que dans ma tête. J'aime que vous élaboriez les intrigues et les scénarios avec moi alors que je sais que vous préféreriez regarder *Dr Who*. Merci à chacun d'être qui vous êtes. Je vous aime.

Découvrez Melissa

www.MelissaFoster.com

Melissa Foster est une auteure primée, dont les best-sellers figurent aux classements du *New York Times* et de *USA Today*. Ses livres sont recommandés par le blog littéraire de *USA Today*, le magazine *Hagerstown*, *The Patriot* et de nombreuses autres revues. Melissa a également peint et fait don de plusieurs fresques murales pour l'hôpital des enfants malades à Washington, DC.

Retrouvez Melissa sur son site web ou discutez avec elle sur les réseaux sociaux. Melissa aime parler de ses livres avec les clubs de lecture et les groupes de lecteurs. N'hésitez pas à l'inviter à vos événements. Les livres de Melissa sont disponibles dans la majeure partie des boutiques en ligne, en version papier et numérique.